앨리스
죽이기

ALICE GOROSHI (THE MURDER OF ALICE) by Yasumi KOBAYASHI

앨리스 죽이기

고바야시 야스미 지음
김은모 옮김

SIGONGSA

1

맞은편에서 흰토끼가 달려왔다.

조끼에서 시계를 꺼냈다. "큰일 났다! 늦겠어."

이 토끼가 특별히 시간 개념이 없는 건지, 원래 토끼라는 종족 자체가 시간을 지키는 능력이 모자란 건지는 모르지만 아무튼 그는 늘 이 모양이었다.

그러고 보니 그와 처음 만났을 때도 시간에 늦을 뻔하지 않았었나?

앨리스는 어이없다는 눈으로 흰토끼를 바라보았다.

그렇지만 언제 처음으로 만났는지 지금은 아리송하다. 상당히 오래전 일이기 때문이다. 그 이전의 일은 더 애매모호하여 거의 기억조차 나지 않는다. 어쩐지 좀 더 지루하지만 차분한 일상이 있었던 것 같은 기분도 든다.

"거기 비켜, 메리 앤! 늦을 것 같아! 알잖아!"

앨리스가 입을 열려고 했을 때 뒤에서 누가 말을 붙였다.

"있지. 암호를 정해두자."

돌아보자 도마뱀 빌이 서 있었다.

"암호? 무슨 소리야?"

"암호란 같은 편이라는 걸 식별하기 위해 비밀리에 정해놓는 말이야."

"그게 아니라 왜 그런 게 필요한지 묻는 거야."

빌은 고개를 갸웃하며 잠시 생각에 잠겼다가 대답했다. "적을 같은 편이라고 착각하면 야단나니까 그렇겠지?"

"적이 어디 있는데?"

"글쎄. 하지만 분간하는 방법을 아니까 만약 있다면 쉽게 찾아낼 수 있어."

"분간하는 방법을 알아?"

"물론이지."

"어떻게 분간하는지 가르쳐줄래?"

"간단해. 암호를 말해서 올바르게 대답하면 같은 편이고, 틀리면 적이야."

"어휴. 그럴 줄 알았어."

"그래. 누구라도 이해할 수 있는 훌륭한 논리지."

"너, 아는 이들 모두에게 지금이랑 똑같은 이야기를 하면서 돌아다니는 거니?"

빌은 고개를 저었다. "설마, 모두에게 말하면 의미가 없잖아. 이 이야기는 같은 편에게만 했어."

어머. 빌은 날 같은 편이라고 생각하는 건가?

"암호는 뭐가 좋을까?" 빌이 눈을 반짝였다.

앨리스는 어쩐지 귀찮아졌다.

"난 암호 없어도 돼."

"어째서?"

"나도 한번 물어보자. 왜 암호를 정해야 하는데?"

"왜냐니, 암호가 없으면 적인지 아군인지 판단할 수 없잖아."

"판단할 수 있는 거 아니야? 난 같은 편이잖아."

"그러니까 암호를 정해두지 않으면 앨리스가 같은 편인 줄 모른
대도."

"그럼 적이라도 상관없어."

빌은 고개를 붕붕 저었다. "그건 곤란해. 앨리스는 같은 편이니
까."

"거봐. 암호를 말하지 않아도 같은 편인 줄 알잖아?"

"아니야. 암호는 아군과 적을 판별하기 위한 방법이니까 반드시
필요해."

어째서 여기 사람들(뭐, 빌은 사람이 아니지만)은 모두 이렇게 성
가시게 구는 걸까? 자신이 그런 줄 정말로 모르는 사람과 실은 알
면서 장난치는 사람이 있지만 말이야. 장난치는 사람이 귀찮게 굴
때는 무시하면 그만이야. 그렇지만 정말로 모르는 사람을 무시하
는 건 어른스럽지 못한 짓이지. 문제는 그 사람이 어떤 유형인지 쉽
게 구별할 수 없다는 거야. 하지만 어쩐지 빌은 자신이 성가시게 군
다는 걸 정말로 모르는 모양인데. 그렇다면 제대로 상대해줘야 해.

하지만 암호라니 진짜 귀찮아.

그래. 좋은 변명이 떠올랐다.

"암호는 다음에 다시 정하자."

"왜?"

"얘가 있어서." 앨리스는 호주머니를 가리켰다.

"호주머니가 사방팔방 퍼뜨릴까 봐? 그 녀석은 대개 과묵하니까 괜찮아."

"호주머니에 든 게 문제야." 앨리스는 호주머니 입구를 조금 벌렸다. "보여?"

"공기 말이야?"

"잘 좀 봐봐. 여기 있잖아."

"무슨 갈색 털 뭉치가 들어 있는데. 이거 말이야?"

"그래."

"털 뭉치는 말 안 해."

"털 뭉치 아니야."

"아까 앨리스가 털 뭉치라고 했어."

"아니. 안 그랬어. 네가 그랬지."

"내가 털 뭉치라고 하니까 앨리스가 '그래'라고 했잖아."

"그건 '털 뭉치'라는 뜻이 아니라 '호주머니의 내용물은 털 뭉치 같은 것'이라는 뜻이었어."

"그럼 '그래'가 아니라 '아니야'라고 했어야지."

앨리스는 한숨을 쉬었다. "아니야. 하지만 호주머니에 든 건 그거야."

"그게 뭔데?"

8

"털 뭉치 같은 것."

"앨리스는 털 뭉치 같은 게 신경 쓰이는 거야?"

"그래. 그냥 털 뭉치가 아니니까."

"그냥 들어 있는 게 아니야? 그럼 얼마 주고 샀는데?"

"안 샀어. 친구니까."

"친구한테 샀다고?"

"아니. 친구한테 안 샀어."

"그럼 친구 아님한테 샀구나."

"친구 아님한테도 안 샀어. 만약 그런 단어가 있다면 말이지만."

"그럼 누구한테 샀는데?"

"아무한테서도 안 샀어."

"그럼, 그냥 들어 있는 거잖아."

"그냥 들어 있는 거 아니야."

"말이 앞뒤가 안 맞아." 빌이 어깨를 으쓱했다.

앨리스는 심호흡을 했다. "난 사고팔았다든가, 얼마 주고 샀다든가 그런 이야기를 하는 게 아니라고."

"하지만 방금 전에 이 털 뭉치는 '그냥' 털 뭉치가 아니라고 했잖아."

"음. 더 이상 이야기가 꼬이면 안 되니까 명쾌하게 설명하자면, 내가 말한 '그냥'은 공짜라는 의미가 아니라 '보통'이라는 의미야."*

"그러니까 그 털 뭉치는 보통이 아니다?"

---

*일본어에서 '그냥'을 뜻하는 '타다(ただ)'는 '공짜' '보통'이라는 뜻도 가지고 있다.

"털 뭉치치고는. 하지만 겨울잠쥐로서는 보통인가?"

"겨울잠쥐? 왜 갑자기 그런 뚱딴지같은 녀석 이야기를 하는 거야?"

"쉿!" 앨리스는 입 앞에 손가락을 세웠다. "다 들려. 호주머니에 들어 있으니까."

"맙소사!" 빌은 호들갑스럽게 머리를 끌어안았다. "왜 그런 중요한 이야기를 비밀로 한 거야?"

"누가 비밀로 했다고 그래. 네가 일일이 말허리를 끊지 않았다면 5분 전에는 알았을 거야."

"하지만 뭐, 별 상관없어. '뚱딴지같은 녀석'이라고 험담을 했지만 어차피 겨울잠쥐는 자고 있으니까 모를 거야."

"하지만 가끔 깨기도 해."

"대개는 자."

"그래도 언제 깨어날지 모른다고. 그러니까 지금은 암호를 말하지 마."

"겨울잠쥐가 깨어나기를 기다렸다가 암호를 가르쳐달라는 거야?"

"그게 아니라 겨울잠쥐가 들을 수도 있으니까 암호를 말하지 말라는 거야."

"왜 들으면 안 되는데?"

"암호는 적과 아군을 구별하기 위해 사용하는 거잖아."

"그렇지." 빌은 고개를 끄덕였다.

"그럼 같은 편 말고 다른 사람에게 새나가면 곤란하지 않아?"

"뭐? 그럼 겨울잠쥐는 적이야? 어디서 그런 정보를 입수했어?" 빌은 눈을 반짝였다.

"그런 정보는 없어."

"그럼 엉터리 정보야?"

"엉터리고 뭐고 난 그저 가능성의 문제를 말했을 뿐이라고."

"무슨 가능성?"

"겨울잠쥐가 적과 내통하고 있을 가능성."

"이 녀석이?" 빌은 겨울잠쥐를 물끄러미 바라보았다.

"내통자는 늘 이렇게 푹 잠들어 있는 건가?"

"잠이랑 내통은 상관없어. ……하지만 이렇게 잠이 많으면 내통자답다고 하기는 힘들지도 모르겠다."

"좋은 생각이 났어. 이 녀석이 잠든 사이에 암호를 알려주면 되잖아."

"나 안 자!" 겨울잠쥐가 말했다.

앨리스와 빌은 말없이 겨울잠쥐를 관찰했다.

겨울잠쥐는 눈을 감은 채로 숨을 색색 내쉬었다.

"지금 잠깐 깨어났다가 바로 잠들었나." 빌이 불쑥 말했다.

"그것보다 잠꼬대였을 가능성이 높을지도 몰라." 앨리스가 뒤이어 입을 열었다. "하지만 깨어 있었을 가능성도 없지는 않지."

"더 좋은 생각이 났어. '더'라는 건 '이 녀석이 잠든 사이에 암호를 알려준다'라는 좋은 생각보다 '더' 좋은 생각이라는 뜻이야."

"넌 참 잘도 그렇게 연달아 좋은 생각을 해내는구나."

"존경해주다니 기쁘다."

앨리스는 존경 같은 건 하지 않는다고 대꾸하려다가 결국 그만두었다. 아무 영양가도 없는 대화 속으로 점점 더 빠져들 것 같았기 때문이다.

"그래서, 무슨 생각인데?"

"겨울잠쥐를 같은 편으로 생각하는 거야. 그럼 암호가 새나가도 아무 문제 없어."

"엥? 그렇게 쉽게 믿는 거야?"

"넌 겨울잠쥐를 의심해?"

"설마."

"그렇겠지. 나도 이 녀석을 의심하지 않아. 게다가 만일 이 녀석이 적이라고 해도 전혀 무섭지 않다고. 그럼 적이든 아군이든 상관없잖아."

"깔보지 마!" 겨울잠쥐가 소리쳤다.

앨리스와 빌은 말없이 겨울잠쥐를 관찰했다.

겨울잠쥐는 눈을 감은 채로 숨을 색색 내쉬었다.

"혹시 자는 체하는 건가?" 빌이 말했다.

"잠자는 체하는 거면 일부러 소리 내어 말할 것 같지는 않은데."

앨리스는 겨울잠쥐 핑계를 대며 암호 이야기를 피하는 것이 점점 한심스럽게 느껴졌다. 이렇게 시시한 일로 끝도 없이 다툴 바에야 빨리 암호를 듣고 빌을 냉큼 떼어내는 편이 낫다.

"알았어. 겨울잠쥐는 잠들었을지도 모르고, 만일 암호를 듣는다 한들 아무 위협도 안 돼. 지금 여기서 암호를 가르쳐줘."

"좋아. 그럼 지금 말할게. 딱 한 번만 말할 거니까 잘 들어. ……'딱 한 번만 말할 거니까'라는 표현을 전부터 꼭 써보고 싶었어. 그런데 왜 한 번만 말하는 걸까? 중요한 일이라면 세 번쯤 말해도 될 텐데."

"그러게. 분명 세 번이나 말하는 게 귀찮아서 그럴 거야."

"아하. 귀찮아서 그런 거구나. 이제 속이 후련해졌어."

"귀찮은 건 정말로 싫어."

"그래? 그나저나 귀찮은 일이 그렇게 많나?"

"난 지금 하나 생각났는데."

암호를 알려주고 싶어 하지만 좀처럼 알려주려 하지 않는 도마 뱀과 세월아 네월아 이야기를 나누는 거지.

"아무튼 겨울잠쥐가 같은 편이라고 생각하는 건 찬성이야. 빨리 암호인지 뭔지를 말해줘."

"알았어. 내가 먼저 '스나크는'이라고 말하는 거야. 그럼 너는……."

"'부점이었다.'"

빌의 눈이 휘둥그레졌다. "어떻게 알았지? 비밀이 새나갔나?"

"누구한테서 비밀이 새나갔다는 거야?"

빌은 겨울잠쥐를 노려보았다.

겨울잠쥐는 숨을 색색 내쉬며 잠들어 있었다.

"역시 잠자는 체하는 건가?"

"음. 너, 겨울잠쥐 앞에서 암호를 말한 적 있어?"

"응. 있어. 정확하게 따지자면 난 앞쪽 절반을 말했고, 나머지는 네가 말했지만."

"방금 전에 우리 둘이 말한 거?"

"기억 안 나?"

"기억나."

"아. 다행이다. 영락없이 네 머리가 이상해진 줄 알았지 뭐야."

"그보다 전에 말한 적은?"

"없는데."

"없다고?"

"그래. 아까 처음 말했어. 그 전에는 내 머릿속에만 들어 있었지."

"그런데 겨울잠쥐를 의심하다니 사리에 어긋나잖아."

"하지만 내가 암호를 가르쳐주기 전에 네가 이미 알고 있었으니 겨울잠쥐를 의심할 이유는 충분한 것 같은데."

"아니야. 겨울잠쥐는 무고해."

"어째서 그렇게 단언하는 거지?"

"왜냐하면 난 겨울잠쥐에게서 암호를 들은 게 아니니까."

"그거 놀랍군. 그럼 배신자는 누군데?"

"배신자가 있다면 암호를 아는 누군가겠지." 앨리스는 기가 막힐 지경이었다.

"암호를 아는 누군가…… 넌 암호를 알고 있었잖아."

"내가 배신자라는 거야?"

"맞아?"

"아니야. 난 배신자가 아니라고."

"그렇게 딱 잘라 말할 수 있는 이유는?"

"나는 내가 제일 잘 아니까. 난 배신자가 아니야."

"또 누가 암호를 알고 있었을까?"

"한 명밖에 없어."

"누구?"

"빌, 너야."

"오오. 그건 몰랐네!" 빌은 이마를 탁 쳤다. "내가 배신자였을 줄은 꿈에도 몰랐어."

"안심해, 빌. 너도 배신자가 아니야."

"어떻게 알아?"

"넌 배신자 유형이 아니거든. 게다가 네가 배신자라면 너 스스로도 그 사실을 알고 있었을 거야."

"그렇구나. 나 자신도 알고 있다 그거지. 그럼 스스로에게 물어보면 확실해지겠네. ……그런데 어떻게 나 자신에게 물어보지?" 빌은 혼란에 빠진 것 같았다.

"걱정 마. 너 스스로 물어볼 필요 없어. 내가 물어봐줄게."

"도와줘서 고마워, 앨리스."

"빌, 넌 배신자니?"

빌은 약간 비스듬히 위를 보며 생각하다가 대답했다. "아니. 난 배신자가 아니야."

"봐. 넌 배신자가 아니야."

"아니야. 아직 안심하긴 일러." 빌은 불안한 듯이 말했다. "내가 거짓말을 했을 수도 있잖아."

"넌 거짓말 안 했어."

"그걸 어떻게 알아?"

"만약 네가 배신자라면 누구를 배신했다는 거야?"

"너?"

앨리스는 고개를 저었다.

"나?"

"빌, 자신이 누군가에게 배신당한 듯한 기분이 들어?"

"전혀 안 드는데."

"거봐."

"그럼 누가 배신한 거지?"

"아무도 배신 같은 거 안 했어."

"어떻게 알아?"

"왜냐하면 이 나라에는 남을 배신할 수 있을 만큼 머리가 제대로 돌아가는 사람이…….."

"큰일이다!" 시종들과 말들이 그렇게 외치면서 눈앞을 달려갔다.

"뭐야? 왜 그래?" 빌이 물었다.

"왕의 시종과 말들이 허둥대는 걸 보니 답은 하나야."

"누가 배신자인지 알아낸 거야?"

"그게 아니라 틀림없이 담에서 떨어졌어."

"뭐가 담에서 떨어졌는데?"

"'뭐가'가 아니라 '누가'야. 아마도 여기에서는."

"어디?"

"이상한 나라."

"이상한 나라?"

"이 세계 말이야."

"넌 이 세계 말고 다른 세계를 알아, 앨리스?"

"응. 알고 있는 것 같긴 한데 그다지 자신은 없네."

"무슨 소리야?"

"제대로 기억이 안 나. 아니. 기억이 안 나는 게 아니라 기억날 만큼 실감이 느껴지지 않는다고 할까. 그쪽에 가면 반대로 이쪽 세계가 실감이 안 나겠지만."

"그래서 누가 떨어졌는데?"

"진심으로 묻는 거야?"

"응." 빌은 고개를 끄덕였다.

"왕의 시종과 말이 달려갔는데 모른단 말이지."

"응." 빌은 고개를 끄덕였다.

"험프티 덤프티."

"누구?"

"험프티 덤프티를 몰라?"

"알아. 내가 언제 모른다고 했어?" 빌은 약간 발끈한 것 같았다.

"그럼 상황을 보러 가볼까." 앨리스는 말했다.

이제 지금보다는 조금 의미 있는 오후를 보낼 수 있을지도 모르겠네.

"험프티 덤프티는 분명 이쪽에 있을 거야." 빌은 짚이는 데가 있는지 느닷없이 달려갔다.

"잠깐 기다려." 앨리스도 허둥지둥 뒤를 쫓았다.

"여왕님의 성 정원이야." 빌은 달리면서 손가락질했다.

빌의 손끝이 가리키는 곳을 보자 팍삭 찌그러진 뭔가가 사방으로 흩어져 있었다. 거대한 하얀색 껍데기 같은 것이 보였다. 그리고 검붉은 뭔가도.

앨리스는 틀림없이 노란색이 보일 줄 알았기 때문에 조금 놀랐다.

뭐, 그렇게 놀랄 일도 아니지. 험프티 덤프티가 무정란이라고 정해진 건 아니잖아?

험프티 덤프티 주변에 두 명이 서 있었다. 뭐, 사람은 아닐지도 모르지만 아무튼 사람 취급 하는 것이 여기 방식이다.

가까이 다가갈수록 두 명이 3월 토끼와 미치광이 모자 장수라는 것이 확실해졌다.

어머. 저 사람들 여기서 뭘 하는 거람? 지금쯤이면 원래 정신 나간 다과회를 벌이고 있을 참인데. 뭐, 지금쯤이고 뭐고 저 사람들은 늘 다과회를 열지만.

미치광이 모자 장수는 거대한 돋보기로 험프티 덤프티의 잔해를 열심히 조사하고 있었다.

그리고 3월 토끼는 마치 정신이 나간 것처럼 주변을 폴짝폴짝 뛰어다니고 있었다. 아니, 정신이 나간 건 의심할 여지가 없는 사실이지만.

"당신들, 거기서 뭐 하는 거예요?" 앨리스는 물었다.

"보다시피 범죄 수사." 미치광이 모자 장수는 고개도 들지 않고 대답했다.

"범죄? 험프티 덤프티가 담에서 떨어졌을 뿐이잖아요? 그렇다면 사고죠."

모자 장수가 고개를 들었다. "아니. 험프티 덤프티는 살해당했어. 이건 살인사건이야."

2

아아. 또 이상한 꿈을 꿨네.

구리스가와 아리는 침대에서 흐느적흐느적 기어 나와서 자명종 시계를 껐다. 언제나처럼 징그럽게 사실적인 꿈이었다. 한창 꾸고 있을 때는 이것이 꿈인지 의심할 수 없을 만큼 오감이 전부 뚜렷하다(엄밀히 말하자면 그 감각 자체를 기억하고 있는 것이 아니라 '그렇게 느꼈다는 것'을 기억하고 있는 거지만).

하지만 이렇게 깨어나니 역시 꿈인 만큼 붕 뜬 것처럼 느껴졌다.

기억이 모호하다는 의미가 아니라 하나같이 현실감이 없다. 영화를 보거나 소설을 읽는 감각에 가깝다. 아무리 뚜렷하게 느꼈다고 해도 그것이 현실이 아니라는 것은 틀림없는 사실이라고 똑똑히 자각한다.

그건 그렇고 왜 이렇게 머리가 이상한 인물과 동물이 사는 세계의 꿈만 꾸는 걸까?

그 세계에 대해 잘 알고 있을 텐데도 도대체 어디인지 생각이 안

난다. 꿈을 꾸는 동안은 '여기가 어디냐'는 의문조차 들지 않는데.

뭐, 꿈이니까 이치가 맞지 않는 것도 당연하다고 할 수 있지만.

흔히 잠에서 깨면 꿈을 바로 잊어버린다고 하는데 나는 계속 기억난다. 실감은 사라지지만 무슨 사건이 있었는지는 쭉 머릿속에 남아 있다.

이거 특이한 경우인가?

최근에는 이 꿈만 꾼다. 혹시 매일 꾸고 있나? 설마.

어제 꾼 꿈을 떠올려보자.

어제는 그 세계 꿈을 꿨다. 어제는 말이지. 이틀 연속으로 꾸는 건 그렇게 신기한 일이 아니다.

그저께 꾼 꿈을 떠올려보자.

분명 그 세계 꿈이었던 것 같아. 우연히 사흘 연속 꿨을 뿐이지만.

_그끄_저께는 어땠더라?

어쩐지 그 세계 꿈을 꿨던 것 같은데. 확실한 증거는 없지만.

…….

아리는 갑자기 불안해졌다.

이거 괜찮나? 괜찮겠지?

심리학은 잘 모르지만 되풀이해 꾸는 꿈에는 의미가 있다고 들은 적이 있어. 분명 그 세계는 내게 뭔가의 상징이고, 지금 이 상황에서 아주 중요한 의미를 지니고 있는 거야. 그래서 내 무의식이 그 의미를 내게 알리려고 하는 건지도 몰라.

그럼 언제부터 그 꿈을 꾸기 시작했더라?

아무래도 확실치 않아. 꽤 오래전부터 꾼 것 같기도 한데, 꿈속 기억은 현실과 그다지 연관성이 없으니까 언제부터라고 콕 집어 말하기는 힘들어.

그럼 시점을 바꿔보자. 그 꿈 말고 중요하게 느껴지는 꿈은 또 뭐가 있지?

······.

아무것도 생각 안 나네.

나, 그 꿈 말고 다른 꿈은 꾼 적이 없나?

아무리 그래도 그건 말도 안 되지. 그냥 당장 기억이 안 나는 것뿐이야.

아리는 입술을 깨물었다.

고작 꿈일 뿐인데 어쩐지 굉장히 신경 쓰이네. 이럴 줄 알았으면 꿈 일기라도 쓸걸 그랬어.

그래. 꿈 일기.

시험 삼아 지금부터 써볼까? 날짜와 함께 꼬박꼬박 적어두면 심리적인 뭔가를 파악할 수 있을지도 모르잖아.

아리는 책상 서랍을 열고 수업 때 쓰려고 사둔 공책을 꺼냈다.

처음 두세 페이지에 뭐라고 적혀 있었지만 무시하고 새 페이지에 적었다.

5월 25일

이런 꿈을 꿨다.

흰토끼가 달린다. 도마뱀 빌에게 '스나크는 부점이었다'라는 암호를 듣는다. 험프티 덤프티가 살해당한다.

'스나크는 부점이었다'는 건 무슨 뜻일까? 아아. 하지만 이 말은 빌한테 듣기 전에 이미 알고 있었던가. 그럼 혹시 그 세계에서는 누구나 아는 표현일까? 그렇다면 빌은 정말 얼빠진 녀석이야.

아차. 벌써 시간이 이렇게 됐네. 빨리 학교 가야 해. 오늘은 실험 장치를 예약해뒀던가.

아리는 자신이 기르는 햄스터에게 밥을 주고 허둥지둥 방을 뛰쳐나갔다.

아리가 대학 연구실에 도착했을 때 건물 안은 묘하게 어수선했다.

평소에는 좀처럼 보기 힘든 직원들이 복도를 종종걸음으로 오갔고, 낯선 사람과 경찰관의 모습도 보였다.

"무슨 일 있었어요?" 아리는 한 살 많은 대학원생 다나카 리오에게 물었다.

"나카노시마 연구실의 오지 씨가 돌아가셨대."

"예?"

아리는 귀를 의심했다. 나카노시마 연구실의 박사 연구원 오지 다마오와 그렇게 친했던 것은 아니다. 연구회 같은 데서 가끔 말을 나눈 정도다. 하지만 어제까지 쌩쌩하게 살아 있던 사람이 갑자기 죽었다는 소식을 듣자 충격이 컸다.

"나도 깜짝 놀랐어."

"갑작스레 병이라도 걸리셨나요?"

"달걀이라는 별명이 붙을 만큼 둥글둥글한 체형이니까 당뇨병이나 순환기 계통 질환이 바로 떠오르지? 하지만 아니야. 추락사래."

"추락? 비행기 사고 같은 걸 당했나요?"

"그게 아니라 옥상에서 떨어졌어."

"설마, 자살……."

"그건 지금 조사 중이라는데 목격자 말에 따르면 옥상 가장자리에 앉아서 다리를 흔들고 있었대."

"본 사람이 있어요?"

"응. 그래서 즉시 구급차를 부른 모양이지만 이미 늦어서……. 구급차랑 경찰차가 몰려와서 이 부근이 잠시 시끌벅적했었다나 봐."

최근에 비슷한 일이 있었던 것 같기도 한데.

아리는 문득 생각이 났다.

뭐였더라?

"분명 자살은 아닐 거야." 리오가 불쑥 말했다.

"왜 그렇게 생각하는데요?"

"자살할 사람이 아닌걸. 그렇지 않아?"

"나는 오지 씨랑 그렇게 친하지 않아서……."

"그 사람은 상당히 무신경한 성격이야. 주변 일에 무심하다고 할까, 옥상 가장자리에 앉아 있었던 것도 그 사람다워. 정말로 아무 위험도 느끼지 못했는지도 몰라."

"즉 부주의한 탓에 일어난 사고였다고요?"

"단언할 수는 없지만. 아무튼 오늘은 실험을 할 상황이 아닌 것 같아."

"어? 그럼 곤란한데요. 오늘 증착* 장치를 예약해뒀다고요. 이

---

*진공 상태에서 금속이나 화합물 따위를 가열, 증발시켜 그 증기를 물체 표면에 얇은 막으로 입히는 일. 렌즈 코팅, 반도체 따위의 피막 형성에 이용된다.

번 기회를 놓치면 3주 후에나 쓸 수 있는데."

"어머. 큰일이네. 하지만 안 될걸. 오늘은 실험을 중지한다는 연락이 왔어."

"밤에도 안 될까요?"

"기본적으로는 야간 실험 허가를 받아야 해. 지금 신청해봤자 늦지 않을까?"

"어쩌지?" 아리는 풀 죽은 목소리로 말했다. "학회 발표 날짜에 못 맞출 것 같아요."

"꼭 실험을 해야 한다면 이번 주에 예약한 다른 사람과 얘기해보는 게 어때? 여유가 있는 사람이라면 양보해줄지도 모르잖아."

"그렇게 해볼게요."

아리는 예약표를 보고 양보해줄 것 같은 사람을 골라서 실험실을 돌아다니며 부탁해보기로 했다.

어느 실험실에 가도 학생들과 연구원들은 실험을 미뤄놓고 오지의 죽음에 대해 수군대고 있었다. 개중에는 수작업으로도 가능한 간단한 실험을 하는 사람도 있었지만 그 정도는 문제 없는 건지 숨어서 하고 있는 건지 아리는 판단이 서지 않았고, 물어볼 생각도 없었다. 지금 아리의 머릿속에는 오직 실험 생각뿐이었다. 오지에게는 미안하지만 그의 죽음을 애도하고 있을 여유는 없었다.

"목요일에 증착 장치를 예약하셨던데, 저랑 바꿔주시면 안 될까요? 학회 발표 때문에 꼭 필요하거든요." 아리는 다른 연구실 대학원생에게 부탁했다.

"아아. 미안. 나도 발등에 불이 떨어졌거든. 학회 발표가 다 뭐야, 난 박사 논문 마감이 코앞이라고."

"혹시 일정에 여유가 있을 만한 분 모르세요?"

"여유? 그런 사람은……. 아니지…….."

"짐작 가는 분이 계세요?"

"뭐, 여유롭다면 여유롭지만 여유하고는 좀 다른 것 같은 기분도 들고."

"여유가 있는 건가요, 없는 건가요?"

"뭐, 별난 녀석인 것만은 틀림없어." 대학원생은 고개를 끄덕였다.

"누군데요?"

"이모리야. 이모리 겐. 알아?"

이름은 안다. 같은 학년이지만 다른 학과에서 중간에 편입했기 때문에 그렇게 친하지는 않다. 그리고 보니 어쩐지 느슨한 분위기에서 여유가 느껴지지 않는 것도 아니었다.

"일단 이모리한테 물어볼게요. 지금 어디 있는지 아세요?"

"글쎄다? 그 녀석 오지랑 사이가 좋았거든. 그래서 경찰도 찾고 있는 것 같던데."

그렇다면 시간이 없다. 경찰보다 먼저 찾아내야 한다.

"실례할게요."

아리는 인사도 하는 둥 마는 둥 이모리를 찾으러 나갔다.

이모리는 금세 찾았다.

식당에서 멍하니 텔레비전을 보고 있었다.

"이모리!" 아리는 숨을 헐떡거리며 이름을 불렀다.

이모리는 천천히 아리가 있는 쪽을 보고 고개를 살짝 갸웃했다.

"너, 모레 증착 장치 쓰려고 예약했지? 그거 양보해주지 않을래?"

이모리는 다시 고개를 갸우뚱했다.

"목 아파?"

"생각 좀 하느라고."

"뭘?

"여러 가지 사항을 동시에. 일단 장치 예약. 분명 모레에 증착 장치를 쓸 예정이었던 것 같아."

"그렇게 애매해? 모레인데?"

"모레 일은 모레 일이니까. 오늘은 오늘 할 일만으로도 힘에 부친다고."

"하지만 너 지금 텔레비전 보고 있었잖아."

"그래. 그게 오늘 할 일 중 하나야."

"느긋하게 텔레비전이나 보고 있어도 돼?"

"텔레비전을 볼 수 없을 만큼 긴급사태라는 거야?"

"야, 네 친한 친구가 죽었잖아."

이모리는 고개를 기울였다.

"왜?"

"생각해내야 할 게 또 하나 늘었군."

"생각해내지 않아도 돼. 내가 가르쳐줄게. 오지 씨 말이야."

"오지?"

"오지 씨 이름도 까먹었어?"

"아니. 그건 기억나. 하지만 나랑 친한 친구라니 처음 듣는 소린데. 어쩌면 잊어버렸는지도 모르겠네."

"그럼 내 착각이야. 그냥 친구였을지도 모르지."

이모리는 고개를 갸웃했다.

"친구도 아니야?"

"모르겠어. 내가 잊어버렸을 뿐일 수도 있지."

"네가 생각하기에는 그 사람하고 어떤 관계인데?"

"안면이 있는 사람. 하지만 너보다는 친할 거야. 적어도 오지 씨랑 복도에서 마주치면 인사 정도는 하니까."

"나랑은 인사하지 않았다는 거야?"

"했었나?" 이모리는 고개를 갸우뚱했다.

"그건 나도 기억 안 나."

"그렇다면 상당히 어려운 문제인데. 너랑 인사했는지 하지 않았는지에 관해서도 답을 내놔야 해?"

"그럴 필요 없어. 물론 내놓고 싶으면 내놔도 되지만 다음으로 미뤄두자."

아아. 이렇게 답답한 대화를 최근에 어딘가에서 나눈 적이 있던 것 같은데.

"아아. 생각났다!" 이모리는 아리의 얼굴을 가리켰다. "넌 구리스가와야."

"계속 그걸 생각하고 있었던 거야?"

"그래. 하지만 생각해내야 할 게 한 가지 더 있어. 그게 더 중요해."

"증착 장치 예약에 관해서?"

"그건 벌써 생각났어. 난 분명 증착 장치를 쓸 예정이었어."

"바꿔줄래?"

"그건 힘들겠는데. 다른 조의 증착도 맡았거든. 나 혼자 실험하는 거라면 또 모르지만 다른 사람에게 피해를 준다고."

"그렇구나." 아리는 고개를 떨구었다. "어쩌지? 이제 틀렸을지도 몰라."

"꼭 그렇지만도 않아. 무슨 실험을 할 건지 들어볼 수 있을까?"

아리는 낙담하면서도 자신의 실험 내용을 간단히 설명했다.

"아하. 전극을 형성하기만 하면 되는 거로군."

"뭐, 요컨대 그런 셈이지."

"그럼 스퍼터 장비*를 쓰면 돼."

"스퍼터 장비라니 좀 거창하지 않아?"

"거창하든 말든 상관없잖아. 스퍼터 장비라면 이번 주 중에 쓸 수 있을 거야."

"자기가 언제 실험을 예약했는지는 기억 못 하면서 다른 장치의 예약 상황은 알고 있는 거야?"

"기억 못 한 게 아니야. 그저 생각해내는 데 시간이 걸렸을 뿐이지."

아리는 잠시 고민했다. 확실히 전극을 만드는 게 목적이라면 스퍼터 장비를 써도 상관없을 것이다. 장치를 설정하기가 다소 번거롭지만 사용해본 경험이 있으니 큰 문제는 아니다.

다행히 실험을 엄청 뒤로 미루지 않아도 되겠네. 당초 목적은

---

*증착에 사용되는 장비의 일종.

달성하지 못했지만 결과적으로 이모리에게 얘기하기를 잘했어.

"고마워. 스퍼터 장비를 사용해볼게."

이모리는 고개를 갸웃했다.

"왜? 아직 더 남았어?"

"한 가지만 더."

"그러고 보니 뭔가 생각해내야 하는 게 있다고 그랬지?"

"중요한 일이야."

"생각이 안 나는데 중요하다는 건 알아?"

"신기하게도 말이지."

"오늘 사건에 관한 거 아니야?"

"사건?"

"그것도 잊어버렸어?"

"아니. 오늘은 사건이 제법 많이 일어났으니까."

"오지 씨가 죽은 것보다 더 중요한 사건이?"

"아아, 그 사건."

"그 밖에 또 무슨 사건이 있었는데?"

"자동판매기의 콜라가 품절된 거라든가, 학교에 올 때 한 정거장 지나친 거라든가." 그리고 아리의 얼굴을 빤히 보았다. "지금 여기서 네가 말을 건 거라든가."

"그런 건 전혀 중요한 일이 아니잖아."

"중요한지 아닌지는 각자의 관점에 따라 다르지."

"내가 말을 건 게 중요한 일이야?"

이모리는 한순간 퍼뜩 놀란 듯한 표정을 지었다.

어? 왜? 뭐?

"그래. 너에 관한 일이었어."

"뭐가?"

"조금만 더 있으면 생각날 것 같아. 잠시만 기다려줘."

기다리라고 해도 이야기가 이상한 방향으로 흘러가서 앉아 있기가 좀 거북한데.

그래. 내가 화제를 바꿔보자.

"오지 씨는 역시 사고였을까?"

"병으로 죽었을 가능성이 아예 없지는 않겠지만 거의 없을 거야. 사고나 자살이나 타살이겠지."

"병으로 죽은 걸 빼면 당연히 그 세 가지 중 하나지 뭘."

"하지만 아주 묘해."

"너도 그렇게 생각해?"

"그 사람은 자살할 사람이 아니야."

"겉보기와는 다를 수도 있지."

"물론 그렇지. 하지만 자살할 만한 확실한 이유가 없으니까 일단 자살은 제외하고 생각하자. 다음으로 사고인데 어떤 상황에서 사고가 일어났다고 볼 수 있을까?"

"옥상 가장자리에 앉아 다리를 흔들다가 균형을 잃은 거야."

"나잇살이나 먹은 성인이 옥상 가장자리에서 다리를 흔들까?"

"글쎄. 뭐, 사람마다 사정과 취향이 있을 테니."

"물론 그래. 하지만 사고라는 확실한 증거가 없으니까 일단 제외하고 생각하자. 다음으로 살인인데 어떤 방법으로 살인을 저지를 수 있을까?"

"목격자가 있었던 거 아니었어?"

"응. 나야."

"뭐라고?"

"실험에 늦을 것 같아서 실험동으로 달려가던 중이었어. 오지 씨는 옥상 가장자리에 앉아서 다리를 흔들고 있었지."

"그래서 어떻게 했는데."

"아무것도 안 했어. 위험해 보였거든. 괜히 손이라도 흔들었다가 나한테 정신이 팔리면 떨어질지도 모르잖아. 그래서 다른 사람에게 알려서 대책을 세워야겠다 싶었어."

"자살할 거라고 생각했구나."

"자살할 것처럼은 전혀 보이지 않았어. 하지만 인간은 돌발적인 행동을 할 때도 있으니까. 난 몸을 숨기고 경찰이나 소방서에 연락하려고 했어. 그때 오지 씨의 몸이 갑자기 앞으로 기울었지."

"스스로 뛰어내린 거야?"

"그런 느낌은 아니었어. 필사적으로 저항하는 것처럼 보였는데. 하지만 다음 순간 오지 씨는 떨어지고 말았어."

"누가 떠민 거야?"

"그런 식으로 느껴지지 않는 것도 아니었지만 범인은 못 봤어."

"투명한 범인이라는 거야?"

"아니. 단순히 각도가 안 맞아서 보이지 않았을 뿐인지도 모르지."

"목격자는 너 혼자였어?"

"물론 나 말고도 몇 명 더 있었지. 오지 씨가 떨어진 순간 비명이 사방에 울려 퍼졌어. 다만 내가 아는 사람은 없더라."

"그래서 어떻게 했는데?"

"나랑 다른 사람 몇 명이 오지 씨가 떨어진 곳으로 향했어. 5층짜리 건물 옥상에서 떨어졌으니 거의 즉사였을 거야. 떨어진 순간에 관절이 빠졌는지 손발과 목이 묘하게 늘어나서, 뭐랄까 토막 시체처럼 보였어."

"토막 시체?"

"정확하게 말하자면 망가진 물건 같았지."

"인형 같은 느낌?"

"인형이라기보다는 뭔가가 깨진 듯한 느낌이었어. 유리컵이나 달걀 같은 거 말이야."

"달걀이라니 오지 씨의 체형에서 연상한 거 아니야?"

"부정할 수 없군."

"넌 살인이라고 생각하는구나."

"확실한 증거는 없어. 하지만 아주 묘한 인상을 받은 건 분명해."

"경찰한테는 말했고?"

"응. 하지만 그렇게 중요하게 여기지는 않는 것 같더라. 뭐, 당연하지. 단순한 인상의 문제니까."

"다른 사람들도 똑같은 인상을 받았대?"

"그건 모르겠어. 다른 목격자들 중에 아는 사람이 없거든. 그리고 취조를 받기 전에 목격자들끼리 이야기를 나누는 건 수사를 위해 바람직한 행동이 아니잖아."

"어째서?"

"서로의 인상이 영향을 미쳐서 기억이 달라질 가능성이 있으니까."

"취조는 벌써 끝났잖아."

"그럴까? 아직 끝나지 않았을지도 몰라."

"하지만 끝난 사람도 있을 거야. 끝난 사람끼리는 이야기해도 상관없지 않나?"

"과연. 하지만 아까도 말했다시피 아는 사람이 없어. 찾아내서 이야기를 하기는 어려울 거야."

"인터넷으로 찾아보면?"

"뭣 때문에?"

"당연히 진상을 규명하기 위해서지."

"미안하지만 그 방법으로는 진상에 도달하지 못할 거야. 사고라고 느꼈든, 살인이라고 느꼈든 그건 어디까지나 인상의 문제라고. 몇 명한테 이야기를 들어본들 해결은 불가능해."

"범인을 본 사람이 있을지도 모르잖아."

이모리는 고개를 저었다. "아래에서는 나한테 제일 잘 보였을 거야. 하기야 옥상에서 봤거나 하늘에서 봤다면 이야기는 별개지만."

"그런 사람이 있을지도 모르잖아."

"있을지도 모르지. 하지만 그 이야기의 진위를 어떻게 확인할 건데?"

"증언을 토대로 증거를 쌓아 올리는 거야."

"그건 경찰이 할 일이야. 아니면 언론이 할 일일지도 모르고."

"우리가 하면 안 되는 이유라도 있어?"

"분명 경찰 수사에 방해가 될걸."

"그럼 이 이야기는 이걸로 끝이네. 바이바이." 아리는 그만 일어서려 했다.

"잠깐만. 너 이 사건에 흥미가 있어?" 이모리는 아리를 불러 세웠다.

"음. 글쎄? 흥미가 없지는 않다는 느낌이려나?"

"자기 주변에서 사람이 죽었을 때 보이는 반응과 별반 다를 바 없군. 하지만……."

"하지만 뭐?"

"넌 연관되어 있는 것 같은 기분이 들어."

"잠깐, 잠깐. 그게 무슨 뜻이야?"

"말 그대로의 의미인데."

"내가 오지 씨의 죽음에 관련되어 있다고?"

이모리는 고개를 끄덕였다.

"무슨 증거라도 있어?"

"있을 거야. 조금만 더 있으면 생각날 것 같은데……."

"뭐야, 그게? 네가 오지 씨의 죽음에 관련된 내 비밀을 알고 있다는 거야? 그럼 너도 관계자라는 뜻이네."

"그런 셈이지."

"그거 일종의 망상 아니니?"

"현재로서는 그런 말을 들어도 하는 수 없지만……." 이모리의 눈이 한순간 멍해졌다.

뭐야? 좀 무섭다.

"왜 그래? 괜찮아?"

이모리의 눈이 초점을 되찾았다. "괜찮아. 드디어 생각났어."

"사건에 관한 거야?"

"으음. 그건 아직 잘 모르겠는데."

"나에 관한 거?"

"그래."

"너하고도 관계있는 거야?"

"응."

"우리 둘의 관계에 대해 뭔가 생각났다는 뜻?"

"그렇지."

"나랑 네가 무슨 관계를 맺고 있다고?"

"아무렴."

"난 모르는데."

"아니. 아마 너도 알고 있을 거야."

"그럼 지금 당장 증명해봐."

"아아. 좋아." 이모리는 아리의 눈을 가만히 쳐다보았다.

역시 애 무서워.

이모리는 천천히 입을 열었다.

"스나크는."

전기 충격과도 같은 오한이 아리의 온몸을 엄습했다.

입이 얼어붙은 것처럼 굳어서 목소리가 나오지 않았다.

이모리는 아리를 가만히 보고 있었다.

안 된다. 여기서 대답하면 되돌릴 수 없는 일이 벌어질 것만 같다.

아니다. 이미 되돌릴 수 없다. 이제 평온한 인생으로 돌아갈 수 없다.

그런 예감이 물밀 듯이 전해져왔다.

이모리는 확신에 찬 눈으로 아리를 보고 있었다. 그 눈빛에는 일말의 불안도 없었다. 그는 아리가 올바른 답을 들려주리라고 믿고 있었다.

이 한 마디로 세계가 무너지든 말든 내 알 바 아니지.

무릇 세계는 처음부터 이랬는걸. 그렇지?

아리는 각오를 굳혔다.

"부점이었다."

세계가 확 바뀌었다.

3

"난 살인사건 수사를 돕고 있어." 3월 토끼는 자랑스럽다는 듯이 말했다. 그리고 뿅뿅 뛰어오르다 험프티 덤프티의 잔해인 껍데기 하나를 멀리 걷어찼다.

"그만 좀 날뛰어라, 이 더러운 짐승아!" 미치광이 모자 장수는 몹시 화가 난 것 같았다.

"토끼 당신은 전혀 도움이 안 되는 것 같은데요."

"도움? 뭘 돕는데?"

"살인사건 수사 말이에요."

"살인이라고? 참 뒤숭숭한 세상이로구나!"

"살인사건을 수사한다고 말한 건 당신이잖아요." 앨리스는 기분이 언짢은 얼굴로 말했다.

"그 녀석한테는 무슨 말을 해봤자 소용없어!" 미치광이 모자 장수는 딱 잘라 말했다. "머리가 이상하거든."

"그야 피장파장이지, 모자 장수야!" 3월 토끼는 낄낄 웃었다.

미치광이 모자 장수는 3월 토끼의 말을 무시하고 험프티 덤프티의 껍데기 안쪽을 돋보기로 관찰했다. "흐음."

"뭣 좀 찾아냈어?" 빌이 물었다.

"뭐냐, 네놈은!" 모자 장수는 빌을 보고 큰 소리를 질렀다. "파충류냐?"

"파충류가 뭐야?" 빌이 물었다.

"너 같은 녀석이지."

"그러니까 '너는 너 같은 녀석이냐'고 물은 거야?"

"그런 식으로 말하면 마치 내가 바보 같잖아?"

"나는 나 같은 녀석이야."

"알았다!" 3월 토끼가 외쳤다. "이 녀석은 티라노사우루스야. 티렉스라고."

"티라노사우루스랑 티렉스 중에 뭐가 더 좋은데?"

"똑같은 말이야, 렉스."

"난 렉스가 아니라 빌이야."

"빌? 티빌이라는 말은 들어본 적 없는데." 3월 토끼는 진지한 표정을 지었다. "그렇군. 알았다. 넌 가짜야. 가짜 티렉스야."

"가짜 아니야. 난 틀림없이 진짜 빌이라고."

"바보 같은 소리 좀 작작 해라." 모자 장수가 독설을 퍼부었다.

"그래 작작 좀 해, 이 육식 수각류야!" 3월 토끼가 뒤이어 쏘아붙였다.

"난 너한테 말한 거다, 토깽아!"

"토깽이? 토끼가 있어?" 3월 토끼는 주위를 둘러보았다.

"아아. 토끼가 있지." 모자 장수가 말했다. "그런 것보다 이 녀석의 정체 말인데, 크기로 보아 티라노사우루스는 아니야. 분명 벨로키랍토르야."

"그렇게 치면 차라리 데이노니쿠스지. 벨로키랍토르는 크기가 강아지 정도밖에 안 되니까."

"공룡에 대해 제법 잘 아는데?"

"당연하지. 원래 공룡박사가 되려고 했거든."

"그럼 왜 티렉스라고 했지?"

"분명 새끼일 거라고 생각했어. 티렉스의 새끼."

"그거 일리 있군."

"난 새끼가 아니야." 빌이 항의했다.

"어린 것들은 대개 그렇게 말하는 법이지." 3월 토끼가 빌의 어깨를 두드렸다.

껍데기 안쪽에 들러붙은 분홍색 조직은 계속해서 움찔움찔 움직이고 있었다.

"아직 살아 있는 것 아닌가요?"

"조직 단위로는. 이건 엄연한 생명이라고 할 수 있지. 하지만 그것들이 통합된 험프티 덤프티는 죽었어. 이제 어디에도 없지." 미치광이 모자 장수가 말했다.

"움찔움찔할 때마다 즙이 흘러나와서 징그러운데요."

"그거 안됐군. 허나 스프라고 생각하면 괜찮을걸."

"그렇구나. 스프로군!" 3월 토끼는 껍데기를 들어 올려 후룩후룩 빨아 마셨다.

앨리스는 구역질이 나서 죽을 것 같았다.

"우웨에엑!" 3월 토끼가 요란스레 구토를 했다.

분홍색 액체가 주변에 찰박찰박 튀었다.

"참는 데도 한계가 있어!" 모자 장수가 3월 토끼를 때리려고 했다.

"잠깐만!" 3월 토끼는 모자 장수를 손으로 제지했다. "오늘은 특별한 날이니까 봐줘."

"오늘이 무슨 기념일이라도 되나?"

"내게 특별한 날이야."

"네게?"

"그래. 오늘은 내 생일이 아닌 날이라고."

"어? 그랬어?" 모자 장수가 기쁘다는 듯이 말했다. "우연하게도 나도 오늘이 생일이 아닌 날이야."

"뭐, 뭐라고? 놀라 자빠질 일이로군."

"안 믿길지도 모르겠지만." 빌이 말을 꺼냈다. "나도 오늘이 생일이 아닌 날이야."

"이것 참 굉장한 우연인걸!" 미치광이 모자 장수가 손으로 이마를 탁 쳤다.

그리고 세 사람은 앨리스를 힐끗 쳐다보았다.

나도 오늘이 생일이 아닌 날이라고 말해주길 바라는 걸까? 두고 봐라, 절대로 말 안 할 테니.

"설마 너도 오늘이 생일이 아닌 날은 아니겠지?" 3월 토끼는 어느덧 히죽히죽 웃고 있었다.

이제 진절머리가 난다고 말하려고 앨리스는 입을 열었다.

"아아. 오늘은 내 생일이 아닌 날이에요." 겨울잠쥐가 앨리스의 호주머니에서 대답했다.

"우연의 연속이로세!" 모자 장수와 3월 토끼, 그리고 빌이 동시에 소리쳤다.

"하지만 어쩐지 잠꼬대하는 목소리였는데." 빌이 말했다.

내가 말한 줄 아는 거다. 하지만 뭐, 굳이 변명하는 것도 이상하지. 오늘은 분명 내 생일이 아닌 날이니까……

"그런데 어째서 살인사건이라는 거죠?"

"일단 여기에 시체가 있으니까. 그게 한 가지 증거야." 모자 장수는 대답했다.

"시체라니, 이 껍데기?"

"험프티 덤프티가 죽으면 껍데기 말고 뭐가 남겠어?" 3월 토끼가 말했다.

"너도 그럴싸한 말을 할 때가 있구나." 모자 장수가 3월 토끼를 칭찬했다.

"시체가 있다고 해서 살인이라고 단정할 수는 없죠."

"이게 병에 걸려 죽은 걸로 보여?"

"병에 걸린 험프티 덤프티를 본 적이 없어서 잘 모르겠네요."

"나도 본 적은 없어. 하지만 이건 병이 아니야. 몸이 파열하는 병이 있다면 다른 사람한테 들어서 알고 있었을 거라고."

"난 알고 있었는데." 3월 토끼가 끼어들었다.

"이 녀석이 하는 말은 신경 쓰지 않아도 돼." 빌이 말했다. "머리가 이상하거든."

"그럼 사고일지도 모르겠네요."

"사고? 무슨 사고?"

"그러니까 담 위에 앉아서 장난치다가 떨어졌을지도 모른다는 거죠."

"만약 네 몸이 아주 깨지기 쉽다고 생각해봐. 담 위에서 그런 멍청한 짓을 하겠냐?"

"아마도 안 하겠죠?"

"험프티 덤프티도 높은 담 위에 앉아 있을 때는 멍청한 짓을 안 할 거야."

"일부러 떨어졌을지도 모를 일이잖아요." 앨리스가 말했다. "즉, 자살이었을 가능성은 없어요?"

"자살은 아니야. 확실한 증거가 있어."

"어디에요?"

"여기에." 모자 장수는 순식간에 담 위로 기어올랐다. "험프티 덤프티는 여기 앉아 있었어."

"아주 미끌미끌한걸요."

"여기에 기름이 뿌려져 있었어."

"어째서 그런 짓을?"

"험프티 덤프티를 미끄러뜨리기 위해서지. 자살하려고 일부러 자기 아래에 기름을 뿌리는 녀석이 있겠어?"

"없을 것 같아요." 앨리스는 고개를 저었다.

"그래. 이런 데 앉으면 당연히 몸에 미끌미끌한 게 묻어. 스스로 그렇게 불쾌한 짓을 할 필요가 있을까? 죽고 싶으면 그냥 뛰어내

리면 된다고. 그러면 미끌미끌하지 않고 산뜻한 상태로 죽을 수
있지."

"고작 기름만 가지고는 상황증거로서 약하지 않을까?" 빌이 말
했다.

"여기에 증거가 하나 더 있어." 미치광이 모자 장수는 담에서
뛰어내려 비교적 크기가 큰 껍데기 하나를 가리켰다. "이건 험프
티 덤프티의 등 부분이야."

"어떻게 등인 줄 알아요?" 앨리스가 물었다.

"안쪽을 봐봐. 등뼈가 있잖아."

"웩."

"그리고 바깥쪽을 봐. 뭐가 있지?"

"손자국요."

"누가 기름이 묻은 손으로 험프티 덤프티의 등을 떠민 거야. 증
명 끝." 미치광이 모자 장수가 선언했다.

"엥? 뭘 증명한 건데요?"

"그러니까 살인사건이라는 걸 증명했잖아. 더 이상 뭘 증명하라
는 거야?"

"범인을 찾아내지 않아도 되겠어요?"

"그건 증명이 아니야."

"누군가가 범인이라고 증명하는 거죠."

"그야 누군가가 범인이겠지. 살인사건이니까."

"그런 의미가 아니라 어떤 특정 인물을 범인이라고 증명하는 거
예요."

"그것참, 당연히 특정 인물이 범인이겠지. 불특정 인물이 살인을 저지를 수는 없잖아."

"그런 말이 아니라 예를 들어…… 예를 들어 3월 토끼가 범인이라고 증명하는 거예요."

"난 아니야! 믿어줘! 난 무고해."

"그러니까 예를 들면 그렇다는……."

"왜, 3월 토끼를 범인으로 몰려고 했지?" 모자 장수의 눈이 날카롭게 빛났다. "그러면 무슨 이득이라도 있어?"

"아무 이득도 없는데요."

"그럴 줄 알았어." 빌이 말했다.

"아무튼 여기에 증거가 있으니까 범인은 바로 발견되겠네요."

"증거라니 뭐가?" 3월 토끼가 손자국에 세제를 묻히고 걸레로 깨끗하게 닦아내고 있었다.

"무슨 짓이에요?" 앨리스는 소리를 질렀다.

"험프티 덤프티의 등을 깨끗하게 닦아주고 있잖아."

"그게 무슨 의미가 있죠?"

"등이 기름투성이라고. 누구든 기분 나쁠 거야."

"하지만 이미 죽은걸요."

"누가 죽었는데?"

"험프티 덤프티."

"뭐? 왜 죽었는데?"

"살해당했어요."

"살인사건! 큰일이다!"

"3월 토끼가 증거를 인멸했어요."

"이미 증명했으니까 증거는 필요 없어." 미치광이 모자 장수가 말했다.

"아직 필요한데. 범인을 밝혀낼 수 있었다고요."

"아까 너 3월 토끼가 범인이라고 했잖아." 빌이 말했다.

"그러니까 그건 예를 든 거라고. ……하지만 3월 토끼의 행동은 수상해. 증거를 인멸했는걸."

"3월 토끼는 범인이 아니야." 모자 장수가 단언했다. "알리바이가 있어."

"확실해요?"

"그럼. 험프티 덤프티가 살해당한 시각에 3월 토끼는 나랑 다과회 중이었어."

"당신들, 다과회를 열지 않을 때가 있어요?"

"그런데 넌 알리바이가 있나?"

"나요?"

"그래. 3월 토끼를 의심한다면 너도 의심해야 공평하지."

"내게는 험프티 덤프티를 죽일 이유가 없어요."

"너, 험프티 덤프티랑 무슨 일로 다퉜다면서."

"다투기는 누가요. 난 험프티 덤프티에게 시에 대해 물어봤을 뿐이에요. 그랬더니 험프티 덤프티가 별안간 기분이 나빠져서 내게 무례하게 굴었다고요. 그뿐이에요."

"험프티 덤프티가 무례하게 굴어서 네가 울컥했다, 아니야?"

"아니에요."

"그럼 알리바이는 있겠지?"

"네. 난 내내 빌이랑……."

"그러고 보니 이상한 일이 있었어." 빌이 말했다.

"뭔가 생각났나, 도마뱀." 미치광이 모자 장수가 물었다.

"응. 생각났어."

"좋아. 빨리 말해. 그때 나랑 너랑……."

"앨리스는 알고 있었어."

뭐? 무슨 이야기야?

"뭘 알고 있었는데?"

"험프티 덤프티가 담에서 떨어졌다고 했어."

그 이야기야?

"틀림없이 '담에서 떨어졌다'고 했어?" 모자 장수가 확인했다.

빌은 고개를 까딱했다.

"범인밖에 모르는 정보로군. 그렇지, 앨리스?"

"아니에요. 생각해봐요, 험프티 덤프티라고요."

"그래. 험프티 덤프티야."

"그럼 담에서 떨어지는 게 당연하죠."

"그러니까, 어떻게 험프티 덤프티의 살해 방법을 알고 있었느냐고 묻잖아."

"그걸 모르는 사람이 어디 있어요."

"험프티 덤프티는 오늘 살해당했어. 그렇게 빨리 정보가 전해질 리 없다고."

"험프티 덤프티는 언제나 그렇잖아요."

"언제나?"

"담에서 떨어져서 깨지기 마련이죠."

"무슨 소리야?"

"늘 담에서 떨어져서 깨지고, 왕의 시종과 말이 난리를 치면서……."

"늘이라니 무슨 뜻이야? 다른 험프티 덤프티 이야기야?"

"다른 험프티 덤프티?" 앨리스는 생각에 잠겼다. "아니요. 험프티 덤프티는 하나뿐이에요."

"그렇다면 네 이야기는 진실이 아니야. 험프티 덤프티는 오늘 죽었으니까."

"그럼 그 기억은 도대체 뭐죠?"

"뻔하잖아. 네가 험프티 덤프티를 죽였을 때의 기억이야."

"누명이에요."

"어떻게 그렇게 딱 잘라 말할 수 있지?"

"난 안 죽였어요. 단연코 난 아니라고요."

"그걸 어떻게 증명할래?"

"빌, 우리 계속 함께 있었잖아."

빌은 눈을 이리저리 굴렸다. "함께 있기는 했지. 하지만 계속 같이 있었는지는 잘 모르겠어."

"무슨 소리야?"

"뭔가 생각하는 동안은 널 보고 있지 않았으니까……."

"아무리 그래도 너랑 이야기를 하고 있었으니 내가 없어지면 알아차렸겠지?"

빌은 낑낑대며 생각에 잠겼다.

"조사 끝났어." 느닷없이 히죽히죽 웃는 얼굴이 공중에 나타났다.

"수고 많았어, 체셔 고양이야."

"무슨 조사요?" 앨리스가 물었다.

"목격자가 있는지 없는지 조사했지." 3월 토끼가 설명했다.

체셔 고양이가 과연 제대로 조사했을까? 하기야 여기에는 제대로 된 사람이 한 명도 없지만.

"여기는 여왕 폐하의 정원이라 험프티 덤프티는 특별히 허락을 받고 담 위에 앉아 있었대."

"왜 담 위에 앉아 있었는데요?"

"너나 그리핀 위에는 안심하고 앉아 있을 수가 없잖아."

"체셔 고양이야, 이야기가 엇나갔다."

"여왕 폐하는 이곳 관리를 공작 부인에게 일임했어."

"그럼 공작 부인이 목격자로군요."

"공작 부인이 직접 여기 올 리 없지. 공작 부인은 지금 아기를 키우느라 바쁘다고."

"진짜 아기는 아니지만." 앨리스가 말했다.

"쉿." 미치광이 모자 장수와 3월 토끼, 그리고 빌과 체셔 고양이가 거의 동시에 입술 앞에 집게손가락을 세웠다.

"그건 언급하면 안 돼요?"

"공작 부인이 행복해하니까 굳이 알려줄 필요 없지." 모자 장수가 말했다. "그래서 체셔 고양이야, 목격자는?"

"공작 부인의 명령을 받고 흰토끼가 이 정원을 순찰했어."

흰토끼! 아아, 다행이다. 흰토끼는 비교적 정신이 멀쩡해. 신뢰할 만하다고 하기는 힘들지만.

"그런데 흰토끼는 당일 무슨 일이 있었는지 기억난대?"

"당일이라면 오늘 말이죠?"

"난 틀린 표현 안 썼어!" 모자 장수는 불쾌하다는 듯이 말했다.

"알아요. 틀렸다고 지적한 거 아니에요."

"오늘 흰토끼는 순찰 시간에 늦을 뻔했대."

"녀석은 늘 목에다 시계를 걸고 다니면서 왜 시간을 못 지키는 거지?"

"그것도 알아봐야 할 필요가 있어?" 체셔 고양이가 히죽히죽 웃었다. 어느 틈엔가 상반신이 나타났다.

"그건 나중에 하고 우선 목격 증언을 들려줘요."

"지시는 내가 내린다!" 모자 장수가 고함을 질렀다. "그건 나중에 하고 우선 목격 증언을 들려줘."

"그 담은 정원 한복판에 있으니까 정원에 들어가지 않으면 아무도 험프티 덤프티에게 다가갈 수 없어. 그리고 흰토끼가 도착했을 때 정원 안에는 험프티 덤프티밖에 없었지."

"정원 한복판에 담이 있다니 어떻게 된 거죠? 담은 부지의 경계선에 세우는 거잖아요."

"험프티 덤프티가 떨어졌을 때 도로가 더러워지지 말라고 그런 것 아닐까?" 빌이 말했다.

"그래서, 흰토끼는 어떻게 했나?"

"안을 확인한 후에 정원 입구로 돌아가서 경비를 섰어."

"입구는 거기뿐이에요?"

"거기뿐이야. 다른 곳은 담에 둘러싸여 있어서 안에 못 들어가."

"역시 바깥쪽에도 담이 있구나."

"담이란 안과 밖을 구분하기 위한 물건이니까."

"모습을 감추고 들어갈 수 있지 않나요?" 앨리스가 말했다.

"무슨 소리야?"

"예를 들면 체셔 고양이, 당신처럼요."

"나?"

"미안해요. 당신을 의심하는 건 아니에요. 하지만 당신처럼 모습을 감출 수 있는 사람이라면……."

"이 녀석은 사람이 아니야." 미치광이 모자 장수가 말했다.

"당신 같은 동물이라면 들키지 않고 들어갈 수 있지 않을까요?"

"들키지 않고? 어떻게?"

"들키지 않고? 어떻게?"

빌과 3월 토끼가 동시에 물었다.

"짐승들은 다 알지." 모자 장수가 말했다. "냄새나 적외선 같은 걸로 말이야. 당연히 흰토끼도 알아차릴걸."

"그럼 그거 아닐까요? 이 세계는 때때로 아무 상관도 없는 곳이랑 이어지잖아요. 그런 일이 일어났을지도 모르죠."

"공간 왜곡을 말하는 거야?" 체셔 고양이가 물었다.

"그걸 공간 왜곡이라고 불러요?"

"종이 양 끝에 표시를 하고 종이를 반으로 접으면 두 지점이 맞닿잖아. 그거랑 똑같아. 공간이 확 구부러져서 먼 곳이 연결되는 거지."

"그럼. 그거예요."

"하지만 공간이 구부러지면 그 주변의 다양한 것들도 휘어져서 난리가 날 테니 아무도 모를 리 없어."

"어머. 그래요?"

"넌 아무것도 모르는구나." 빌이 핀잔을 주었다.

"아직 더 있어요." 앨리스는 말을 이었다. "이 부근에는 하늘을 날 줄 아는 사람이 제법 많지 않아요?"

"여왕 폐하의 정원 부근은 비행 금지야. 이곳 상공은 늘 감시받고 있어서 하늘로는 접근할 수 없어." 체셔 고양이가 말했다.

"정말로요? 못 믿겠는데요."

느닷없이 총소리가 울려 퍼졌다.

작은 새 한 마리가 앨리스 일행이 있는 곳으로 떨어졌다.

날개를 푸드덕거리며 발버둥을 칠 때마다 많은 양의 피가 사방으로 튀어 앨리스 일행을 붉게 물들였다.

작은 새는 갑자기 움직임을 멈추었다. 총알이 관통하여 배와 등에 커다란 구멍이 났다. 움직임을 멈춘 후에도 이따금 움찔움찔 경련했다.

"봐. 이제 믿기지?" 미치광이 모자 장수가 말했다.

"끔찍해."

"아니. 실력 좋은데 왜."

"총 쏘는 솜씨가 끔찍하다는 게 아니고요."

"대답하는 사람 민망하게 느닷없이 왜 상관없는 이야기를 꺼내

고 그래?" 모자 장수는 어깨를 으쓱했다. "아무튼 흰토끼의 눈에
띄지 않고 험프티 덤프티에게 다가갈 수 있는 방법이 없다는 걸
알았겠지. 이게 뭘 뜻하는지 아는 사람?"

"흰토끼가 가장 유력한 용의자라는 뜻인가요?"

"어떻게 그렇게 되는데?"

"하지만 흰토끼한테 살인을 저지를 기회가 있었던 건 확실해요."

"그것도 조사해뒀어." 체셔 고양이가 말했다. "험프티 덤프티가
떨어진 순간 큰 소리가 났어. 콱삭, 하고 말이야. 그때 마침 트럼
프카드 병정들이 험프티 덤프티가 있던 정원 앞을 지나갔지. 크
로케 경기를 준비하라는 지시를 받았대. 그리고 험프티 덤프티가
떨어지는 소리가 난 바로 그 순간, 트럼프카드 병정들은 흰토끼
가 정원 입구에 서 있는 걸 목격했어. 안타깝게도 담에 둘러싸여
있어서 정원 안은 보이지 않았다는군."

"즉 그 전에 정원에 들어갔다가 그 후에 정원에서 나온 사람이
범인일 가능성이 높다는 말이군요." 앨리스가 말했다.

"그 의견에는 이의 없어." 미치광이 모자 장수는 딱 잘라 말했
다. "만약 흰토끼가 누군가를 목격했다면 이제 이 사건은 해결됐
다고 해도 과언이 아니야."

"그럴까요? 만약 그 인물이 인정하지 않는다면?"

"자백이 없어도 상황증거로 판단컨대 그 녀석이 범인 확정이지.
적어도 재판에서는 승산이 없어."

"판사는 누군데요?"

"여왕 폐하겠지. 어쩌면 국왕 폐하일지도 모르지만 국왕 폐하는

여왕 폐하가 시키는 대로 할 테니까 실질적으로는 똑같아."

"여왕님이라면 그 정도 증거만으로도 유죄판결을 내릴 것 같네요."

"그런데 흰토끼는 누군가를 목격했어? 아니면 아무도 못 봤나?" 빌이 물었다.

"흰토끼가 아무도 못 봤다면 일종의 밀실 살인이 되는 셈이네요."

"흰토끼가 아무도 못 봤다면 말이지." 체셔 고양이가 하품을 했다. "하지만 그렇게 번거로워지지는 않을 거야. 흰토끼가 정원에 들어온 인물이 있었다고 증언했거든. 그리고 그 인물은 국왕의 시종과 말들이 현장에 도착하기 전에 현장에서 달아났어."

"그럼 범인은 거의 그 인물로 확정된 거나 마찬가지잖아요."

"그런 셈이지."

"흰토끼가 아는 사람이었어요?"

체셔 고양이는 앨리스를 보았다. "그래. 그리고 우리도 그 인물을 잘 알아."

"나도 안다고요? 난 아는 사람이 그렇게 많지 않은데요."

"네가 아는 인물이야. 그것만은 틀림없어."

"그게 누군데요? 가르쳐줘요."

"그렇게 알고 싶어?"

"예. 거기 모자 장수가 날 의심하고 있는 것 같으니까 빨리 오해를 풀고 싶어요."

"내가 부당하게 의심하고 있다는 듯이 말하지 마. 범인밖에 모르는 정보를 알고 있던 널 의심하는 게 당연하지."

"바로 그게 오해라고요. 범인밖에 모르는 정보 같은 거 나는 전혀 모른단 말이에요."

"그래서 누군데?" 빌이 더 이상 못 참겠다는 표정으로 물었다.

"딱 한 번만 말할 테니까 잘 들어." 체셔 고양이가 말했다.

"그거 요즘 유행하는 표현이에요?" 앨리스가 밀했다.

"앨리스, 너야."

"엥?" 앨리스는 입이 떡 벌어졌다.

"흰토끼는 '험프티 덤프티가 떨어지는 소리가 난 뒤에 앨리스가 정원에서 달아났다'고 증언했어."

4

아리와 이모리는 잠시 아무 말도 없이 마주 보고 있었다.

"있지." 아리가 먼저 말을 꺼냈다. "나 지금 엄청 무서운데."

"난 상당히 흥분돼." 이모리가 말했다. "세상에 아직 이렇게 굉장한 일이 있다니 놀라워."

"잠깐만 있어봐. 어, 그러니까 네가 놀란 이유와 내가 놀란 이유는 똑같은 거지?"

"왜 그렇게 빙 둘러서 표현하는 거야?"

"혹시 내 착각인데 함부로 지껄였다가는 분명 내 정신이 이상하다고 여길 거야."

"넌 우연히 암호가 일치했다고 생각하는 거야?"

"역시 암호구나."

"난 그렇게 말했지."

"그렇다면 즉…… 안 돼. 역시 말 못 하겠어."

"왜 말 못 해? 이유를 모르겠네."

"왜냐니, 너무 이상하잖아. 말도 안 된다고."

"이론은 나중에 생각하면 돼. 일단 현상을 분석하지 않으면 이론은 나오지 않아. 그거 알아? 상대성이론은 어떤 상황에서든 빛의 속도는 항상 일정하다는 신기한 현상에서 탄생했다고."

"하지만 말 안 할래. 말하면 분명 이상하다고 비웃을 테니까."

"그럼 내가 말하지. 이렇게 다람쥐 쳇바퀴 돌 듯 옥신각신해봤자 아무 진전도 없을 테니." 이모리는 아리의 눈을 똑바로 보았다. "우리는 이상한 나라에 있었어. 그때 난 빌이고, 넌 앨리스였어."

아리는 비명을 질렀다.

주변에 있던 사람들이 두 사람을 쳐다보았다.

"야. 비명을 지르다니 너무하잖아. 내가 너한테 무슨 몹쓸 짓이라도 한 줄 알겠다."

"너무 놀라서 그랬어." 아리가 말했다.

"내가 무슨 말을 할지 대충 짐작은 갔지?"

"응. 하지만 혹시 망상이 아닐까 싶어서……. 앗. 어쩌면 지금 네가 말했다는 것 자체가 내 망상일지도 몰라."

"그렇게까지 의심이 많으면 자기 정신 상태도 못 믿게 돼."

"지금 그야말로 내 정신 상태가 못 미더운 상태야."

"넌 그 세계에서는 상당히 정상적인 축에 들었는데 말이야."

"그러니까 어떻게 된 거야? 이거 최면술 같은 건가?"

"어디가 어떻게 최면술인데?"

"그러니까 내가 이상한 꿈을 꾸도록 네가 술수를 부린 거지."

"아니. 그런 짓은 안 했어."

"그럼, 뭔데? 네가 어떻게 내가 무슨 꿈을 꿨는지 알아?"

"나도 너랑 똑같은 체험을 했으니까."

"우리 둘의 꿈이 연결되어 있다는 뜻이야? 어떻게 그럴 수가 있지?"

"이유는 모르겠어. 그리고 단순히 우리 둘의 꿈이 연결돼서 그런 것만은 아닌 것 같아."

"그럼, 역시 내 정신이 이상해진 거야?"

"넓은 의미에서는 그럴지도 모르지."

"역시……."

"하지만 그렇게 걱정할 필요 없어. 일단 객관적인 현상이 존재한다고 가정해보고, 모순이 생겼을 때 자신이 제정신인지 의심하면 되니까."

"뭐가 객관적인 현상인데?"

"이상한 나라가 실제로 있다고 가정하는 거야."

"내 머리보다 네 머리가 더 걱정된다."

"오컴의 면도날이라고 알아?"

"수입 면도기야?"

"불필요한 가정은 세우지 말아야 한다는 원리야. 즉, 어떤 일을 설명할 수 있는 가장 단순한 이론을 채택해야 한다는 뜻이지."

"가장 단순한 이론이 맞는다는 거야?"

"그게 아니라, 필요도 없는데 복잡한 가설을 검토하는 건 사고력의 낭비라는 의미지."

"내 말과 네 말이 어떻게 다른 건데?"

"지금은 뜻을 엄밀하게 분석하고 있을 때가 아니야. 요컨대 이상한 나라가 있다고 받아들이면 깔끔하게 설명된다, 그게 내가 하고 싶은 말이야."

"만약 그 나라가 실제로 있다고 치고, 도대체 어디 있는데? 땅속? 바닷속? 아니면 다른 혹성?"

"어디일 것 같아?"

"땅속. 어쩐지 구멍에 떨어져서 거기 도착한 것 같거든."

"아마도 땅속에 그렇게 큰 공간은 없을 거야. 그리고 그 세계에는 햇빛이 비치고 있었잖아."

"그럼, 바닷속?"

"바닷속도 땅속과 거의 다를 바 없지."

"그럼, 역시 다른 혹성이야?"

"그럴 가능성이 가장 높아. 하지만 그렇다고 해도 우리가 어떻게 여기와 거기를 이동할 수 있는지는 설명하기 힘들어."

"정말로 이동했을까? 잠든 사이에? 몽유병자처럼?"

"단순한 몽유병은 아니야. 우리는 변신한 상태였어."

"잠에 취해서 변신했다고 믿은 것 아닐까?"

"우리가 잠든 사이에 집을 빠져나왔고, 어딘가에서 만나서, 잠에 취한 채로 이야기를 나눴다고?"

"그렇다고 볼 수밖에 없잖아."

"그런 짓을 했다면 벌써 누군가가 알아차렸을 테고, 지금쯤 우리 둘 다 치료를 받고 있겠지."

"그럼 어떻게 밤중에 싸돌아다닐 수 있었던 건데?"

"돌아다니지 않은 것 아닐까? 둘 다 집에서 잠들어 있었다면?"

"그럼 역시 꿈 아니야?"

"단순한 꿈이 아니야. 두 세계의 특정 인물이 서로 연결되어 있어."

"무슨 소리야?"

"이쪽 세계에는 나, 이모리 겐이 존재하고 저쪽 세계에는 도마뱀 빌이 존재해. 그리고 그 둘은 서로 연결되어 있고, 한쪽의 꿈이 다른 쪽의 현실에 해당해."

"결국 꿈이네? 꿈 아니야?"

"정신 건강이 최우선 과제라면 꿈이라고 받아들이는 게 제일 손쉬운 방법이지."

"그럼 그렇게 할까?"

"그래도 상관없지만, 이대로 사태를 방치하면 저쪽 세계에서 네게 불행이 닥칠걸."

"무슨 이야기야?"

"앨리스는 험프티 덤프티를 살해한 범인으로 몰렸어."

"그랬지. 하지만 그건 미치광이 모자 장수와 3월 토끼가 자기들 맘대로 그렇게 믿는 것뿐이야."

"하지만 그들은 증거를 제시했어."

"증거라니, 흰토끼의 헛소리?"

"이 세계에서는 흰토끼가 뭐라고 하든 증거로 취급하지 않겠지만, 저쪽 세계에서는 엄연한 증언이야."

"앨리스가 체포당할지도 모른다는 거야?"

"그럴 가능성이 높지."

"어차피 꿈속 이야기인걸, 뭐."

"그러니까 그냥 넘어가자? 만약 종신형을 받고 감옥에 갇히면 네 인생의 절반이 날아가는 거야."

"절반? 꿈은 깨면 끝인데?"

"반년 전까지는 나도 그렇게 생각했어. 하지만 같은 상황의 꿈을 꾼다는 걸 알아차리고 나서 꿈 일기를 써보기로 했지."

"나도 오늘부터 시작했어."

"좋은 습관이야. 사람은 무슨 꿈을 꿨는지 바로 잊어버리니까. 인상적인 꿈 말고는 말이지. 난 꿈 일기를 쓰면서 엄청난 사실을 알았어."

"뭘 알았는데?"

"난 요 반년간 매일 그 이상한 나라의 꿈을 꿨어."

"설마……. 하지만 듣고 보니 나도 그런 것 같아."

"그 꿈을 언제부터 꿨는지 기억나?"

아리는 고개를 저었다. "아주 최근부터 꾼 것도 같고, 몇 년이나 전부터 꾼 것 같기도 해."

"그럼 질문을 바꿀게." 이모리는 말했다.

"이상한 나라의 꿈 말고 기억나는 꿈 있어?"

"당연하지."

"예를 들어 어떤 꿈?"

"어떤 꿈이라니……. 엥?"

"어떤 꿈인데?"

"갑자기 물어봐서 그런지 기억이 안 나네."

"하지만 이상한 나라의 꿈은 바로 기억나잖아."

"그건 최근에 꾼 꿈이니까 그렇지."

"그럼 시간을 주면 다른 꿈을 기억해낼 수 있다는 거지?"

"그럼. 당연하지."

"좋아, 얼마든지 기다릴 테니 한번 해봐." 이모리는 입을 다물었다.

아리는 눈을 감고 심호흡했다.

서두르지 말고 마음을 느긋하게 먹으면 분명 바로 기억날 거야.

3분이 지났다.

아리는 미간에 주름을 잡았다.

이모리는 아무 말도 없었다.

1분이 더 지났다.

아리는 천천히 눈을 떴다.

이모리는 능글맞게 웃으며 아리를 보고 있었다.

"뭐야."

"기억났어?"

"깜빡 잊어버렸을 뿐이야. 가끔 그럴 때가 있잖아."

"지금까지 살면서 꾼 꿈을 싹 다 잊어버렸다고?"

"싹 다 잊어버린 건 아니야."

"그럼 무슨 꿈이 기억나는데?"

"……이상한 나라……." 아리는 꺼져 들어갈 듯한 목소리로 말했다.

"뭐라고?"

아리는 한숨을 쉬었다. "그래. 난 지금까지 한 종류의 꿈밖에 꾼 적이 없는 것 같아."

"안 믿길지도 모르지만 이제부터 매일 꿈 일기를 쓰면 점점 믿음이 생길 거야."

"그러니까 넌 이제부터 내가 매일 밤 감옥에 갇힌 꿈을 꿀 거라는 거구나."

"그래, 맞아."

"과연. 매일 밤 잠을 청할 시간이 기다려질 만한 꿈은 아니네."

"그렇지. 그러니 그런 비극을 피하기 위한 방법을 찾아야지."

"하지만 꿈은 그렇게 또렷이 기억나지 않으니까 실제로 징역을 사는 것보다는 훨씬 낫지 않나?"

"일본 교도소가 이상한 나라의 감옥보다 훨씬 대우가 좋을 것 같은데."

"아무튼 현실의 내게는 아무 문제도 아니야."

"흐음." 이모리는 아리의 얼굴을 가만히 들여다보았다.

"얼굴에 뭐라도 묻었어?"

"말해야 할지 말아야 할지 고민하는 중이야."

"혹시 이에 김이라도 묻었어?"

"그게 아니라 네 마음이 얼마나 굳센지 가늠하고 있어."

"너, 남의 겉모습만 보고 그 사람의 마음이 얼마나 굳센지 알아?"

"알 수 있을까 싶어서 시험해봤는데 안 되나 보다."

"그럼 가늠해봤자 아무 소용도 없잖아?"

"그러게. 그럼 직접 물어볼게. 너, 마음은 굳센 편이야?"

"나도 모르지. 남의 마음과 비교해본 적 없으니까."

"알았어. 망설일 때가 아니지. 지금까지 관찰해본 결과, 아주 중요한 사실을 알아냈어."

"관찰? 무슨 관찰?"

"세계 관찰. 이 세계와 이상한 나라 양쪽을 관찰하다 보니 조금씩 두 세계의 관계가 눈에 들어오더라."

"네 이야기를 듣다 보니 병원에 가보는 게 나을 것 같은 기분이 들어."

"어째서?"

"보통은 자신의 망상이라고 여길 거야."

"너도 자신의 망상이라고 생각해?"

"아니. 같은 체험을 한 사람이 한 명 더 있잖아. 하기야 너 자신이 내 망상이 아니라면 말이지만."

"나도 마찬가지야. 똑같은 체험을 한 사람이 있어서 망상이 아니라는 믿음이 생겼어."

"내가 같은 체험을 했다는 건 방금 전에 알았잖아?"

"아니. 그게 아니라. 같은 체험을 한 사람이 너 말고 한 명 더 있었어."

"뭐라고?" 아리는 눈을 동그랗게 떴다. "그 이야기를 빨리 했어야지."

"일단 네가 정말로 앨리스인지 아닌지 확인하고 싶었어."

"그런데 또 다른 한 명은 도대체 누구야?"

"오지 씨."

"뭐?"

"오지 씨도 이상한 나라의 주민이었어."

"하지만 아까 오지 씨는 그냥 안면이 있는 사람이라면서."

"그래. 그냥 안면이 있는 사이지. 특별히 두터운 우정으로 맺어진 사이는 아니야." 이모리는 말을 이었다. "어쩌다가 그 사람이 다른 사람과 이야기하는 걸 들었지. 최근에 이상한 꿈을 꾼다고 했어."

"이상한 나라의 꿈?"

이모리는 고개를 끄덕였다. "처음에는 한 귀로 듣고 한 귀로 흘리려고 했어. 하지만 아무래도 마음에 걸리더라고. 꿈의 내용이 내가 알고 있는 것과 똑같았거든."

"우연이라고는 생각지 않았어?"

"그렇게 생각하려고 했어. 하지만 그 사람 말이 너무 신경 쓰인 나머지 꿈 일기를 쓰기 시작했지."

"그 결과 확신이 섰구나."

"내가 꿈으로 꾸는 세계는 실제로 존재해."

"그래서 오지 씨한테 그 이야기를 한 거고."

"처음에는 정말 기분 나빠하더라. 무슨 장난인 줄 알나 봐."

"보통 그렇겠지. 나도 기분이 찜찜했으니까."

"그래서 제안했지. 그럼 다음 꿈에서 내가 당신에게 말을 걸겠다. 그 내용을 현실 세계에서 확인하면 증거가 되지 않겠느냐. 이렇게."

"그 시도에 성공한 거구나."

"놀라 자빠질 지경이었어. 하지만 사실이 명백해지니 연구자로서 흥미가 동하더라고. 도대체 이건 어떤 원리로 일어나는 현상인지 궁금했지."

"알아냈어?"

"아니. 겨우 가설을 세우고 있는 단계야."

"어떤 가설인데?"

"아직 불완전해. 남에게 가르쳐줄 만한 수준은 아니야."

"상관없어. 불완전하더라도 정보가 아예 없는 것보다 낫지."

"알았어." 이모리는 입술을 핥았다. "우리는 이걸 아바타라 현상이라고 불러."

"아바타라, 뭐?"

"인도 신화에 나오는 신의 화신을 가리켜. 즉, 실체는 어디까지나 신이지만 일시적으로 지상에 화신을 보내는 거지. 예를 들어 힌두교에서는 부처를 비슈누 신의 아바타라 중 하나로 봐. 그것과 마찬가지로 '이상한 나라'라는 가상 세계에 우리의 아바타라가 존재한다고 보면 어떨까?"

"인터넷에서 사용하는 닉네임이나 온라인 게임의 캐릭터랑 비슷한 거로군. 나 자신은 아니지만 나 자신이 한없이 반영된 존재."

"난 트위터나 온라인 게임 같은 건 안 해서 잘 모르겠지만, 그러한 비유로 네가 쉽게 이해할 수 있을 것 같으면 그렇게 받아들여도 상관없어."

"그 가상 세계는 누가 만든 건데?"

"도무지 짐작이 안 가. 애당초 누가 만든 것인지 아닌지도 분명 치 않고."

"가상 세계가 저절로 생기기도 할까?"

"절대 불가능하다고 할 수는 없지."

"하지만 가상 세계를 구축하려면 컴퓨터가 필요하잖아."

"인간의 뇌라면 컴퓨터 대신 쓸 수 있겠지. 이른바 평범한 꿈이 나 공상도 일종의 가상현실이라고 할 수 있어."

"모르는 사이에 우리가 누군가의 뇌에 접속했다는 뜻이야?"

"그렇다기보다 우리의 뇌가 서로 접속되어 네트워크를 구성했 을 가능성이 높겠지."

"과연 그게 가능해? 우리 뇌는 케이블로 이어져 있지 않다고."

"그게 수수께끼야. 무슨 미지의 신호로 연결되어 있을지도 모르 고, 의외로 미약한 전기신호가 열쇠일지도 모르지."

"요새 이런저런 전자파가 얼마나 많이 방출되는데. 뇌파 같은 건 제대로 전달되지 않을 거야."

"잡다한 신호 속에서 의미 있는 정보를 건져내는 건 그렇게 복 잡한 기술이 아니야. 다만 인간의 뇌에 그러한 기능이 있느냐고 묻는다면 모른다고 할 수밖에."

"없을걸. 그딴 기능 필요하지도 않잖아. 만약 있었다면 음성으 로 의사소통하는 기능은 발달하지 않았을걸."

이모리는 어깨를 움츠렸다. "아까도 말했다시피 지금은 단순한 가설에 불과해. 물론 특정한 인간의 정신을 인공적인 가상현실과 연결시키는 음모 비슷한 계획이 은밀히 진행되고 있을 가능성도 배제할 수는 없지."

"모르는 사이에 우리 뇌에 뭔가를 심어놨다거나?"

"그럴 가능성도 있어."

"그렇다면 범죄잖아. 경찰에 신고해야 해."

"그리고 '누가 우리 머릿속에 뭔가를 심어놨으니까 범인을 붙잡아주세요'라고 말하려고?"

"제대로 상대해주지 않겠지. 일단은 증거가 필요해. 엑스선이나 초음파로 뇌를 검사하면 안 될까?"

"그런 방법도 있었구나. 병원에 가서 '머리가 아파 죽을 것 같으니까 뇌 검사를 해주세요'라고 말하는 거야. 그쪽이 현실적이로군."

"그럼 당장 병원에 다녀올게." 아리가 자리에서 일어났다.

"잠깐 기다려."

"왜? 아직 할 말이 남았어?"

"네게 들려줘야 할 중요한 이야기가 있다고 했잖아."

"지금까지 이야기한 거 아니야?"

"지금까지 한 이야기도 충분히 중요해. 하지만 지금까지 한 이야기를 전제로 이제부터 할 이야기는 네게 정말로 중요해."

"뜸 들이지 말고 빨리 말해. 병원 문 닫겠어."

"만약 앨리스가 험프티 덤프티를 살해한 범인으로 체포되면 어떻게 될까?"

"아까도 말했지만 감옥에 갇히겠지."

"판사가 여왕이라면?"

"목이 달아날지도 모르지. 여왕은 상대가 누구든지 간에 '목

을 쳐라!'라고 말하니까. 하지만 실제로 목이 댕강 잘린 사람
은……."

"그들은 진짜로 죄를 지어서 붙잡힌 게 아니었어. 그래서 아무
도 형을 집행할 마음이 없었지. 하지만 만약 살인범이라면."

"앨리스는 사형을 당하겠구나. 하지만 꿈속…… 가상현실 속에
서 죽는 게 뭐 어때서 그래? 게임 캐릭터가 죽어봤자 '죽다니 실
력이 꽝'이라고 남에게 핀잔을 듣는 정도잖아."

"중요한 정보를 하나 알려줄게. 네 마음은 충분히 굳센 것 같으
니까." 이모리는 심호흡을 했다. "이상한 나라에서 오지 씨의 아
바타라는 험프티 덤프티였어."

"응?"

아리는 이모리가 무슨 뜻으로 그런 말을 했는지 파악하지 못해
잠시 혼란에 빠졌다. 그리고 서서히 그 말이 의미하는 바가 이해
되자 몸이 덜덜 떨리기 시작했다. 지금까지 경험해본 적 없는 전
율에 휩싸여 도저히 마음을 진정시킬 수가 없었다.

"그래. 두 세계의 죽음은 연결되어 있을 가능성이 있어." 이모
리는 차분하게 말했다. "그럴 경우, 앨리스가 사형을 당하면 현실
세계의 너도 죽어."

5

"부탁이야, 날 도와줘." 앨리스는 빌에게 애원했다.

"도와주고 싶은 마음이야 굴뚝같지만, 어떻게 해야 할지 모르겠어." 빌은 자신 없는 듯이 말했다.

"너 정말로 이모리야?"

"아마도. 지구에서 이모리였던 게 기억나. 뭐랄까, 별로 현실감은 없었지만."

숲속에는 사람 눈(혹은 짐승의 눈)이 많기 때문에 앨리스와 빌은 해안으로 왔다.

그러나 여기라고 아무도 없는 것은 아니다.

조금 떨어진 모래 언덕 뒤편에서 그리핀과 가짜 거북이 엿보고 있고, 그 바로 옆에서는 바다코끼리가 어린 굴을 속이고 있는 참이었다.

하지만 그런 일들을 하나하나 다 신경 쓰다 보면 이상한 나라에서는 제정신을 유지할 수가 없다.

하기야 원래부터 아무도 제정신을 유지하고 있지 않다고도 할 수 있지만.

"지금 지구라고 했는데, 역시 여기는 지구가 아니구나."

"뭐, 그렇다고 결정된 건 아니지만. 뭐, 여기는 그다지 지구 같지 않으니까."

"역시 넌 이모리 같지 않아. 이모리는 좀 더 명석한걸."

"그럼 아닐지도 모르지."

"하지만 이모리였던 기억이 있잖아?"

빌은 고개를 끄덕였다. "그래서 너한테 암호를 가르쳐준 거야."

"왜 날 구리스가와 아리라고 생각했어?"

"이상한 나라의 주민과 지구 사람들은 연결되어 있다는 게 험프티 덤프티와 내가 세운 가설이야."

"그 이야기는 들었어."

"험프티 덤프티는 여기랑 거기서 꿈 이야기를 하며 돌아다녔지. 나처럼 누군가가 반응하지 않을까 싶었던 거야."

"성과는 어땠는데?"

"확실치는 않지만 몇 명에게 미묘한 반응을 얻어내는 데 성공했지. 그들은 한순간 놀란 듯한 표정을 짓거나, 꿈의 내용을 자세히 듣고 싶어 했어."

"그 사람들한테는 가설을 들려주지 않았어?"

"아무 준비도 없이 공개해도 될지 망설여졌거든. 혹시 진짜 무슨 음모라면 큰일 날지도 모르잖아."

"제거될지도 모르지."

"우리는 아주 신중하게 목록을 만들었어. 이쪽과 저쪽에서 어떤 사람이 누구와 연결되어 있는지 정리했지."

"그거 보여주면 안 돼?"

"여기에는 안 가져왔어. 지구에 있어."

"가지고 오려고 해도 방법이 없나."

"완벽하게 외우는 수밖에 없지."

"그럼 다음에 지구에서 잠이 깼을 때 보여줘. 아무튼 그 목록에 나도 실려 있었던 거구나."

"아니. 넌 목록에 없었어."

"그럼 왜 나한테 암호를 가르쳐준 건데?"

"도박이었어."

"도박?"

"앨리스와 구리스가와 아리의 이미지는 아주 비슷해. 그리고 넌 음모가 유형이 아니야."

"무슨 근거라도 있었어?"

"특별하게는 없었는데."

"그럼 그냥 찍은 거네?"

"찍은 거지. 지금까지 몇십 명이나 되는 사람에게 시도해왔는데 짐작이 맞은 건 네가 처음이었어."

"엥? 내가 처음이 아니었어?"

"그러니까 처음이라고. 암호를 제대로 말한 건."

"그게 아니라 나한테 알려주기 전에 다른 사람들에게도 암호를 알려줬다는 거야?"

"한 마흔 명쯤 되려나."

"그리고 제대로 대답한 사람은 나 하나?"

"응."

"그럼 아까 말한 목록은 완전히 엉터리라는 거네?"

"뭐, 그런 셈이지."

"사람들한테 느닷없이 '스나크는'이라고 말했어?"

"이 암호는 네 전용이야. 다른 사람들한테는 다른 암호를 알려
줬어."

"결국 뜬금없기는 매한가지일 것 아니야."

"그야 당연하게 대답할 수 있을 만한 말은 암호로 써먹을 수 없
으니까."

"상대가 이상한 표정 짓지 않디?"

"그럴 때는 아무 일도 없었던 것처럼 이야기를 계속하면 돼. 그
러면 대개는 기분 탓이라고 여기는 것 같더라고."

"안 그런 사람도 있을 텐데?"

"지금 그거 무슨 말이냐고 끈덕지게 물어보는 사람도 있었어.
그럴 때는 그런 소리 안 했다고 우기면서 기분 상했다는 듯이 상
대의 얼굴을 노려보면 돼. 그러면 대개는 물러나지."

"너무하다."

"아니. 끈질기게 물고 늘어지는 사람은 좀처럼 없어. 좀 귀찮기
는 하지만 너무한 정도는 아니야."

"상대방이 아니라 네가 너무하다고."

"어? 왜?"

"왜냐니, 느닷없이 눈앞의 사람이 이상한 소리를 해서 무슨 소리냐고 물어보니까 마치 물어본 사람이 잘못했다는 듯이 정색하는 거잖아. 그게 정상이야?"

"이상한 나라에서는 늘 그런 식인데."

"응. 그렇지. 여기서는 그게 보통이지. 미안해. 내가 잘못했어."

"괜찮아. 사람은 누구나 잘못을 저지르는 법이니까."

"아무튼 나 하나밖에 못 찾았다는 거구나."

"수상한 사람이 몇 명 있기는 했어."

"정말? 왜 수상하다고 느꼈는데?"

"암호를 물어본 후의 태도 때문에. 고개를 숙인 채 무진장 고민하는 것 같은 느낌이었어."

"왜 그랬는지 알 것 같아."

"난 잘 모르겠는데. 일껏 암호를 알려줬으니 제대로 대답하면 될 걸 가지고."

"암호를 말하면 이제 돌아갈 수 없으니까 그렇지."

"어디서 돌아갈 수가 없는데?"

"이 이상한 세계에서."

"암호를 아는 녀석들은 애당초 이 세계의 주민들이니까 돌아가고 자시고 할 것 없다고."

"그래도 지구에 있는 동안은 이 세계를 잊어버리고 있을걸."

빌은 고개를 끄덕였다. "응응. 아주 까맣게 잊어버린 상태지. 가끔 생각나도 그저 꿈으로 치부하기 일쑤고."

"그러니까 그저 꿈인지 꿈이 아닌지 알기가 무서운 거야."

"하지만 여기에 있는 동안은 아무도 자기가 꿈을 꾸고 있다고 생각지 않아."

"그래. 그게 기묘하다니까. 오히려 지구가 현실감이 희박한 기분이 들어."

"그리고 이쪽에서는 지구가 꿈으로 느껴지지."

"옳지. 반대로 해보면 어떨까?"

"뭘 반대로 하는데?"

"여기서 암호를 알려주는 게 아니라 저쪽에서 암호를 알려주는 거야."

"으음. 이상한 사람이라고 생각하지 않을까?"

"여기서는 이상하다는 취급을 받아도 된다는 거야?"

"여기서는 모두 다 이상하니까 별로 상관없어."

"그래. 그러니까 암호를 물었을 때 선선히 대답해줄 거야."

"아하." 빌은 손뼉을 짝 쳤다. "왜 그걸 지금까지 몰랐을까. 하지만 지구에서 암호 같은 걸 알려주면 생뚱맞게 여길 텐데?"

"머리를 잘 굴려야지."

"머리를 잘 굴리다니?"

"무슨 게임의 암호라고 하면서 알려주면 어때?"

"어른끼리, 그것도 그다지 친하지도 않은 사람에게 별안간 게임 암호니까 이 말을 기억해두라고 말하라고?"

"그럼 과감하게 이렇게 해보는 건 어떨까? 이쪽 세계에서 수상하게 느껴지는 사람 혹은 짐승한테 가서 '어이, 안녕. 사실 난 이 모리야. 넌 ○○ 아니야?'라고 묻는 거야."

"그런 짓을 하면 이상한 놈이라고 생각……해도 상관없나. 이쪽 세계에서는."

"지금까지 이렇게 간단한 방법이 있는 줄 몰랐어?"

"몰랐어. 이모리는 이쪽 세계에 실감을 느끼지 못하고, 빌은 요 모양이니까."

"요 모양이라니?"

"많이 모자라."

"스스로도 잘 아는구나."

"지구의 기억이 명확해지고 나서 깨달았어. 두 세계에서 서로 연결되어 있는 인물이라도 성격과 능력에는 큰 차이가 있는 것 같아."

"그래서 골치 아픈 거야."

"하지만 앨리스와 아리는 분위기가 꽤나 비슷해."

"그런가? 하지만 그렇다고 해도……."

"앗!"

"갑자기 왜 그래?"

"생각났다. 지금 네가 알려준 정체를 확인하는 방법을 시험하기에 딱 알맞은 인물이."

"누군데?"

"흰토끼야."

"흰토끼?" 앨리스는 얼굴을 찌푸렸다. "날 목격했다고 거짓 증언을 한 사람이잖아."

"하지만 흰토끼가 지구에서 누구인지 알면 흰토끼가 무슨 의도로 그런 증언을 했는지 알 수 있을 거야. 게다가 흰토끼가 거짓말을 했다고 확정된 것도 아닌걸."

"내가 범인이라는 거야?"

"그것도 아직 확정된 건 아니야."

"말본새를 보아하니 꽤나 의심하는 것 같은데?"

"너랑 흰토끼 중에 누굴 믿느냐는 거지? 넌 분명 내 친구야. 하지만 흰토끼는 내 고용주거든."

"이 이야기에 개인적인 친분이 무슨 상관이야."

"그럼 널 안 믿어도 되는 거네?" 빌은 아주 환한 얼굴로 말했다.

"알았어, 알았어. 아무튼 흰토끼를 만나러 가자. 걸으면서 지구에 있는 사람 중에 누가 흰토끼일지 생각해보자고."

앨리스와 빌은 해안을 벗어나 숲으로 향했다.

애벌레가 두 사람을 보고 뭐라고 말을 걸었지만 두 사람은 무시하고 흰토끼의 집으로 향했다.

애벌레는 쓸모 있는 조언을 해줄 때도 많지만 이야기가 지지부진하다는 결점이 있다. 지금은 쓸데없는 이야기에 귀를 기울일 시간이 없었다.

흰토끼의 집에 도착하자 마침 현관에서 품에 두꺼운 책을 끌어안은 중년 여자가 나왔다.

"어머. 안녕, 빌."

"안녕, 메리 앤. 흰토끼는 있어?"

"응. 하지만 기분이 좀 안 좋아. 어제 늦게까지 미치광이 모자장수와 3월 토끼에게 신문을 받았대."

"그래? 앨리스도 그 둘한테 용의자로 찍혀서 큰일이야." 빌은 앨리스를 힐끗 쳐다보았다.

앨리스는 그만 혀를 찼다.

빌은 아차 싶은 표정으로 고개를 숙였다.

메리 앤은 그런 두 사람을 보고 미소 지었다. "앨리스, 어려운 입장에 처한 모양인데 분명 결백을 입증할 방법이 있을 거야. 힘내."

"고마워요. 그런 말을 해준 건 당신이 처음이에요." 앨리스는 악수를 청했다.

"아니야. 빌도 너한테 협력하는 것 같은데." 메리 앤은 선선히 손을 내밀어 악수를 받아주었다.

"메리 앤, 매일 책을 그렇게 많이 읽어?" 빌이 엉뚱한 질문을 던졌다.

"응? 이거? 이건 내 책이 아니야. 흰토끼가 공작 부인에게 빌린 책을 돌려주러 가는 거야."

앨리스는 책등을 슬쩍 확인했다. 네크로 뭐라느니, 에이본 뭐라느니 하는 식으로 라틴어 느낌이 나는 기묘한 제목이 적힌 책뿐이었다.

"흰토끼는 이 세계의 여러 비밀을 조사하고 있어."

"나도 비밀에는 흥미가 있어. 그래서 앨리스와 함께 있지. 살인 사건의 비밀을 알아내면 분명 기분 최고일 거야." 빌이 말했다.

"이것 좀 보라니까요." 앨리스는 어깨를 축 늘어뜨렸다. "빌은 그저 호기심 때문에 날 따라다닐 뿐이에요."

"그래도 아무도 없는 것보다는 낫잖아. 빌은 분명 너한테 힘이 될 거야. 그런 느낌이 들어." 메리 앤은 다시 한 번 앨리스의 손을 잡아주고 공작 부인의 저택을 향해 걸어갔다.

앨리스는 문을 열고 흰토끼의 집으로 성큼성큼 들어갔다.

빌도 허둥지둥 뒤를 쫓아왔다.

"여기 오니 어쩐지 반가운걸." 빌이 말했다.

"반갑다니, 너, 여기서 일하는 거 아니었어?"

"그게 아니라 너랑 같이 여기 있어서 그렇다는 거야."

"그래?"

"왜, 우리 여기서 처음 만났잖아."

"만났다고 할까, 서로 얼굴을 마주하지는 않았지만."

"그때 넌 크기가 1킬로미터쯤 됐지."

"그렇게 크지 않았어. 기껏해야 10미터 정도였다고."

흰토끼는 의자에 앉아 책상에 몸을 수그리고 뭔가 쓰고 있었다.

"안녕." 빌이 말을 걸었다.

흰토끼가 고개를 들었다.

"돌아왔나?" 다시 고개를 숙였다.

"저기, 뭣 좀 물어보려는데 괜찮을까?" 빌이 흰토끼 곁에 섰다.

"조금만 기다려. 지금 중요한 보고서를 쓰는 중이거든."

앨리스와 빌은 꼬박 30분을 기다렸다.

하지만 흰토끼는 보고서를 쓰는 손을 멈추지 않았다.

결국 참을성이 바닥났는지 빌이 입을 열었다. "있지. 오래 걸릴 것 같아?"

흰토끼는 놀란 듯한 표정으로 빌을 쳐다보았다. "헉? 너 누구야?"

빌을 잊어버렸어? 혹시 망령이 들었나?

"또야?" 빌은 한숨을 쉬었다. "냄새를 잘 맡아봐."

흰토끼는 냄새를 킁킁 맡았다. "아아. 빌이구나. 파충류는 냄새가 옅어서 난감하다니까."

"그러니까 냄새에 의존하지 말고 잘 보이도록 안경을 쓰면 될 거 가지고."

"안경 같은 걸 쓰면 눈에 보이는 것밖에 못 알아보잖아. 그럼 인간이나 마찬가지야."

"아아. 그 말을 듣고 생각났다. 지구에서는 너도 인간이잖아."

"뭐? 지구? 무슨 소리야?"

"지구 말이야. 여기 말고 다른 세계. 난 거기서 이모리 겐인데, 넌 누구야?"

흰토끼는 눈이 휘둥그레졌다. 그리고 의자에서 미끄러져서 엉덩방아를 쿵 찧었다.

"이런, 이런. 괜찮아?"

"도대체 무슨 말이람?" 흰토끼는 중얼거리듯이 말했다.

"괜찮아, 라고 물었어. 지금 의자에서 미끄러져 떨어졌잖아."

"그게 아니라, 그 전에 한 말."

"아아. 잘 보이도록 안경을 쓰면 된다고 했어."

"아니. 그 사이."

"어느 사이?"

"괜찮아와 안경 사이."

"그것참 어중간한 곳이네." 빌은 흰토끼의 안경을 가리켰다.

"이게 안경이야. 틀림없어. 이제 '괜찮아'를 찾아야 해. 그리고 그 사이를 확인하는 거지."

"그만 됐어. 지금 이모리가 어떻고 저떻고……."

"아아. 난 지구에서 이모리야."

"넌 도마뱀이야. 결코 영원*이 아니라고."

"그런 뜻이 아니라 성이 '이모리'라고. 우물 '정' 자에 나무 세 개를 붙인 수풀 '삼' 자를 써."

"이 세계에 한자 같은 건 없어."

"그러고 보니 그러네. 저기, 지금 나 어느 나라 말로 이야기하고 있어?"

"일본어가 아닌 건 확실해." 앨리스가 말했다. "빌, 너 일본어 할 줄 알아?"

"어디 보자. ……와타시, 니호고, 샤베레마스……. 할 줄 아네."

"엄청 서투르게 떠듬거렸는걸."

"이상하다. 나 일본에서 태어났는데."

"아니. 빌, 넌 이상한 나라에서 태어났어. 일본에서 태어난 건 이모리 겐이지. 역시 빌과 이모리 겐은 동일 인물이 아닐지도 몰라."

"난 이모리 겐의 아바타라라서 의식은 연결되어 있지만 언어를 포함한 능력은 똑같지 않은 거로군."

"너희들, 쓸데없는 이야기는 그만둬. 그건 전부 꿈 이야기야."

"아니에요. 지구는 실제로 존재한다고요. 우리는 그렇게 생각

*일본어로 '이모리'는 도롱뇽과 비슷한 양서류 '영원(蠑螈)'을 가리킨다.

해요."

"그렇다는 증거가 어디 있어?"

"꿈이라면 어떻게 나랑 빌이 지구를 알까요?"

"그야 꿈속에서 봤으니까."

"당신과 우리가 꿈을 공유한다면 그걸 현실이라고 불러도 되지 않겠어요?"

"공유는 무슨 빌어먹을 공유! 우연히 우리 셋이 같은 꿈을 꿨을 뿐이야!"

"그런 우연이 일어날 리 없죠. 그것도 몇 년이나 계속되다니."

"네가 뭐라고 해도 난 안 믿어."

"그럼 증명해줄게요."

"할 수 있으면 해봐."

"우선 당신 이름을 가르쳐줘요."

"이름? 뭐, 이름인지 아닌지는 제쳐놓고 평소 흰토끼라고 불리는데."

"그거 말고 지구에서 쓰는 개인의 이름요."

"꿈속 일이니까 그런 건 의미 없어."

"의미가 없다면 말해줘도 상관없잖아요?"

"왜 그걸 알고 싶은 건데?"

"지구가 꿈이 아니라는 사실을 증명하기 위해서죠. 자, 말해봐요."

"……리오……."

"예?" 앨리스는 귀를 의심했다. "지금 뭐라고 했어요?"

"리오…… 다나카 리오."

"다나카 리오!"

"그래. 하지만 아무 의미도 없는 말이야."

"아는 사람이야?" 빌이 물었다.

앨리스는 고개를 끄덕였다. "구리스가와 아리의 1년 선배에 해당하는 여자야."

"웅? 흰토끼가 지구에서는 여자였어?" 빌은 놀란 것 같았다. "성별이 다른 경우도 있구나."

"꿈이니까 성별이 바뀔 수도 있지!" 흰토끼는 발끈하여 말했다. "당신, 이모리가 누군지 알죠?"

"하지만 빌은 리오를 모르는 것 같은데."

"난 알아요. 당신, 구리스가와 아리를 알죠?"

"같은 연구실 후배야. 그런데 어떻게 그 이름을?"

"이쪽은 지구에서 아리야." 빌이 말했다.

"거짓말!"

"거짓말 아니야. 이제 확실히 증명됐지?"

"아니. 난 안 믿어."

"그럼 다음 이야기는 지구에서 계속하죠. 그래야 머릿속을 더 잘 정리할 수 있을 것 같으니까."

"하지만 그쪽에서는 이쪽 기억이 애매모호해지잖아." 빌이 끼어들었다.

"그럼 물어봐야 할 건 물어놔야겠네." 앨리스가 말했다.

"저기, 험프티 덤프티가 살해당했을 때의 일 말인데……." 빌이 다시 입을 열었다.

"그건 벌써 몇 번이나 미치광이 모자 장수한테 이야기했어! 몇 번이나!"

"험프티 덤프티가 살해당하기 전에 정원에 들어간 인물이 있었다고 들었는데."

"아무렴. 있었지. 그리고 그 녀석은 범행을 저지른 후 정원에서 달아났어."

"그게 누군데?"

"몇 번 물어도 답은 똑같아. 들어간 사람은 앨리스 한 명뿐이었어." 토끼는 앨리스를 흘끔 쳐다보았다. "난 결코 거짓말 안 해."

"차분하게 잘 생각해봐요." 앨리스는 냉정함을 유지하려고 애썼다. "그건 정말로 중요한 발언이라고요. 절대로 착각하지 않았다고 확신해요?"

"내 대답은 절대로 틀리지 않았어. 그것만은 자신 있다고."

"하지만 그렇다면 앨리스가 험프티 덤프티를 죽인 범인이라는 말이 돼."

"그래서 뭐? 그게 진실이라면 어쩔 수 없지. 아니면 내가 앨리스를 감싸야 할 이유라도 있다는 거야?"

"오래 알고 지낸 사이잖아." 빌이 말했다. "그러니까, 그게 언제였더라?"

"내가 앨리스를 처음으로 만난 건……. 기억은 잘 안 나지만 무슨 실수를 해서 늦을 뻔했어. 분명히 공작 부인 집에 가려다가 그랬는데."

"장갑이랑 부채를 두고 갔죠."

"그래. 그때는 신세를 졌군." 흰토끼는 앨리스의 얼굴을 빤히 쳐다보았다.

"이제야 기억났어?" 빌이 물었다.

"흠." 흰토끼는 뭔가 생각하는 것 같았다. "빌, 자리를 잠시 비워주지 않겠어?"

"알았어. 어느 자리인데?" 빌은 방을 두리번두리번 둘러보았다.

"이 녀석, 정말로 그 이모리야?"

"이모리치고는 너무 얼간이지만 그런가 봐요. 당신도 리오 씨랑 별로 안 비슷하잖아요."

"빌, 이 방에서 잠시 나가 있지 않겠어?" 흰토끼는 이해하기 쉽게 말을 바꾸어 말했다.

"알았어. 그런데 왜?"

"이쪽에게 한마디 해두고 싶은 말이 있어서."

"그래? 무슨 이야기인데?"

"여기서 그걸 너한테 들려주면 방에서 내보내는 의미가 없다는 것도 몰라?"

"어떤 이야기인지 들려줘야 의미가 있는지 없는지 판단하지."

"잔말 말고 냉큼 나가." 흰토끼는 문을 가리켰다. "물론 문 바로 밖에서 이야기를 엿들어도 안 돼. 복도 제일 끝에 가서 기다려."

"알았어. 나가면 되잖아." 빌은 마지못해 지시를 받아들였다. 그리고 앨리스에게 말했다. "나중에 무슨 이야기인지 들려줘."

그때 현관문이 열렸다.

미치광이 모자 장수와 3월 토끼가 우르르 몰려들어 왔다.

"이봐. 험프티 덤프티가 살해당한 일에 대해서는 이미 이야기를 끝냈잖아."

"그래. 험프티 덤프티에 대해서는 말이지." 모자 장수는 앨리스를 힐끗 흘겨보았다. "이번에는 다른 일이야."

"또 공작 부인이 뭐라고 말씀하셨나? 그분 기분에 따라 이리저리 휘둘리는 데도 이제 진절머리가 나." 흰토끼가 한탄했다.

"나도 동감이지만 이번에는 그것과도 상관없는 일이야. 애당초 댁한테 볼일이 있어서 온 게 아니라고."

"그럼 나한테 볼일이 있어?" 빌이 물었다.

"모자란 파충류한테도 볼일은 없어."

"그럼 누구한테 볼일이 있는데?"

"여기에 있는 인간의 수는 한정되어 있어. 흰토끼도 아니고, 너도 아니야. 그럼 남은 건 누구지?"

"알았다!" 빌이 외쳤다. "3월 토끼다!"

"엇! 나?" 3월 토끼가 자신을 가리켰다. "나 아니야! 믿어줘, 난 안 죽였어!"

"난 안 죽였다고? 혹시 또 살인사건이 발생했나요?" 앨리스가 물었다.

"그래. 그러니까 여기 왔지. 널 신문해야겠다." 모자 장수가 앨리스를 가리켰다.

"방금 전에 그리핀이 살해당했어."

6

"시노자키 교수님이 돌아가셨대." 다나카 리오가 말했다.

"그럼 그분이 그리핀이었나요?" 아리가 물었다.

두 사람은 학생 휴게실 구석에서 목소리를 낮추어 이야기를 나누었다.

"시기적으로 보아 십중팔구 틀림없어."

"사인은 뭔가요?"

"굴을 드시고 식중독에 걸렸다나 봐." 리오가 말했다.

"그럼 사건성은?"

"아마 없다는 결론이 내려지겠지. 하기야 누가 고의로 상한 굴을 먹였을 가능성은 있지만."

"묘하네요. 굴을 속인 건 바다코끼리였는데." 아리가 말했다.

"하지만 실제로 먹은 건 그리핀이었지."

"가짜 거북과 바다코끼리는 목격자가 아닌가요?"

"가짜 거북과 바다코끼리는 잡담을 나누다가 서로의 공통점을 발견하고 의기투합하여 그리핀을 놓아두고 둘이서 한잔하러 갔어."

"도대체 그 두 마리에게 어떤 공통점이 있는데요?"

"그날 둘 다 생일 아닌 날이었대."

아리는 한숨을 쉬었다.

"그리핀은 왜 안 갔는데요?"

"안타깝게도 그날은 그리핀의 생일 아닌 날이 아니었어."

"생일이었구나. 불운한 짐승."

"그리핀도 그렇지만 앨리스도 운이 없어." 리오가 말했다.

"예? 어째서요?"

"험프티 덤프티에 이어 그리핀도 죽였다고 의심받고 있으니까."

"확실한 알리바이가 있어요."

마침 그때 이모리가 들어왔다.

"이야. 둘이 같이 있었네. 어. 구리스가와. 오늘은 상당히 졸려 보이는 얼굴인데."

"어제 밤늦게까지 이야기를 좀 해서 그래."

"밤에 나가 노는 것도 적당히 해야지."

"안 나가 놀았어. 계속 집에 있었다고."

"응? 난 네가 혼자 자취하는 줄 알았는데. 집에서 학교 다녀? 아니면 남자 친구? 설마 결혼했다던가……." 기분 탓인지 이모리의 표정이 흐려진 것처럼 보였다.

"난 혼자 살아."

"그럼 어젯밤에는 우연히 손님이 왔구나."

아리는 고개를 저었다. "아니야. 가족이야."

"너, 아까 혼자 산다고 하지 않았어?"

"햄순이는 내 가족이야."

"이름을 듣자 하니 햄스터?"

"응. 맞아."

"햄스터랑 몇 시간이나 이야기를 나눴는데?"

"글쎄. 한 두세 시간쯤?"

"늘 그래?"

"뭐가?"

"햄스터랑 이야기하는 거."

"매일 그러는데."

"여기 이상한 나라 아니고 현실 세계지?" 이모리는 확인했다.

"이제 딴청 좀 그만 부리시지!" 아리는 입을 삐죽 내밀었다. "네가 한심하게 구는 바람에 일이 번거로워졌잖아."

"한심해? 내가?"

"왜 '계속 앨리스와 같이 있었다'고 알리바이 증언을 하지 않았어?"

"무슨 소리야, 그게?"

"그리핀이 살해당했어."

"그건 알아. 불운한 짐승이지."

"시노자키 교수님도 돌아가셨고."

"그런가 보더군. 사인도 똑같고 말이야."

"그리핀은 시노자키 교수님의 아바타라였다는 뜻이겠지?"

"상황으로 판단하자면 아마도 그렇겠지."

"동일범이 저지른 연쇄살인일 가능성이 있어."

"탐정도 그렇게 생각했어."

"탐정이라면 미치광이 모자 장수 말이야?"

"그 녀석이랑 3월 토끼."

"이야기하는 도중에 미안한데." 리오가 끼어들었다. "나 실험하러 가봐야 해서 먼저 실례할게."

"예. 혹시 뭔가 생각나면 또 알려줘요."

"응." 리오는 휴게실에서 나갔다.

"그래서, 모자 장수는 누구를 연쇄살인범으로 생각하는데?" 아리는 이야기로 되돌아왔다.

"물론 앨리스지. 뭐, 험프티 덤프티 살해사건의 용의자니까 의심하는 게 당연하다면 당연하지만."

"하지만 이번에는 완벽한 알리바이가 있다고."

"그게 정말이라면 범인은 따로 있다는 뜻이로군."

"마치 남의 일처럼 말하는데, 알리바이의 증인은 너거든?"

"그건 말이 안 돼. 난 어디까지나 현실 세계의 인간이야. 이상한 나라에서 일어난 사건의 증인이 될 수는 없어. 내 아바타라인 도마뱀 빌이라면 가능하겠지만."

"그럼 네 아바타라의 책임이야."

"무슨 책임이 있다는 거야?"

"빌에게는 앨리스의 알리바이를 증언할 책임이 있었다는 말이야."

"도대체 뭐가 어떻게 된 건데?"

"그리핀이 살해당한 당일, 앨리스와 빌은 해안에서 이야기를 나눴어."

"그건 어렴풋이 기억나는군."

"그리고 앨리스와 빌은 해안에서 그리핀을 목격했어."

"그건 기억나. 분명 가짜 거북과 바다코끼리도 있었어. 들은 바로는 가짜 거북과 바다코끼리도 네 말과 똑같은 진술을 했대. 해안에는 그리핀과 앨리스, 그리고 빌과 어린 굴들이 있었다는군."

"어린 굴들의 증언도 필요하지 않을까?"

"그건 무리야. 그리핀에게 잡아먹혔으니까."

아리는 이마를 눌렀다. "가엾게도. 그 일로는 사건이 성립할 것 같아?"

"굴 좀 먹었기로서니 범죄자 취급? 말도 안 되는 소리 하지 마." 이모리는 코웃음을 쳤다. "그럼 요리사라는 요리사는 다 잡혀가겠다."

"하지만 어린 굴들과 연결된 현실 세계의 누군가도 죽음을 맞았을 거야."

"어린 굴들은 아마 시노자키 선생님이 드신 굴과 연결되어 있었겠지. 그래서?"

"앨리스와 빌은 그대로 함께 흰토끼의 집으로 향했어."

"기억이 날 둥 말 둥 하는군."

"날 둥 말 둥?"

"응. 날 둥 말 둥."

"못 믿겠어. 날 둥 말 둥이라니 무슨 소리야?"

"말 그대로의 의미야. 빌을 과대평가하면 안 돼. 녀석의 기억력
은 거의 없는 거나 마찬가지라고 해도 과언이 아니야."

"……아무튼 앨리스와 빌은 흰토끼의 집에 도착해서 흰토끼에
게 이야기를 들었어."

"그것도 기억나."

"그때 미치광이 모자 장수와 3월 토끼가 와서 '그리핀이 살해당
했다'고 알려줬어."

"그것도 기억나."

"봐. 완벽하잖아."

"뭐가?"

"알리바이 말이야."

"그런가?"

"더 이상 완벽한 알리바이가 어디 있어? 두 사람은 살아 있는
그리핀을 목격했어. 그리고 그대로 쭉 함께 있다가 그리핀이 죽
었다는 소식을 들었지. 앨리스가 그리핀을 죽일 기회는 전혀 없
었다고."

"쭉 함께 있었다고? 정말이야?"

"실제로 함께 있었잖아."

"으음." 이모리는 자기 머리를 툭툭 두드렸다. "함께 있었던 것
같기도 하고 그렇지 않았던 것 같기도 해."

"그게 무슨 말이야?"

"그게 말이야. 둘이 해안에서 그리핀을 목격한 건 기억나. 둘이 함께 흰토끼의 집에 있었던 것도 기억나고. 그런데 그 사이에 있었던 일이 아무래도 애매모호해."

"애매고 뭐고 당연히 둘이서 숲속을 걸어서 흰토끼의 집으로 갔지."

"뭐, 그게 자연스럽겠지. 하지만 그러지 않았을 가능성도 있어. 앨리스가 빌에게 흰토끼의 집에서 만나자고 말하고 헤어졌을지도 모르잖아."

"그런 기억이 있어?"

이모리는 고개를 저었다. "아니."

"그럼 그런 일은 없었던 거야."

"그렇다고 단정할 수는 없지. 어쨌거나 빌은 굉장한 머저리거든. 늘 뭔가를 빠뜨리고 잊어버리지."

"그런 사람과 함께 수사해서 사건을 해결할 수 있을지 정말 불안한걸."

"걱정할 필요 없어. 난 빌 같은 머저리가 아니니까."

"하지만 알리바이 성립에 도움이 될 만한 기억은 없잖아?"

"이모리 겐은 어디까지나 현실 세계에만 존재하니까."

"그럼 아무 도움도 안 되잖아."

"확실히 그럴지도 모르겠다. 이건 그냥 위안거리일지도 모르지만 네게 한 가지 사실을 가르쳐줄게."

"어떤 위안거리인데?"

"가령 빌의 기억이 또렷해서 네 알리바이가 완벽하게 성립됐다고 치자. 하지만 그렇더라도 별 도움은 되지 않았을 거야."

"어째서?"

"빌이 머저리라는 건 모두 다 알고 있거든. 그러니까 빌의 증언은 아무도 진지하게 듣지 않아."

"들으나 마나 한 위안거리를 알려줘서 고마워."

"천만의 말씀."

"아무튼 빌의 기억도 증언도 도움이 되지 않는다니 새로운 증거를 모으러 시노자키 연구실에 가자."

"정말이지 어쩌면 좋담?" 부교수 히로야마 도시코는 눈썹을 팔자로 축 늘어뜨렸다. "시노자키 선생님이 갑자기 돌아가실 줄은 꿈에도 몰랐어."

"일단 내일 장례식에 참석하셔야 합니다. 그리고 다음 달에 있을 학회도 준비하셔야 하고요." 조교수 다바타 준지가 메모를 보면서 말했다.

"어머, 큰일이네. 장례식에 학회도 있구나." 히로야마 부교수의 눈썹이 더더욱 처졌다.

"저기, 장례식과 학회는 완전히 다른 범주에 들어갑니다. 친척도 아니니까 장례식에는 조문용 예복 차림으로 부의금을 들고 가서 인사하고 오면 아무 문제도 없습니다."

"그래? 장례식은 문제없는 거네."

"문제는 학회입니다. 시노자키 선생님은 초청 강연을 하실 예정이셨습니다."

"어쩌지? 거절하면 되나? 아니면 누가 대리로 강연해야 해?"

"시노자키 선생님이 초대를 받으셨으니 멋대로 대리를 세우는 건 예의에 어긋나는 짓인지도 모르겠습니다. 학회 사무국에 문의해보는 게 어떻겠습니까?"

"어떤 대답이 돌아올까?"

"글쎄요. 시노자키 선생님과 같은 급의 다른 분을 새로이 초대할지도 모르고, 저희 쪽에 대리 강연을 의뢰할지도 모르죠."

"대리 강연 의뢰가 들어오면 어떻게 하지?"

"히로야마 선생님이 강연하시는 게 도리상 당연하지 않겠습니까?"

"내가? 도대체 어떻게 하면 좋지?"

"진정하세요. 시노자키 선생님이 미리 파워포인트로 자료를 만들어두셨을지도 모릅니다. 비서 구미야마 씨에게 물어보죠."

"만약 안 만들어두셨으면 어쩌지?"

"이미 원고의 개요는 제출하신 모양이니까 그걸 토대로 프레젠테이션 자료를 꾸며내면 되지 않겠습니까?"

"누가 꾸며내는데?"

"강연 내용을 구성하시면 구미야마 씨가 어떻게든 해줄 겁니다."

"강연 내용은 누가 구성하는데?"

"선생님이 하시는 게 제일 좋을 것 같습니다."

"응?" 히로야마 부교수는 눈을 깜빡였다.

"하실 수 있으시죠?"

"아…… 응. 그러는 게 좋겠네. 그렇지만 너도 좀 생각해봐. 난 엄청 바쁘니까."

아리는 헛기침을 했다.

"그래. 일단 네가 원안을 짜. 내가 그걸 보고 수정안을 낼 테니까." 히로야마 부교수는 아리가 헛기침한 소리를 못 들은 것 같았다.

"에취!" 이모리가 크게 재채기를 했다.

히로야마 부교수가 힐끔 곁눈질을 했다. 하지만 별반 신경 쓰지 않는 모습이었다.

"사무국에는 누가 연락하지? 너? 아니면 구미야마 씨?"

"에취! 으엣취!" 이모리는 연달아 두 번 재채기를 했다.

히로야마 부교수가 말을 멈췄다. 그리고 이번에는 이모리를 똑바로 쳐다보았다. "뭐야? 감기야?"

"누가 제 이야기를 하고 있는지도 모르죠."* 이모리는 빙긋 웃으며 말했다.

"옮기지 마. 나, 바쁘다고." 그리고 다바타 조교수에게 말했다. "얘는 4학년이야? 아니면 대학원생?"

"글쎄요."

"글쎄요라니? 자기 연구실에 소속된 학생이 몇 학년인지도 몰라?"

"얘들은 시노자키 연구실의 학생이 아닙니다."

"뭐? 아니야? ……애들?" 히로야마 부교수는 그제야 아리가 있다는 것을 알아차린 듯했다. "너희들, 누구니?"

*일본에서는 갑자기 재채기가 나면 누가 자기 이야기를 한다고 여긴다.

"이쪽은 나카자와 연구실의 구리스가와입니다. 저는 이시즈카 연구실의 이모리고요."

"어머나, 그러니. 우리 학과 학생이구나. 친구를 찾으러 왔니?"

"그게 아니라요. 시노자키 선생님에 대해 여쭤보고 싶은 게 있어서요."

"시노자키 선생님은 돌아가셨어."

"압니다."

"더 이상 할 말 없는데."

"선생님의 사인이 뭔지 아십니까?"

"굴을 과식하셨다고 들었는데."

"히로야마 선생님." 다바타 조교수가 끼어들었다. "과식하신 게 아니라 식중독입니다."

"뭔가 수상한 점은 없었고요?"

"그게 무슨 소리니?"

"굴을 드시고 식중독에 걸린 게 과연 우연이었을까요?" 이모리는 느닷없이 핵심을 찌르는 질문을 던졌다.

"무슨 소린지 더 모르겠어."

"누가 굴을 먹였을 가능성은 없을까요?"

"시노자키 선생님께 상한 굴을 억지로 먹였다는 뜻이니? 뭐, 불가능하지야 않겠지만, 그렇다면 보통은 뱉겠지. 무엇보다 누가 그런 몹쓸 장난을 한다는 거야?"

"장난이 아니라 살인입니다."

"살인? 굴을 먹여서 살인? 아무리 그래도 그렇게 손이 많이 가는 방법으로 죽이지는 않겠지."

"손이 많이 가는 것치고는 성공할지 말지도 불확실하고요." 다바타 조교수도 믿기지 않는 모양이었다.

"확실히 믿기 어려운 이야기죠." 이모리는 당당하게 말했다. "하지만 여기가 아닌 다른 곳에서는 평범한 일입니다."

"여기가 아니라면 도대체 어딘데?" 히로야마 부교수가 물었다.

"어디 같으세요?" 이모리는 히로야마 부교수의 눈을 똑바로 바라보았다.

"어딜까?" 히로야마 부교수는 이모리의 시선을 받아 그의 눈동자를 응시했다.

"생각나는 대로 말씀해주시죠."

"분명 외국일 거야. 굴에 대한 무슨 미신이 있는 나라겠지……. 잠깐만, 왜 내가 그런 퀴즈에 대답해야 하는데?"

"저는 도마뱀 빌입니다. 자, 뭔가 짐작 가는 것 없으세요?"

한순간 히로야마 부교수의 안색이 변한 것처럼 보였다.

"뭐? 도마뱀? 이것도 무슨 퀴즈야? 아니면 그냥 장난? 나 지금 바쁘다고. 몰래카메라를 흉내 내고 싶으면 다른 사람한테 가봐."

"잠깐만 기다려주십시오." 다바타 조교수가 입을 열었다. "이상한데. 묘한 게 생각났어."

"뭔데요?" 아리가 물었다.

"도도."

"갑자기 웬 계이름?" 히로야마 부교수가 물었다.

"그게 아니라 제 이름입니다."

"너, 이름이 다바타 도도였어?"

"아니요. 도도는 여기가 아니라 어딘가 다른 곳에서 쓰는 이름입니다."

"외국?"

"같은 곳을 빙빙 돌며 옷을 말렸잖아요. 당신이 가르쳐준 방법이에요." 아리가 말했다.

"누구 옷이 젖었다고?" 히로야마 부교수가 무슨 말인지 모르겠다는 듯이 퉁명스러운 목소리로 말했다.

"지금은 다 말랐습니다." 다바타 조교수가 말했다. "아니, 분명 그건 그냥 꿈이야."

"꿈이라면 저희가 어떻게 알고 있을까요?" 이모리가 말했다.

"이것도 꿈이니까."

"이게 꿈일 리 없어." 히로야마 부교수가 말했다. "적어도 네 꿈은 아니야. 차라리 내 꿈이라면 또 모를까. 하지만 아닐 거야. 꿈속에서 꿈인 줄 알아차리면 대개는 잠에서 깨는걸."

"현실 세계의 인간과 이상한 나라의 인물은 서로 연결되어 있어요. 저희는 이걸 아바타라 현상이라고 부릅니다. 다바타 씨, 시노자키 선생님은 그리핀이었습니다. 아니, 이상한 나라에서 시노자키 선생님의 아바타라가 그리핀이었다고 해야 할까요."

"설마. 무슨 증거라도 있나?"

"증거는…… 없습니다. 있다면 저희의 기억이죠."

"당신 꿈은 현실이다. 증거는 내 꿈이다. 그렇게 말하고 싶은 거로구나." 히로야마 부교수가 코웃음을 쳤다.

"믿기지 않으실지도 모르지만 저희 이야기에 귀를 기울여주시면 이해가 가실 거라고……."

"잠깐!" 뭔가 생각났다는 듯이 히로야마 부교수의 눈이 빛났다. "기억났다!"

"이상한 나라가 생각나신 거로군요."

"기억났다고 해봤자 꿈이지만. 실제로 체험한 것과는 완전히 달라."

"어떤 꿈이었나요?"

"확실치는 않지만 남작 부인이나 백작 부인으로 불렸던 것 같은 기분이 들어."

"공작 부인!" "공작 부인!" "공작 부인!" 이모리와 아리, 그리고 다바타 조교수가 동시에 말을 꺼냈다.

"그래. 공작 부인이었어."

"선생님한테는 아기가 있잖아요." 아리가 말했다.

"남이 듣고 오해할 소리 하지 마. 난 결혼 안 했어. 그리고 미혼모도 아니야."

"결혼 안 하셨기는요. 공작 부인인걸요."

"아아. 꿈 이야기구나. ……아기……. 그러고 보니 그런 게 있었던 것도 같고."

"사실은 돼지지만요."

"돼지? 무례한 말은 삼가. 그 아이가 얼마나 예쁘게 생겼는데."

"제법 많이 기억하고 계신데요?" 이모리가 말했다.

"정말로 기억하고 있는 걸까? 너희들이랑 이야기하다 보니 어쩐지 생각난 것처럼 굴고 있을 뿐인지도 몰라."

"그럼 다음에는 이상한 나라에서 공작 부인께 이야기를 해보겠습니다."

"그것만은 그만둬. 으음, 그러니까 넌 빌이었지."

"예."

"그리고 다바타는 도도새."

"예."

"그리고 그쪽의 넌?"

"얘는 앨리스예요."

"그런 어중이떠중이가 말을 걸었는데 공작 부인이 제대로 대답해주겠니?"

"현실 세계에서의 관계를 따져보면 그렇게 부자연스럽지는 않습니다만."

"아니. 거기서는 그곳의 관계를 존중해야지. 아니면 여왕이 날뭐로 보겠니."

"여왕이 신경 쓰이세요?" 앨리스가 물었다.

"당연하지. 여왕은 내 맞수인걸."

"여왕은 분명 선생님을 자기 신하로밖에 여기지 않을 겁니다."
이모리가 다시 말을 꺼냈다.

"아니. 은근히 날 한 수 위로 여기지."

"그걸 어떻게 아시죠?"

"공작 부인 정도 되면 알아."

"자신이 공작 부인이라고 인정하시는 거로군요."

"응. 여전히 그저 그런 기분이 들 뿐 착각이라는 의혹은 풀리지 않았지만."

"일단 잠정적으로 이상한 나라가 실제로 존재한다고 가정해주십시오."

"왜 그런 가정이 필요한데?"

"그리핀의 사인이 알고 싶으니까요."

"그리핀은 모르지만 시노자키 선생님은 병으로 돌아가셨어. 이건 틀림없어."

"오지 씨와 무슨 관련은 없었습니까?"

"오지? 그게 누군데?"

"요전에 옥상에서 떨어져서 죽은 박사 연구원입니다."

"아아. 그런 사고가 있었지."

"오지 씨는 험프티 덤프티였습니다."

"그 달걀? 그는 살해당했다고 들었는데?"

"아마도 틀림없을 겁니다."

"그리고, 범인은······." 히로야마 부교수는 아리를 보았다. "앨리스라는 소문이 자자해."

아리는 고개를 끄덕였다. "거기에다 그리핀을 살해했다는 혐의까지 받고 있답니다."

"만약 그리핀이 살해당했다면 의심받는 것도 당연하지. 벌써 한 명······이랄까 한 개 죽였으니."

아리는 고개를 저었다. "앨리스는 안 죽였어요."

"증명할 수 있어?"

"지금은 못 해요. 그래서 이렇게 조사하고 있는 거예요."

"조사고 뭐고 오지는 자살이나 사고고, 시노자키 선생님은 병사야. 애당초 사건성이 없다고."

"현실 세계에서는 그렇죠." 이모리가 말했다. "하지만 이상한 나라에서는 그렇지 않습니다."

"그럼 조사는 이상한 나라에서 해야지. 꿈속에서 일어난 범죄의 증거가 현실에 존재할 리 없는걸."

"단순한 꿈이 아닙니다. 실체가 있는 꿈이에요."

"실체? 그런 게 어디 있다는 거니?"

"저희 기억 속에요."

"기억? 내가 말하는 건 그렇게 애매모호한 게 아니라 물적 증거야."

"증언 또한 증거의 하나입니다."

"재판에서 '꿈의 기억'이 증거로 채택된 적 있어?"

"그건……."

"확실히 너희들 이야기를 들으니 뭔가 짚이는 것 같기도 해서 가설로서는 흥미로워. 하지만 꿈은 꿈이야. 아무리 기억이 남아 있어도 현실하고는 아무 관계도 없다고. 그런 건 잊어버리고 현실을 살아가도록 하렴."

"그냥 꿈으로 치부하고 잊어버리라는 겁니까?"

"그럼 뭘 더 어떻게 하라고? 꿈속 세계에서 살인을 저지른 죄로 애를 고소하라는 거니?" 히로야마 부교수가 아리를 가리켰다.

"전 범인 아니에요."

"그랬더랬지. 하지만 그런 건 아무래도 상관없어. 꿈의 나라 이야기인걸."

"현실과 아무 상관 없지 않습니다." 이모리가 말했다. "오지 씨와 험프티 덤프티, 그리고 시노자키 선생님과 그리핀. 이 두 죽음은 연결되어 있어요."

"나중에 갖다 붙인 거지. 애당초 그 두 쌍이 정말로 서로 연결되어 있었는지도 수상해."

"적어도 오지 씨와 험프티 덤프티는 분명히 연결되어 있었습니다."

"그걸 어떻게 알지?"

"본인이 그렇게 말했으니까요."

"본인은 벌써 죽었잖아. 죽은 자는 말이 없어. 그리고 아까 하는 이야기를 들어보니 시노자키 선생님에 관해서는 완전히 추측이더구나."

"추측이라고 하시면 그렇다고 말할 수밖에 없지만……." 이모리는 입술을 깨물었다.

"그럼 추측이네."

"만약 앨리스가 두 사람을 죽인 혐의로 처형당하기라도 하면 구리스가와의 생명이 위험합니다."

"내 알 바 아니야. 현실 세계에서 일어난 일이라면 다소나마 관심이 생길지도 모르지만, 꿈속 세계에서 벌어졌다는 살인사건을 진지하게 받아들일 사람은 없어. 자, 난 이제부터 다바타랑 상의해야 할 일이 있으니까 이만 돌아가주겠니?"

"잠깐만 기다려주십시오. 히로야마 선생님." 다바타 조교수가 말했다. "도움을 요청하러 온 사람을 내치다니 너무하시지 않습니까? 게다가 애의 목숨이 달려 있다는데요."

"그럼 네가 어떻게 해보든가. 물론 내 일이 우선이야. 내 일을 끝내고 나서 뭘 하든지 마음대로 해."

"그럼 오늘 5시 이후에 이야기를 듣지." 다바타 조교수가 말했다.

"안 돼. 그럴 시간과 힘이 남아 있거든 날 도와. 장례식과 학회 때문에 엄청 힘드니까."

"하지만 선생님 일을 마치고 나서는 도와줘도 된다고……."

"내 일은 하나도 안 끝났어. 적어도 다음 달 학회를 마무리 지을 때까지는 안 끝난다고. 하기야 그다음에도 일이 산더미처럼 쌓여 있지만."

"그럼 애들을 못 돕습니다만."

"그렇겠지. 자, 빨리 자료를 만들어."

"잠깐만요!" 느닷없이 아리가 외쳤다. "당신하고도 관계가 있어요, 공작 부인!"

"현실 세계에서는 공작 부인이 아니야."

"당신은 여왕에게 그 정원을 관리하라는 명령을 받았죠."

"여왕의 명령으로 하는 일 아닌데. 난 호의로 관리해주고 있을 뿐이라고."

"하지만 살인사건이라는 불미스러운 일이 일어나고 말았죠."

"내가 관여한 일도 아닌데 왜 나한테 그러니?"

"하지만 여왕은 그렇게 생각지 않을지도 몰라요."

"뭐라고?"

"여왕은 당신 책임이라 여기고 질책하겠죠. 어쩌면 참수형에 처할지도 모르고요."

"그건 여왕의 입버릇이야. 실제로 목이 잘린 사람은 없어."

"질책 정도는 기꺼이 받겠다는 건가요?"

"으음. 질책은 안 할걸. 친구 사이에 질책이라니 이상하잖아. 뭐, 불평 정도는 할지도 모르겠네. 그건 그것대로 짜증날지도 모르겠다." 히로야마 부교수는 미간에 주름을 잡았다.

"만약 조사에 협력해주셔서 사건이 해결되면 그걸 당신 공적이라고 보고해도 상관없어요."

"어머. 그래?" 히로야마 부교수의 표정이 누그러졌다. "잠깐 이야기를 나누는 정도라면 별 문제 없겠지."

"현실 세계에서 시간이 없으시다면 저쪽 세계에서 이야기를 들어도 상관없습니다만."

"공작 부인이 비천한 자들을 가까이하면 그야말로 여왕이 수상히 여기겠지. 지금 여기서 이야기하자. 그리고 그걸로 끝내줘. 몇 번이고 똑같은 이야기를 되풀이하면 지겨우니까."

"물론 그래도 상관없고요." 아리는 말했다. "그럼 이모리, 부탁해."

"응? 내가 물어보라고?"

"약 오르지만 분석력도 직감도 나보다 네가 낫잖아. 너한테 부탁하는 게 좋겠어."

"빌일 때 이런 말을 해준다면 폴짝폴짝 뛰며 기뻐할 텐데."

"어림없는 소리. 애당초 빌에게는 이런 부탁 안 해. 걔한테는 무리니까."

이모리는 어깨를 으쓱했다. "그럼 선생님, 몇 가지만 여쭤볼게요. 최근에 시노자키 선생님께 뭔가 별다른 일은 없었습니까?"

"특별하게는 없었는데. 굳이 말하자면 요즘에 또 약간 살이 찐 것 정도려나?"

"그러고 보니 시노자키 선생님은 비만 체형이셨죠."

"진짜 뚱뚱하셨지. 굴을 먹고 식중독에 걸리지 않았어도 머지않아 뇌경색이나 심근경색으로 저세상에 가셨을 거야. 오지라는 사람보다 오히려 시노자키 선생님이 험프티 덤프티에 더 잘 어울릴 것 같아."

"서로 연결되어 있다 해도 본인과 아바타라의 체형과 성격이 반드시 일치하지는 않는 모양이에요. 오지 씨와 험프티 덤프티는 비슷한 특징을 지니고 있었지만, 그리핀과 시노자키 선생님은 그렇지 않았던 셈이죠."

"너랑 빌도 별로 안 비슷해."

"감사합니다. 칭찬으로 받아들이겠습니다. ……다음 질문입니다. 시노자키 선생님이 오지 씨에 대해 뭐라고 말씀하신 적이 있습니까?"

"별다른 말씀 없으셨어. 그렇지, 다바타?"

"예. 저도 특별히 기억에 남아 있지 않습니다."

"그런가요. 어디 보자. 저쪽 세계에서 그리핀과 험프티 덤프티와는 면식이 있었습니까?"

"그리핀이라는 괴물하고는 한 번도 만난 적 없어. 험프티 덤프티하고는 한두 번 만난 적 있는 것 같은데, 이야기를 나누지는 않았지. 뭔가 하고 싶은 말이 있었다면 흰토끼를 통해 말을 주고받았겠지."

"흰토끼와는 친하신가요?"

"친하다면 친한 편일걸? 뭐, 내가 녀석한테 어떤 감정을 품고 있었는지는 잘 기억나지 않지만 일꾼으로서는 제법 쓸 만하지 않을까? 가져와야 할 물건을 잊고 그냥 올 때가 많지만."

"그럼 일꾼으로서는 실격 아닌가요?"

"메리 앤이 흰토끼를 도와주니까 괜찮아. 메리 앤은 아주 쓸 만해."

"지인 중에 이상한 나라의 주민 같은 분은 안 계신가요?"

히로야마 부교수는 고개를 저었다. "전혀 없어. 하기야 의심한 적이 없어서 그런지도 모르겠지만."

"현실 세계의 흰토끼와 만나볼 생각은 있으십니까?"

"절대 사양할게."

"어째서요? 저쪽에서는 친한데도요?"

"이쪽과 저쪽의 관계성이 미묘하게 다르면 서먹서먹할지도 모르잖아. 예를 들어 저쪽에서는 주종 관계인데 이쪽에서는 그냥 친구라면 어떻게 대해야 할지 난감하잖니. 너희들처럼 원래 잘 모르는 사이라면 오히려 문제가 없지."

"저희랑 같이 수사할 생각은 없으시고요?"

"없어. 난 바쁘다고. 꿈속 세계의 살인사건이야 어찌 되든 상관없어."

"공작 부인 입장에서는 어떠십니까?"

"사건이 해결되면 여왕에게 공작 부인의 공이라고 말해주는 거지? 약속은 꼭 지켜."

"자신이 공작 부인이라는 자각은 있으시군요."

"내가 공작 부인이라기보다 내 연장선상에 있다는 느낌일까. 기억은 나지만 의식의 연속성은 모호해."

"그 밖에 뭔가 생각나시는 건 없습니까?"

히로야마 부교수는 고개를 살짝 갸웃했다. "없어. 이게 다야."

"뭔가 생각나면 연락 주시겠어요?"

"싫어. 그럴 시간 없다고 했잖아. 그리고 분명 아무 생각도 안 날 거야."

"알겠습니다. 그럼 됐습니다. 다만 수사한 결과 뭔가 알아내면 알려드려도 될까요?"

"그러렴. 그건 괜찮아. 뭔가 알아내면 연락 줘. 가능하면 메일로. 전화는 받을 마음 없으니까."

7

"그리핀을 살해한 범인을 찾고 있어요." 앨리스는 말했다.

"그 말인즉슨 너 자신을 찾고 있다는 건가?" 미치광이 모자 장수가 히죽히죽 웃었다.

"아니요. 나는 나 자신을 찾는 게 아니에요. 범인을 찾고 있다고요."

"어디까지나 자신은 범인이 아니라고 시치미를 뗄 작정이구나." 3월 토끼가 실실 웃으며 말했다.

"당신들은 날 범인으로 단정 지었군요."

"뭐, 험프티 덤프티를 해치운 범인이니까." 모자 장수가 말했다.

"난 험프티 덤프티도 안 죽였어요."

"험프티 덤프티 쪽은 확실해. 목격자가 있어."

"내가 험프티 덤프티를 죽이는 장면을 목격한 건 아니잖아요."

"아아. 그렇기야 하지. 하지만 살인이 일어난 시간에 살인이 일어난 곳에 있었던 건 너랑 험프티 덤프티뿐이야. 이만하면 증거로 충분하잖아."

"난 거기 없었어요."

"그렇게 우길 거면 증명해봐."

"확신이 있다면 왜 지금 당장 날 체포하지 않는 거죠?"

"자유로이 노닐도록 풀어두는 거지." 3월 토끼가 말했다. "여죄를 입증할 증거를 찾을 수 있을지도 모르니까."

"여죄라뇨?"

"현재 조사 중인 죄와는 별개의 죄를 뜻해."

"무슨 뜻인지 알고 싶은 게 아니라, 그리핀을 살해한 게 여죄냐고 묻는 거예요."

"엇. 너, 그리핀을 죽였어?"

3월 토끼의 눈이 튀어나왔다.

"그러니까 안 죽였다고요."

"하지만 지금 분명히 그리핀을 살해한 게 여죄라고 했어." 3월 토끼가 물고 늘어졌다.

"뭐? 자백한 거야?" 미치광이 모자 장수가 환성을 질렀다. "이것으로 멋지게 사건이 해결됐군!"

"그런 말 안 했어요. 난 험프티 덤프티도, 그리핀도 안 죽였다고요!"

"이래서야 제자리걸음 하는 꼴이잖아. 이제 그만 단념하지그래?" 3월 토끼가 투덜거렸다.

"저지르지도 않은 죄를 자백하라니, 절대 그렇게는 못 해요."

"사태를 타개해야겠군." 빌이 말했다. "어려운 말을 써버렸네.

좀.멋있나? 그나저나 맞게 말한 거야?"

"어법에는 맞지만 말만 늘어놓아서는 아무 진전도 없잖아."

"그럼 네가 뭔가 제안해보든지." 빌이 입을 삐죽 내밀었다.

"알았어." 앨리스가 모자 장수에게 말했다. "우선 그리핀이 죽었을 때의 상황을 말해봐요."

"그건 내가 너한테 묻고 싶은데." 모자 장수가 말했다. "목격자가 없어서 당시 상황은 범인밖에 몰라."

"내가 하고 싶은 말은 시체 상태가 어땠느냐는 거예요."

"'죽었을 때의 상황'과 '시체 상태'는 완전히 다른 의미야." 빌이 말했다.

"그러게." 앨리스는 낙담한 표정으로 말했다. "지금은 내가 잘못했어."

"들었나, 3월 토끼?" 미치광이 모자 장수가 고함을 꽥꽥 질렀다. "마침내 앨리스가 자백했어!"

"몇 번이나 말하지만 난 살인을 저지르지 않았고, 자백도 안 해요."

"하지만 지금 분명 내가 잘못했다고 했잖아."

"했지만 그 말은 험프티 덤프티와 그리핀이 죽은 것과는 아무 상관도 없어요."

"뭐야. 맥 빠지게." 3월 토끼가 실망했다는 듯이 말했다.

"아무튼 시체가 어떤 상태였는지 알려줘요."

"알려주고 말고 할 것도 없는데. 그리핀이 해안에 쓰러져 죽었을 뿐이야." 모자 장수가 말했다.

"무슨 특징은 없었나요?"

"글쎄."

"당신, 시체를 조사했잖아요."

"조사했지만 제대로 보지 않았어. 귀찮아서 말이야."

"의욕도 없으면서 왜 수사를 맡은 거죠?"

"뭐? 누가 수사를 맡았다고?"

"당신들 둘요."

"그래?"

"아니에요?"

"글쎄."

"생각해보니, 당신들 경찰이고 뭐고 아무것도 아니잖아요."

"아니지." 3월 토끼가 말했다. "당연하잖아. 토끼 경찰관을 본 적 있어?"

"모자를 파는 경찰관을 본 적 있어?" 모자 장수가 말했다.

"그럼 왜 수사를 하는 거죠?"

"재미있으니까." 미치광이 모자 장수와 3월 토끼는 어깨동무를 했다.

"뭐야. 그럼 아무 권한도 없잖아." 앨리스는 어이가 없다는 투로 말했다. "그럼 당신들이 날 범인으로 점찍어봤자 체포될 걱정은 없겠네요."

"꼭 그렇다고 할 수는 없지." 앨리스의 눈에서 3센티미터 떨어진 위치에 체셔 고양이의 얼굴이 나타났다.

"악! 깜짝 놀랐네. 느닷없이 나타날 거면 미리 말을 해요."

"미리 말하면 널 놀래줄 수가 없잖아."

"왜 날 놀래주려고 하는 건데요?"

"재미있으니까." 모자 장수와 3월 토끼 그리고 체셔 고양이는 어깨동무를 했다.

"즐거워 보인다. 나도 끼워줘." 빌이 말했다.

"안 돼!" 모자 장수가 즉시 대답했다.

"어째서?"

"도마뱀 따위랑 어깨동무를 하라니! 기분 나빠."

"너무해. 앨리스, 뭐라고 말 좀 해주라."

"날 놀래주려는 패거리에는 끼지 않아도 돼."

"하지만 재미있을 것 같은데."

"오직 재미를 위해서 행동하면 안 돼."

"그것보다 앨리스, 네게 중요한 소식을 가져왔다." 체셔 고양이가 말했다.

"뭔데요?"

"좋은 소식과 나쁜 소식이 있어."

"나쁜 소식부터 들을래요."

"여왕 폐하께서 미치광이 모자 장수를 연쇄살인사건의 정식 수사관으로 임명하겠다고 하셨어."

"어? 나는? 나는?" 3월 토끼가 소란을 피우기 시작했다.

"넌 아니야. 발정 난 토끼는 시끄럽기만 할 뿐 아무 도움도 안 될 게 뻔하니까."

"모자 장수도 머리가 이상하다고."

"여기서는 대부분 그 모양이니까 그건 별 문제 아니야."

"저기. 3월 토끼가 수사관이 아니라는 게 좋은 소식이에요?"

"설마. 이건 그냥 흘려 넘겨도 되는 소식이야."

"다행이다. 그럼 아직 좋은 소식이 남아 있는 거네요." 앨리스는 눈을 반짝였다. "어떤 소식인데요?"

"공작 부인이 여왕 폐하의 결정에 이의를 제기했지. 미치광이 모자 장수는 무턱대고 처음부터 앨리스를 의심했다. 그런 인물이 공정한 수사를 할 수 있을 리 없다면서."

"어머나. 그 여자한테도 꽤나 좋은 점이 있잖아."

"공작 부인과 친해?" 체셔 고양이가 물었다.

"여기의 공작 부인과는 별로 친하지 않지만, 다른 곳에 있는 그 여자와 최근에 이야기를 나눴어." 빌이 말했다.

"그게 무슨 소리야? 자세하게 말해봐." 모자 장수가 재촉했다.

"그게 말이지……." 빌이 이야기하기 시작했다.

"빌, 그 이야기는 아직 하지 마."

"저 녀석은 무시해. 어서 말하라고." 모자 장수가 앨리스를 노려보았다.

빌은 주저했다. "왜 말하면 안 돼, 앨리스?"

"이 사람들한테 말하면 사태가 어떻게 변할지 아직 모르잖아."

"그러니까 무슨 이야기냐고?" 모자 장수는 안달이 난다는 듯이 말했다.

"때가 되면 말할게요."

"솔직하게 말하는 편이 신상에 좋을 텐데."

"신경 써줘서 고마워요. 하지만 사건과는 아무 관계도 없는 일이거든요. 맘에 두지 말아요. 게다가 당신을 수사관으로 임명한다는 여왕님의 분부는 철회됐으니까……."

"아니. 철회되지 않았어. 철회된 건 공작 부인의 진언이지. 여왕 폐하는 공작 부인을 크게 꾸짖으신 후 모자 장수를 특명 수사관으로 임명하셨어."

"왜 그게 좋은 뉴스예요?" 앨리스는 울음이 터질 것 같았다.

"모자 장수에게는 좋은 뉴스지. 그는 늘 수사관을 동경했으니까."

"됐다! 이제 떳떳하게 진짜 수사관으로 활동할 수 있어!"

"'좋은 소식과 나쁜 소식'은 모자 장수에게 좋은 소식과 나한테 나쁜 소식이라는 뜻이었어요?"

"그렇지."

"그게 뭐예요. 그럼 '나쁜 소식과 나쁜 소식'이잖아요!"

"'나쁜 소식과 나쁜 소식'은 어감이 별로잖아." 체셔 고양이가 못마땅하다는 듯이 말했다.

"나도 그렇게 생각해." 빌이 동의했다. "'좋은 소식과 나쁜 소식'이 훨씬 어감이 좋아."

"그럼 더 이상 이러쿵저러쿵 불평하지 않을게요. 당신이 수사관이라는 사실도 인정하고요, 모자 장수."

"마침내 단념한 거야?"

"단념했으면 좋겠어요?"

"그야 그렇지."

"그럼 우선 내 질문에 대답해줘요."

"대답하면 단념할 거야?"

"대답을 듣고 나서 생각해볼게요."

"무슨 대답을 듣고 싶은데?"

"아까 전에 한 질문의 대답요. 그리핀의 시체 상태."

"벌써 대답했잖아. 쓰러져서 죽었을 뿐이야. 아무 특징도 없었어."

"특징이 없는 시체는 없어요. 특징이 없는 사람이 없는 것처럼. 잘 생각해봐요. 뭔가 있었을 거예요."

"좋아. 그렇게까지 말한다면……." 모자 장수는 턱을 문질렀다. "굴이야."

"굴이 어쨌는데요?"

"입안에 남아 있었어."

"그리핀은 굴을 먹고 탈이 나서 죽은 거 아니었어요? 그렇다면 입안에 남아 있는 건 이상해요. 아니면 식중독 증상이 일어날 때까지 계속 먹고 있었나? 굴이 그렇게 많았다는 거예요?"

"정확하게 말하자면 굴을 먹고 탈이 나서 죽은 게 아니라 굴 때문에 죽은 거야. 입안에 한꺼번에 쑤셔 넣고 삼키려다 목에 걸리는 바람에 숨이 막혀서 죽었어."

"누가 해부해서 그 사실을 알아낸 건가요?"

"아니. 들었는데."

"죽은 그리핀한테요?"

"무슨 헛소리야. 죽은 사람은 말이 없어."

"그리핀은 사람이 아니지만." 3월 토끼가 말했다.

"그럼 목격자가 있었군요."

"굳이 어느 쪽인지 따지자면 목격자가 아니라 흉기지만."

"무슨 소린지 모르겠는데요."

"걱정 마. 아마 이 녀석도 자기가 무슨 소리를 하는지 모를 거야." 3월 토끼가 말했다.

"내가 무슨 소리를 하는지 정도는 알아." 미치광이 모자 장수는 분개했다. "무슨 생각을 하는지는 도통 모르겠지만."

"결국 누가 증언한 거예요? 아주 중요한 증인 같은데요?"

"아니. 하찮은 녀석이야."

"그러니까 누구냐고요?"

"이 녀석." 모자 장수가 호주머니에서 질척질척한 덩어리를 꺼냈다.

점액이 뚝뚝 떨어져 내렸다.

"뭐예요, 이거?"

"굴이야. 봐. 여기 갈라진 껍데기가 조금 남아 있잖아. 그리핀이 산 채로 삼키려다 목에 걸려서 숨이 막혔지. 그래서 괴로운 나머지 씹어서 으깼는데, 이 한 마리만 겨우 살아남아서 이야기할 수 있는 상태였어."

"무슨 말을 했는데요?"

"그리핀은 속았대. '굴을 양손에 넘칠 만큼 가득 담아서 산 채로 단숨에 삼키면 그야말로 맛이 끝내준다'는 말에."

"누가 그런 말을 했는데요?"

"그러니까 굴이."

"그게 아니라 그리핀에게 누가 말했느냐고요."

"무슨 말을 했는데?"

"'양손에 넘칠 만큼 많은 굴을 산 채로 단숨에 삼키면 그야말로 끝내주는 맛이 난다.'"

"그거 정말이야? 앨리스가 좋은 방법을 알려줬어." 빌이 말했다. "다음에 해봐야지."

"하지 마, 빌. 그러다 죽어."

"뭐? 무슨 소리야?"

"과연. 넌 '양손에 넘칠 만큼 많은 굴을 산 채로 단숨에 삼키면 죽는다'는 걸 알고 있었어, 앨리스. 그건 범인만이 알고 있는 사실 아닐까?" 모자 장수는 메모를 했다.

"그런 건 누구나 다 알아요."

"아니. 그리핀과 여기 있는 머저리 도마뱀은 몰랐어." 체셔 고양이가 말했다.

"엥? 머저리 도마뱀이 있어? 어디에?" 빌은 두리번거리며 머저리 도마뱀을 찾았다.

"머저리 도마뱀은 내버려둬요. 그것보다 누가 그리핀에게 그런 방법을 가르쳐줬죠?"

"그런 건 몰라."

"왜 물어보지 않았어요?"

"그야 내 마음이지."

"물어봤으면 대번에 범인을 알아냈을 텐데."

"안 물어봐도 범인은 너인 줄 알고 있었어."

"아아. 굴이 살아 있다면 내가 물어볼 수 있을 텐데."

"그럼 물어보든가." 모자 장수는 손바닥의 굴을 내밀었다.

"죽은 사람은 말이 없잖아요."

"죽은 사람이 아니라 죽은 굴이지만." 3월 토끼가 말했다.

"아니. 죽은 굴이 아니야. 살아 있는 굴이라고." 모자 장수가 말했다.

"응? 무슨 소리야?" 빌이 물었다.

"아직 숨이 붙어 있어."

"설마……." 앨리스는 숨을 삼켰다.

"굴, 말할 수 있어요?"

"……아아. 앨리스, 난 말할 수 있어." 굴이 말했다.

"범인을 봤나요?"

"앨리스, 난 범인을 봤어." 굴은 몹시 괴로운 듯이 말했다.

"범인은 당신이 아는 사람?"

"앨리스, 난 범인을 알아."

"이름도 알아요?"

"앨리스, 범인의 이름도 알아."

"지금 여기서 범인의 이름을 말해줘요."

"앨리스……."

"생굴, 잘 먹겠습니다!" 빌이 미치광이 모자 장수의 손바닥에서 굴을 후루룩 빨아들였다.

앨리스는 무슨 일이 일어났는지 이해가 가지 않아 멍하니 빌의 얼굴을 바라보았다.

빌의 입술 사이로 굴의 즙이 흘러나왔다.

"우와. 최고야!" 빌은 황홀한 표정으로 말했다.

"빌, 무슨 짓이야?" 앨리스가 비명을 질렀다.

"응? 생굴을 먹었는데. 내가 아주 좋아하는 거야."

"무슨 짓이냐?" 모자 장수가 호통을 쳤다. "느닷없이 남의 손을 핥지 마! 미끈미끈하잖아." 모자 장수는 바지에 손을 닦았다.

"처음부터 굴의 점액 때문에 미끌미끌했잖아." 빌이 대꾸했다.

"그렇구나. 미안하다." 모자 장수는 순순히 사과했다.

"지금, 범인 이름을 말하려고 했는데." 앨리스는 어안이 벙벙해졌다.

"아니. 난 똑똑히 들었어." 모자 장수가 말했다. "굴은 빌에게 먹히기 전에 분명 '앨리스'라고 말했어."

"그건 범인 이름이 아니에요."

"넌 굴에게 범인 이름을 물었어. 그리고 답은 '앨리스'였지."

"그러니까 그건 답변이 아니라 날 부른 거였어요. 그다음에 범인의 이름을 말하려고 했다고요."

"무슨 증거라도 있나?"

"그건······."

"죽은 굴은 말이 없지." 빌이 말했다. "그런데 굴은 입이 어디 달렸어?"

"왜 이렇게 태평한 거야? 너 큰일을 저질렀다고!" 앨리스는 몸을 부들부들 떨었다.

"내가 뭘 어쨌는데?"

"빌에게 살의는 없었어요." 앨리스는 모자 장수에게 호소했다. "당신도 빌을 잘 알잖아요."

"도대체 무슨 이야기야?" 모자 장수는 어리둥절한 표정을 지었다.

"빌을 살인죄로 잡아갈 거죠?"

모자 장수는 3월 토끼와 체셔 고양이를 보았다. "앨리스가 무슨 소리를 하는지 알아들은 녀석?"

3월 토끼가 손을 들었다. "앨리스는 '빌을 살인죄로 잡아갈 거죠?'라고 말했어."

"그건 알아. 그게 아니라 왜 그런 소리를 했는지 아느냐고."

"그건 그거야. 앨리스는 네가 빌을 살인죄로 잡아갈 거라고 생각한 거야."

"그건 알아. 그게 아니라 왜 그런 생각을 했는지 아느냐고."

3월 토끼는 생각에 잠겼다. 그리고 어깨를 움츠렸다. "그건 내가 아니라 앨리스에게 물어보는 게 빠르지 않을까?"

"너치고는 제대로 된 대답이로군." 미치광이 모자 장수는 고개를 끄덕였다. "그런 고로 네게 물어봐야겠다. 도대체 어째서 그런 생각을 한 거지, 앨리스?"

"어째서고 저째서고 지금 눈앞에서 빌이 굴을 죽였잖아요."

"정확하게 말하자면 잡아먹은 거지?"

"예. 정확하게 말하자면 잡아먹었어요."

"생굴을 먹은 죄로 잡혀간다면 우리는 살면서 밥 한 끼 제대로 못 먹을 거야."

"예. 뭐, 그렇지만 굴은 인간의 말을 이해하고 있었던 데다……."

"인간의 말이 뭐 그리 대단한데? 그거 인간의 자만심 아니야?"
3월 토끼가 말했다.

"그래. 적어도 여기에서는 인간이 소수파라고." 빌이 3월 토끼
를 응원했다.

"즉, 여기에서는 대부분의 동물이 말을 하는 거로군요."

"무례하기는. 동물 편만 들겠다 이거지?" 앨리스의 발치에서
참나리가 불평했다.

"아참. 여기서는 식물도 말을 하죠. 그럼 뭔가를 먹는다는 건 말
할 줄 아는 존재를 섭취한다는 의미로군요."

"당연하지. 말을 할 줄 아는 걸 먹었다고 살인죄로 처벌되면 지
금쯤 이 세상 모두가 사형당했을 거야."

"즉, 빌은 무죄라는 건가요?"

"아무 죄도 저지르지 않았으니 당연히 무죄지." 모자 장수는 단
언했다.

"어머. 잘됐다." 앨리스는 안도의 한숨을 푹 내쉬었다. "하지만
굴이 죽은 건 안됐어요."

"너도 상식을 좀 쌓아야겠구나."

어느새 체셔 고양이가 바로 옆에 있었다.

"먹으면 죄가 아니야."

122

8

"중요한 증인을 먹다니 정말 어처구니가 없다." 아리는 길길이 화를 냈다.

식당에 사람이 별로 없어서 아리의 목소리는 더 크게 울려 퍼졌다.

"그러게. 식욕을 1분만 더 억눌렀다면 사건이 해결되었을지도 모르는데." 이모리는 미안한 듯이 말했다.

"왜 못 참았어?"

"굴의 발언으로 사건이 깔끔하게 해결될 줄 몰랐어."

"그런 것도 모르다니 스스로 생각하기에도 이상하지 않아?"

"이상하지. 하지만 빌은 둘째가라면 서러운 멍청이니까 어쩔 수 없었어."

"'난 바보니까 무슨 짓을 해도 상관없다.' 그거야?"

"아니. 난 바보가 아니고, 무슨 짓을 해도 상관없다는 생각도 안 해."

"그럼 어쩔 수 없는 게 아니네."

"네가 수긍하지 못하는 것도 이해 못 하는 바는 아니지만 빌이 저지른 짓의 책임을 내게 묻는 건 불공평해."

"어째서? 넌 빌이잖아."

"난 빌이자 빌이 아니야."

"넌 빌이야."

"기억을 공유하고 있다는 의미에서는 빌이지만, 의사와 사상은 공유하지 않아. 아바타라와 현실 세계의 인간은 동일 인물이라고 볼 수 없는 측면이 있어. 하기야 넌 특별한 경우지만."

"내가?"

"구리스가와 아리와 앨리스는 겉모습과 능력이 거의 같아. 그러니까 다른 인물보다 인격이 그대로 유지된다는 느낌이 강해도 이상할 것 없지."

"그건 네 오해야."

"뭐가 오해인데?"

"난 원래……."

"이야기하는 중에 죄송하지만, 시간 좀 내주시지 않겠습니까?" 중년 남자가 두 사람의 대화에 끼어들었다.

"이런. 누구십니까?" 이모리가 물었다.

"저는 이런 사람입니다." 남자는 경찰수첩을 보여주었다.

"다니마루 씨?"

그 옆에는 젊은 남자가 서 있었다.

"저는 니시나카지마라고 합니다."

"무슨 용건이신데요?"

"실은 사건을 수사 중입니다." 니시나카지마 순경이 말했다.

"사건요?" 이모리의 얼굴에 경계하는 빛이 떠올랐다.

"니시나카지마, 사건이라니 좀 그렇잖아."

"하지만 사건이죠, 경감님."

"그러니까, 현재로서는 아직 사건이 아니야."

"현재로서든 과거로서든 사건은 사건이죠."

"그건 어디까지나 자네의 주관이지……."

"실례합니다." 이모리가 끼어들었다. "정말로 저희와 이야기할 필요가 있습니까?"

"뭐, 필요가 있는지 없는지는 아직 모르겠습니다만." 니시나카지마가 말했다.

"그러니까 말이죠." 다니마루 경감은 땀을 닦았다. "최근에 두 분이 소속된 학과에서 잇달아 두 분이 돌아가셨지 않습니까."

"예." 이모리는 고개를 끄덕였다. "오지 씨와 시노자키 선생님요."

"사망하신 분들에 대해 좀 조사하고 있습니다." 니시나카지마가 말했다.

아리가 작게 소리를 질렀다.

다니마루 경감의 눈이 날카롭게 빛났다.

"왜 그러십니까?"

"아니요. 좀 놀라서요." 아리는 대답했다.

이 사람들도 그거야. 이상한 나라에 아바타라가 있는 거야.

"경찰에서 수사하고 있는 걸 보니 사건이로군요."

"아니요. 오해하지 마세요." 다니마루 경감이 나서서 설명했다. "두 사례에 사건성은 전혀 없다는 게 경찰의 정식 견해입니다."

"그럼 왜 조사하고 계신 겁니까?"

"그, 뭐랄까, 이 두 가지 사례에는 부합되는 부분이 있다고 할까, 서로 붙어 있다고 할까."

"연결되어 있다?"

니시나카지마는 고개를 끄덕였다. "그렇죠. 딱 들어맞는 표현이로군요."

"그래요. 바로 그겁니다. 뭔가 짚이는 구석은 없습니까?"

"짚이는 구석?"

"지금 저희가 드린 말씀을 듣고 문득 떠오른 게 없느냐는 뜻입니다."

"상당히 막연한 이야기로군요."

"뭐, 구체적으로 표현할 수 없는 건 아닙니다만."

"구체적으로 말하면 저희가 제정신인지 의심받을 가능성이 있거든요." 니시나카지마가 말했다.

틀림없어. 이 사람들은 이상한 나라에도 있는 거야. 그런데 누구지?

아리는 다니마루 경감과 니시나카지마 순경에게 들키지 않도록 이모리에게 눈짓했다.

이 사람들한테 말해도 괜찮지 않을까?

하지만 이모리는 고개를 살짝 저었다.

왜? 같은 편이라는 보장은 없다는 뜻?

확실히 같은 편이라는 보장은 없지. 이상한 나라에서 수사 관계자라면 이쪽에서 앨리스를 범인으로 단정하기 위한 증거를 찾고 있는지도 몰라.

"죄송합니다. 무슨 말씀을 하시는 건지 이해가 안 되는데요." 이모리가 말했다.

다니마루 경감은 이모리와 아리의 얼굴을 빤히 쳐다보았다.

"어떻습니까, 경감님?"

"누군지 모르겠군. 누군지 모르겠지만……."

"저희가 뭘 어쨌다고 이러시는 겁니까? 확실히 말씀해주십시오."

"여기와는 다른 세계에서 어떤 범죄가 발생하든 우리에게는 아무 권한도 없고, 물리적으로도 어찌할 방도가 없어." 다니마루 경감은 혼잣말하듯이 중얼거렸다.

"그럼 두 분은 뭘 어떻게 하시려는 건데요?" 아리가 물었다.

"야, 무슨 소릴 하는 거야?" 이모리는 당황한 것 같았다.

상관없어. 가능한 한 정보를 끌어내는 거야.

"호오. 역시 그랬나." 다니마루 경감의 눈이 빛났다.

"얘는 어디까지나 가정의 이야기를 하는 겁니다." 이모리가 말했다. "얘는 그런 판타지나 SF를 아주 좋아하거든요."

"그럼 가정의 이야기라고 치지. 우리도 가정의 이야기를 할 뿐이야." 다니마루 경감이 말했다. "우리는 진실이 알고 싶어. 그들은 누구한테 살해당했을까?"

"현실 세계의 경찰력을 동원해 가정의 사건을 수사하겠다는 겁니까?"

"뭐, 경찰수첩을 보여줬으니 그런 셈이지."

"그거 규칙 위반 아닙니까?"

"그렇게 따지면 다른 세계의 기억에 의지해서 행동하는 것 자체가 규칙 위반이야. 너희들은 규칙을 위반하지 않았다고 딱 잘라 말할 수 있나?"

"그런 규칙은 없습니다."

"그럼 우리에게도 그런 규칙은 없어."

"다른 세계에서 일어난 범죄를 수사하는 데 공권력을 사용했으니까 명백하게 규칙 위반이죠."

"증명할 수 있겠나?"

"뭣하러 증명하나요? 형사 두 명이 망상 속의 사건을 수사하고 있다고 민원을 제기하면 그만이죠."

"너희들에게도 손해가 되는 이야기는 아닐 텐데. 너희들이 누구인지 우리에게 가르쳐주면 현실 세계의 경찰이 든든한 아군이 되는 거라고."

"그 반대일 수도 있죠." 이모리가 말했다.

"무슨 소리지?"

"우리가 정체를 밝힌 순간 서로 적이 될 가능성도 있습니다."

"그럴 리 없어. 우리 목적은 진실을 알아내는 것뿐이야. 아무도 난처한 상황에 처하지 않을 거야."

"아니요. 가능성은 있죠." 니시나카지마가 말했다. "이 두 사람이 범인이라면요."

"그렇군." 다니마루 경감이 다시 중얼거렸다. "그렇다면 사건이

단번에 해결될지도 모르겠어. 너희 둘이 범인인가?"

"유감스럽게도 아닙니다." 이모리는 말했다. "원래 사건은 한 번 해결될 뻔했었지 않습니까. 그런데 눈 깜짝할 사이에 목격 증인이 죽고 말았죠."

"아아. 그건 분명 수사상 실수야. 일단 범인이 누구인지 들어뒀어야 했어. 하지만 수사진만 실수를 한 건 아니지. 증인을 먹어치우는 머저리가 멋대로 돌아다니는 것 자체가 큰 문제라고."

이 사람들, 이모리가 빌이라는 확실한 증거를 가지고 있는 걸까? 아니면 정말로 고지식하게 본체와 아바타라의 관계를 조사하고 있는 걸까? 만약 전자라면 지금 한 말은 비아냥거린 건데…….

아리는 이 두 형사에게 자신들의 아바타라가 누구인지 가르쳐 줘도 될 것 같았다.

그들의 말대로 경찰의 정보 수집 능력은 매력적이다. 설령 형사들이 적으로 돌아선다 해도 현실 세계에서는 아리를 어떻게 할 수 없다. 한편 이상한 나라에서는 이미 수사관에게 범인으로 의심받고 있다. 더 이상 상황이 악화될 리 없다.

"저기……." 아리는 결심했다.

"가정으로 하는 이야기는 이제 끝입니다." 이모리가 말했다. "이제 더 할 이야기 없습니다. 그만 돌아가주시겠습니까?"

다니마루 경감과 니시나카지마는 서로 얼굴을 마주 보았다.

"아무래도 경계심만 키운 것 같군." 다니마루 경감이 안타깝다는 듯이 말했다.

"너무 미적지근하게 돌려서 말하니까 그런 겁니다." 니시나카지마가 불평했다. "느닷없이 정체를 밝히는 게 제일 낫지 않겠습니까?"

"여기서는 안 돼. 밝힐 거라면 저쪽 세계에서 밝혀야지."

"하지만 저쪽에서는 저희 능력이 한정적입니다."

"능력이라기보다 성격 문제야. 언제나 영문 모를 소리나 늘어놓으며 이야기조차 제대로 나누지 못해서야 어쩔 도리도 없지."

"어떻게 하시겠습니까? 뭔가 다른 정보를 주시겠습니까? 아니면 이 이야기는 이걸로 끝낼까요?" 이모리는 말했다.

"이걸로 끝내지. ……오늘은." 다니마루 경감이 말했다.

"다시 날짜를 잡아서 오시겠다는 겁니까?"

"우리는 계속해서 접촉할 거야. 이쪽에서일지 저쪽에서일지는 분명하게 말할 수 없지만."

"저쪽에서는 계속 영문 모를 소리나 늘어놓으시겠죠?"

"난감하게도 그렇겠지. 하지만 의사소통이 불가능한 건 아니야. 허나 너희들의 정체를 모르면 접촉하려고 해도 뜻대로 되지는 않을 텐데."

"뭐, 생각해보겠습니다. 당신들에게 정체를 밝히는 게 득이라는 확신이 서면 말씀드리겠습니다."

"그거면 됐어. 니시나카지마, 오늘은 이만 물러가지."

두 사람은 식당에서 터벅터벅 나갔다.

"우리 아바타라가 누구인지 밝혀도 되지 않았을까?" 아리는 두 사람의 모습이 시야에서 사라지는 것과 동시에 말을 꺼냈다.

"그랬다가는 이상한 나라에서 상대방은 우리 정체를 아는데, 우리는 상대방의 정체를 모르는 처지에 놓이잖아."

"저 사람들 아바타라가 누구인지 물어보면 되잖아?"

"진짜로 가르쳐준다는 보장은 없어. 실제로 지금도 우리 아바타라가 누구인지 알고 싶다면 자신들의 아바타라가 누구인지 먼저 알려주는 게 예의겠지."

"그런 소리나 하고 있으면 영원히 서로 견제하게 될 거야!"

"그럼 넌 네 아바타라가 누구인지 가르쳐주든가. 하지만 내 아바타라가 누구인지는 비밀이야."

"도대체 뭐가 그렇게 겁나는 건데?"

"넌 좋겠다. 아바타라의 머리가 좋아서. 내 아바타라는 정말 멍청이야. 증거를 먹어치울 정도로 말이지. 저쪽에서 난 약자라고. 무방비하게 정체를 드러낼 수는 없어."

"그런 걱정을 하고 있었던 거야? 내 아바타라도 강자는 아닌걸."

"이제 그만. 혼자서 머리 좀 식히고 올게. 어떻게 해야 제일 좋을지는 그다음에 상의하자." 이모리도 두 사람의 뒤를 쫓듯이 식당을 나섰다.

아아. 이모리는 빌을 약점이라고 생각하는구나. 뭐, 그렇게 멍청하니까 어쩔 수 없나. 하지만 앨리스가 곁에서 도와주면 그렇게 쓸모없지는 않을 것 같은데. 문제는 빌이 앨리스의 편이라고 단언할 수는 없다는 거야. 그러고 보니 이모리는 내 편이라고 단언할 수 있을까? 어쩌면 마음속으로는 빌처럼 의심하고 있을지도 몰라.

"남자 친구랑 싸우기라도 했어? 상당히 떫은 표정으로 나가던데." 리오가 말을 걸었다.

"계속 보고 있었어요? 그리고 남자 친구 아닌데요."

"아까 전에 봤어. 내가 식당에 들어올 때 이모리가 나가더라."

"우리랑 이야기한 두 사람은 못 봤고요?"

"창문으로 언뜻 보이기는 했는데, 그 사람들 누구야?"

"형사들."

"어? 왜 왔는데?"

"오지 씨와 시노자키 교수님이 돌아가신 일에 대해 조사하고 있다나 봐요."

"하지만 사고랑 병사잖아."

"현실 세계에서는 그렇죠."

"그 형사님들도 이상한 나라를 알고 있다는 거야?"

아리는 고개를 끄덕였다.

"도대체 누군데?"

"안 가르쳐줬어요. 대충 상상은 가지만요."

"너희들이 이상한 나라에서 누군지는 가르쳐줬어?"

"아니요. 이모리가 싫어해서요."

"어머. 왜 그럴까?"

"형사님들이 못 미더운 모양이더라고요. 우리만 정보를 제공하면 불리해진다고 생각하는 것 같았어요."

"상당히 조심스럽구나. 걔 정말 빌이야?"

"이상한 나라에서 빌이기 때문에 현실 세계에서 조심하는 거래

132

요."

"무슨 뜻이니?"

"빌은 멍청이니까 자기가 보호해주어야 할 필요가 있다고 여기는 것 아닐까요?"

"자기 자신인데?"

"이모리의 생각은 조금 다른 듯해요."

"난 아바타라를 나 자신이라고 생각해."

"자신이 흰토끼라는 자각이 있어요?"

"흰토끼의 감각과 감정이 똑똑히 떠올라. 난 너희들도 그런 줄 알았지."

"어디서 뭘 했는지는 기억나지만 그때 어떤 감정이었는지는 아무래도 확실치 않네요."

"개인차가 있는 거로군. 도대체 뭐가 원인일까?"

"단순한 착각일 가능성도 포함해서 검토해야 할지도 모르죠."

"내가 착각하고 있다는 거야?"

"그런 말은 안 했어요. 애당초 남이 어떤 식으로 느끼는지 자신의 내적 체험과 비교할 수는 없는 노릇이니."

"난 이상한 나라에서 너랑 빌과 함께 보냈던 시간이 실감으로 와 닿아."

"뭐, 그런 사람이 있어도 이상할 건 없죠."

"둘 다 소중한 친구야. 어제도…… 앗!"

"왜 그래요?"

"어제 소란이 일어나는 바람에 파티 준비하는 걸 새까맣게 잊고 있었어."

"파티?"

"깜짝 파티에 관해서 이모리에게는 절대 말하지 마. 당일까지는 우리 둘만의 비밀이야."

리오는 그렇게 말하더니 바람처럼 뛰어갔다.

깜짝 파티?

다른 사람에게 한 이야기를 내게 했다고 착각한 거구나. 하지만 뭐, 흰토끼라면 그렇게 어벙한 짓을 할 만도 하지.

아리는 달려가는 리오의 뒷모습을 보면서 그렇게 생각했다.

9

"다시 한 번 시간 순서에 따라 생각해봐요." 앨리스는 빌과 체셔 고양이에게 말했다.

"왜 그럴 필요가 있지?" 체셔 고양이가 물었다.

"제 알리바이를 증명하기 위해서죠."

"그럼 우리가 아니라 미치광이 모자 장수에게 말해야 하지 않을까?"

"그들에게 알리바이를 제시하기 전에 완벽하게 정리해두고 싶어요. 논리적으로 한 치의 틈도 없도록."

"모자 장수는 미치광이니까 논리는 신경 쓰지 않을 거야."

"그렇다고 해서 나까지 논리를 내팽개치면 짐승들이 싸우는 거랑 뭐가 다르겠어요. ……아차, 실례."

"사과할 것 없어. 우리가 짐승인 건 사실이니까." 빌이 씁쓸한 듯이 말했다.

"앨리스가 말을 함부로 한다는 건 잘 알았으니까 일단 시간 순서대로 생각해보자." 체셔 고양이가 제안했다.

"그리핀은 나랑 빌이 목격한 후에 살해당했어요."

"그렇지." 체셔 고양이가 말했다. "바다코끼리와 가짜 거북도 기억난다더군. 너희가 해안에서 떠난 지 약 30분 후에 그들도 그리핀과 헤어졌대."

"그다음에 우리는 흰토끼의 집에 가려고 숲속을 걸었죠. 그렇지, 빌?"

"응. 그랬던 것 같아."

"빌의 증언은 도움이 안 돼." 체셔 고양이가 단언했다.

"맞다. 생각났어. 도중에 애벌레를 만났어요."

"애벌레라. 녀석은 괴짜지만 증언은 믿을 수 있지."

"해안에서 흰토끼의 집까지 한 30분 걸렸을까요. 그리고 흰토끼의 집에 도착한 지 30분도 넘게 시난 후에 모자 장수와 3월 토끼가 와서 그리핀이 살해당했다고 전했어요. 즉, 무슨 뜻인지 알겠죠?"

"모자 장수는 고자질을 좋아한다?" 빌이 말했다.

"너희가 흰토끼의 집에 도착했을 무렵에 그리핀이 살해당했다고 말하고 싶은 거야?"

"그래요. 내게는 완벽한 알리바이가 있다고요."

"안타까운 소식이 있어, 앨리스." 체셔 고양이는 그다지 안타까운 것 같지 않았다. "네 알리바이는 구멍투성이야."

"우리가 찾아간 시각을 흰토끼가 기억하지 못한다거나? 하지만 집에 도착했을 때 우리는 메리 앤을 만났어요. 그러니까 메리 앤

136

이 증언해줄 거예요."

"그런 게 아니야."

"그럼 뭔데요?"

"너희가 흰토끼의 집에 도착했다고 주장하는 시간대에……."

"난 그런 말 안 했어. 앨리스 혼자 주장하는 거라고." 빌이 정정
했다.

앨리스는 마음속으로 혀를 찼다.

"앨리스 혼자 흰토끼의 집에 도착했다고 주장하는 시간대에 공
간 왜곡이 일어났어. 때마침 흰토끼의 집과 해안이 이어졌지."

"그래서 그게 뭐 어쨌는데요?" 앨리스는 현기증이 났다.

"빌이 눈을 뗀 사이에 네가 공간 왜곡을 이용해 해안에서 그리
핀을 죽이고 돌아올 수 있었다는 소리야."

"빌은 눈을 떼지 않았어요."

"증거는?"

"내가 증언할게요."

"네 알리바이를 증명하고자 네 증언을 채택할 수는 없지. 그런
논리는 미치광이 모자 장수에게도 통하지 않을걸."

"아아. 정말 답답해."

"등이라도 두드려줄까?" 빌이 물었다.

"아니. 됐어." 앨리스는 거절했다. "내게 알리바이가 없다는 건
알았어요. 하지만 알리바이가 없는 사람은 얼마든지 있잖아요.
왜 날 의심하죠? 내가 그리핀을 죽일 이유가 있나요?"

"글쎄다." 체셔 고양이는 귀찮다는 듯이 말했다.

"이유를 제시할 수 없다면 더 이상 날 의심하지 말아요."

"모자 장수가 이유를 추측했어."

"도대체 뭔데요?"

"네가 연쇄살인범이라서 그렇다나 봐, 앨리스."

"그거야말로 아무 근거도 없는 소리예요."

"험프티 덤프티와 그리핀을 잇달아 죽였으니 연쇄살인범이 분명하다고 했어."

"난 둘 다 안 죽였어요."

"어떻게 그렇다고 딱 잘라 말할 수 있지?"

"죽일 이유가 없으니까요."

"이유는 네가 연쇄살인범이기 때문이야."

"그러니까 그 근거는?"

"험프티 덤프티와 그리핀을 잇달아 죽였으니까."

"안 죽였다고 했잖아요."

"어떻게 그렇다고 딱 잘라 말할 수 있지?"

"죽일 이유가 없으니까요."

"이유는 네가 연쇄살인범이기 때문이야."

"잠깐!"

빌과 체셔 고양이는 앨리스의 얼굴을 쳐다보았다.

"왜 화난 것 같은 표정을 짓고 있어?" 빌은 얼떨떨한 모양이었다.

"화가 났으니까, 빌." 앨리스는 거칠게 콧숨을 내쉬었다. "이봐요, 그건 순환논법이라고요."

"알아." 체셔 고양이는 마치 공중에 걸린 투명 해먹에 올라타 있는 것처럼 보였다.

"그럼 왜 계속 그런 식으로 이야기하는 거죠?"

"계속하면 안 돼?"

"의미가 없잖아요."

"어째서?"

"순환논법이니까요. 순환논법으로는 아무것도 증명하거나 창조하지 못해요."

"어째서 그런데?"

"아무리 해도 결론에 도달하지 못하니까요. 진실인지 거짓인지 영원히 판가름할 수 없어요."

"미치광이 모자 장수 말로는 영원히 증명을 계속하니까 이만큼 확실한 방법은 없다고 하던데."

"그건 증명이 아니에요."

"증명이 아니라는 걸 증명해봐." 체셔 고양이는 히죽히죽 웃었다.

진심으로 하는 말일까? 아니면 놀리면서 재미있어할 뿐?

좋아. 도전을 받아주지.

"그럼 이렇게 생각해봐요. 나는 연쇄살인범이 아니라고."

"나는 연쇄살인범이 아니야." 체셔 고양이는 말했다. "늘 그렇게 생각하는데."

"그게 아니라, 앨리스는 연쇄살인범이 아니라고 생각하라고요."

"근거는?"

"그래요. 그게 중요하죠. 근거는 있어요. 앨리스는 아무도 죽이지 않았다는 게 근거예요."

"어째서 그렇게 주장하지?"

"거기에는 이유가 있어요. 앨리스는 연쇄살인범이 아니기 때문
이에요."

"그건 순환논법이야!" 느닷없이 미치광이 모자 장수가 끼어들
었다. "순환논법으로는 아무것도 증명하거나 창조하지 못해!"

앨리스는 체셔 고양이를 보았다. "이야기가 다른 것 같은데요."

"무슨 이야기?" 체셔 고양이는 시치미를 뗐다.

"미치광이 모자 장수는 순환논법을 신봉한다는 이야기요."

"누가 미치광이라고?" 모자 장수가 소리를 질렀다.

"미치광이 모자 장수 말이야." 빌이 말했다. "미치광이 모자 장
수는 미치광이야."

"앗! 그거 순환논법이다!" 3월 토끼가 기쁜 듯이 밀했다.

"조금 달라. 이건 동의어 반복이라고 봐야지." 체셔 고양이가
냉정하게 정정했다.

"아무튼 모자 장수에게 말해둘게요. 난 그리핀을 안 죽였어요."

"그럼 험프티 덤프티만 죽였다는 거야?"

"물론 험프티 덤프티도 안 죽였고요."

"그럼 누가 험프티 덤프티를 죽였는데?"

"글쎄요? 나 말고 다른 누군가겠죠."

"자신이 범인이 아니라고 우길 거면 진범을 제시해. 그게 네 의
무야."

"도대체 누구 때문에 살인 혐의를 뒤집어썼는데, 나한테 진범까

지 찾아내라고요?"

"가설은 증명하지 않으면 얼토당토않은 잡소리와 다를 바 없어."

"그렇게 따지면 당신의 가설도 마찬가지죠."

"가설?"

"내가 험프티 덤프티를 죽였다는 가설 말이에요."

"그건 가설이 아니야. 오히려 정설이라 할 수 있지."

"어째서 그런 허무맹랑한 말이 정설이죠?"

"증명됐으니까."

"증명? 누가 언제 증명했는데요?"

"범죄의 증명은 수학의 증명과는 달라. 정의와 공리에서 출발하여 추론을 쌓아 올린 증명만이 옳은 건 아니지. 범죄는 단 하나의 물적 증거나 단 한 마디의 증언으로 증명될 때도 있어."

"그러니까 증거가 뭔데요?"

"흰토끼의 증언이지. 네가 정원에서 빠져나오는 모습을 목격했어."

"현재로서는 유일한 증언이네요."

"그거 하나면 충분해. 아니면 흰토끼가 거짓말을 해야 하는 이유라도 있다는 거야?"

"현재로서는 없죠."

"거봐. 역시."

"현재로서는요."

"우리는 몇 번이나 흰토끼에게 물었어. 대답은 늘 한결같았지. '범인은 앨리스다.'"

"나라면 분명 다른 답을 이끌어낼 수 있을 거예요."

"흰토끼는 널 경계해. 그러니까 제대로 된 증언을 얻어낼 수 있다는 생각은 버리는 게 좋을 거야."

"괜찮아요. 또 다른 흰토끼에게 물어볼 테니까."

"말해두겠는데 다른 흰토끼의 증언은 의미가 없어. 다른 인간의 증언이 나나 너의 증언을 대신할 수 없는 것과 똑같아."

"다른 토끼의 증언이 아니에요. 그녀 자신의 증언이라고요."

"그녀가 아니라 그겠지." 3월 토끼가 귓속말을 했다. "야, 성별을 틀렸어. 까딱 잘못하면 굉장한 얼간이나 정신병자 취급을 받을 거라고."

"예. 여기에서는 분명 남성이죠. 하지만 지구에서는 그렇지 않아요."

"무슨 소리를 하는 건시 전혀 모르겠군. 나도 그렇게 성미가 느긋한 편은 아니라고. 슬슬 각오해두는 편이 좋을 거야."

"무슨 각오요?"

"난 여왕 폐하께 네가 범인이라고 보고할 거야."

"증거는 흰토끼의 증언뿐인데요."

"몇 번이고 말하지만 그거면 충분해. 내가 여왕 폐하께 보고하면 무슨 일이 일어날지 알아?"

"제 목이 댕강 잘리겠죠."

"뭐. 나도 그렇게 심보가 못돼먹진 않았어. 일주일만 더 기다려주지. 그동안 성에 찰 때까지 조사해보라고. 하지만 일주일이 지나도 진범을 찾아내지 못하면 여왕 폐하께 보고하겠어. 그럼 되겠나?"

"가능하다면 조사 기간을 무제한으로 해줬으면 좋겠네요."

"안 돼. 그랬다가 여왕 폐하께 들키면 내 목이 날아가. 여왕 폐하의 인내심이 한계에 다다르는 게 대략 일주일이거든. 그러니까 더 이상은 무리야."

"알았어요. 그럼 당장에라도 조사를 시작해야겠네요."

일단은 흰토끼의 본체부터 조사해야겠다!

10

"어. 무슨 이야기였지?" 리오는 졸음이 가득한 눈으로 말했다.

오후의 캠퍼스. 학생들과 직원들이 나른한 모습으로 캠퍼스를 돌아다니고 있었다.

며칠 전에 오지가 옥상에서 떨어져 죽는 대참사가 일어났다는 것이 거짓말로 느껴질 만큼 한가로운 풍경이었다.

"그러니까, 험프티 덤프티가 살해당한 날에 무슨 일이 있었는지 잘 생각해보라고요." 아리는 리오와 어깨를 나란히 하고 걷고 있었다.

"험프티 덤프티? 아아. 이상한 나라에서 오지 씨가 그거였지."

"엄밀하게 말하자면 본인이 아니라 아바타라지만요."

"아바타라는 이모리의 가설이잖아. 어쩌면 우리 자신일지도 모른다고."

"그렇다면 현실 세계에서 육체가 사라져야 마땅한데, 그렇지 않잖아요?"

"정말로 안 사라질까? 잠든 동안 자기가 어떻게 되는지는 모르잖아."

"우리야 혼자 사니까 별 상관 없지만, 그렇지 않은 사람은 사라지면 큰 소동이 벌어질 거라고요."

"정신이 동일한 건지도 모르지. 환생한 것처럼."

"날마다 저쪽 세계에 환생한다고요?"

"그게 아니라 환생은 한 번으로 끝이고, 이제 전생이 서서히 기억나는 것뿐일지도 몰라."

"이상한 나라의 주민들이 우리로 환생했다는 말인가요? 하지만 이상한데요. 그렇다면 이상한 나라의 주민들은 어떻게 현실 세계의 일을 기억하고 있는 거죠?"

"몇 번이나 되풀이해서 환생하고 있는지도 모르지. 현실 세계와 이상한 나라에서."

"진심으로 하는 말이에요?" 아리는 리오의 눈을 들여다보았다.

"아니. 다만 모든 가능성을 배제해서는 안 된다는 말을 하고 싶은 것뿐이야."

"하지만 이모리의 가설이 제일 그럴듯하지 않나요?"

"그렇지도 않아. 나도 가설을 하나 세워봤지. 뭐, 가설이랄까, 추리에 가깝지만 이런저런 증거도 수집 중이야."

"어머. 그런 줄은 몰랐네요."

"물론 메커니즘을 해명했다든가 그런 건 아니지만, 두 세계의 관계를 상당히 명확하게 밝힐 수 있을 것 같아."

"괜찮으면 들려주지 않을래요?"

"응. 알았어. 가상의 세계 하나를 통째로 만드는 데는 엄청난 양의 메모리와 CPU가 필요하다는 건 알지? 즉 모의 현실을 만드는 장치는 규모가 세계 그 자체와 맞먹을 정도야. ……응?"

리오는 아리의 뒤쪽에 정신이 팔린 것 같았다.

아리는 뒤를 돌아다보았다.

허름한 차림새의 남자가 헤실헤실 웃으면서 다가왔다. 옷은 지저분했고, 길게 기른 머리는 떡이 졌으며, 수염도 텁수룩했다.

아리는 리오의 팔을 잡고 뒷걸음질 쳤다.

무슨 장난이기를.

아리는 기도했다. 캠퍼스 안에서는 상당히 짓궂은 장난을 치는 사람이 있다 해도 이상하지 않다. 대학생이란 그런 법이니까.

하지만 이번에는 장난치고는 도가 지나쳤다.

남자는 손에 식칼을 쥐고 있었다. 손에서 놓치지 않도록 테이프로 둘둘 감기까지 했다. 장난이 아니라면 살의가 충분한 셈이다.

아무라도 상관없는 걸까, 아니면 나와 리오 씨를 노린 걸까?

후자라면 이상한 나라와 무슨 관계가 있을지도 몰라.

어쨌거나 가만히 있다가 죽을 수는 없어.

"아하아아아." 남자가 입을 쩍 벌렸다. 새빨간 입속이 훤히 보였다.

두 눈동자는 각각 아리와 리오와는 상관없는 방향을 향하고 있었다.

일단은 우리를 노리고 있는 건지 아닌지 확인해야 해.

아리는 리오의 팔을 붙잡고 움직여서 남자의 시선에서 벗어났다.

남자는 두 사람이 정면으로 오도록 몸을 돌렸다.

큰일이다. 우리를 노리는 것 같아.

그런데 뭐 때문에?

만약 이 남자가 이상한 나라의 누군가라면, 우리를 죽여서 뭔가 이득이 있다는 뜻인가?

그렇다면 누굴까?

진범?

내가 진범을 찾고 있다는 걸 알고 자신이 발견되기 전에 먼저 나를 죽이겠다는 수작인가?

그럼 리오 씨는?

리오 씨는 분명 표적이 아니야. 흰토끼는 앨리스가 범인이라고 주장하고 있으니까 진범 입장에서는 살아 있는 편이 유리해.

그렇다면 리오 씨까지 끌어들일 수는 없지.

아리는 쥐고 있던 리오의 팔을 살그머니 놓았다.

"가만히 있어요." 아리는 속삭였다.

남자는 움직이지 않았다.

아리는 호흡을 가다듬고 바로 옆으로 풀쩍 뛰었다.

남자는 당황하여 아리를 향해 달려왔다.

"리오 씨, 도망쳐요! 그리고 도움을 요청해요!" 아리는 남자에게 등을 돌리고 달음박질했다.

괜찮아. 붙잡히지만 않으면 어떻게든 될 거야. 오히려 이건 기회라고. 범인이 제 발로 어슬렁어슬렁 나타나다니. 이 녀석을 붙잡으면 그걸로 사건은 해결돼. 앨리스가 무고하다는 걸 증명할 수 있어.

문제는 나랑 남자가 현재 얼마나 멀리 떨어져 있느냐인데. 달리기에는 그다지 자신이 없어. 도와줄 사람이 오기 전에 따라잡히면…….

아리는 달리면서 뒤돌아보면 불리하다는 것을 알면서도 유혹에 넘어가 그만 등 뒤를 보고 말았다.

놀랍게도 범인의 모습은 보이지 않았다.

내가 그렇게 빨랐나?

아리는 멈춰 섰다.

그리고 범인의 모습을 찾았다.

고작 몇 초 만에 눈에 들어왔다.

범인은 리오 앞에 버티고 서 있었다.

설마.

아리는 두 사람에게 달려갔다.

혹시 이게 목적이었나? 내가 표적인 척 위장하여 우리 둘을 떼어놓은 후 리오 씨를 노리는 게?

하지만 어째서?

리오의 모습이 남자에게 가려졌다. 그리고 다음 순간, 남자가 리오에게서 물러났다.

리오는 창백한 얼굴로 이쪽을 보고 있었다.

명치를 양손으로 누르고 있었다.

피가 하얀 옷을 붉게 물들이며 폭포수처럼 흘러나왔다.

아리는 남자를 몸으로 들이받았다.

남자가 땅에 쓰러졌다.

아리는 남자에게 눈길 한번 주지 않고 리오에게 다가갔다.

아리가 도착하기 직전에 리오는 땅에 푹 고꾸라졌다.

"리오 씨!"

리오는 눈을 부릅뜨고 있었다.

"미안해요!" 아리는 리오의 어깨를 잡았다. "설마 리오 씨를 노리고 있었을 줄은……."

리오가 입을 뻐끔뻐끔 움직였다.

"뭐요? 뭐라고요?"

"넌 누구……." 리오가 말했다.

"모르겠어요? 나예요. 아리……."

"앨리스? 너, 앨리스야?"* 눈에는 아무것도 비치지 않는 것 같았다.

아리는 리오의 손을 꽉 잡았다.

"너한테 경고해줘야 할 일이 있어. 더 이상 깊이 파고들면 절대로 안 돼."

"리오 씨, 뭔가 알고 있는 거예요?"

"절대로 못 이겨."

"뭘요? 뭐를 못 이기는데요?"

"아무도 붉은 왕에게는 절대로 못 이겨." 리오는 눈을 더 크게 부릅떴다.

*앨리스의 일본식 발음은 '아리스'다.

그리고 얼어붙은 것처럼 움직임을 멈추었다.

"설마 그런……." 아리는 리오의 가슴에 손을 댔다.

심장이 뛰는지 뛰지 않는지 구분이 가지 않았다.

"도와주세요! 누가 구급차 좀 불러주세요!"

그 목소리에 반응한 사람이 있는지 없는지 알 수 없었다.

아리는 머릿속이 혼란스러웠지만 무엇을 해야 하는지 생각해내려고 기를 썼다.

그래. 심폐 소생술을 실시해야 해. 심장 마사지와 인공호흡이야.

양손을 리오의 가슴에 얹고 힘껏 체중을 실었다.

체중을 실을 때마다 피가 조금씩 나왔다.

심장 마사지를 1분쯤 계속했지만 리오가 움직이는 기척은 없었다.

아리는 울면서 리오의 코를 잡고 자기 입으로 리오의 입을 덮었다.

숨을 불어 넣었다.

입술 사이로 숨결이 새나갔다.

아리는 입을 더 세게 누르고 다시 숨을 불어 넣었다.

푸푸, 하고 마찰되는 소리와 함께 숨결이 새나갔다.

1분 정도 계속하다가 입을 뗐다.

아리의 침과 콧물이 두 사람 얼굴 사이에 실처럼 늘어졌다.

역시 스스로 숨을 쉴 징후는 보이지 않았다.

"구급차는 불렀나요?" 아리는 주변을 둘러보았다.

근처에는 아무도 없었다.

2, 3미터쯤 떨어진 곳에 사람이 드문드문 서 있기는 했지만 과연 구급차를 불렀을까. 몇 명이 휴대전화를 귀에 대고 있었지만

구급차를 부르고 있는 건지, 아는 사람과 이야기를 나누고 있는 것뿐인지는 확실치 않았다.

다른 사람에게 의지해서는 안 돼.

도대체 난 몇 분이나 허비한 걸까?

아리는 휴대전화를 꺼내서 버튼을 눌렀다.

손이 떨려서 제대로 누를 수가 없었다.

"예, 무엇을 도와드릴까요?" 전화 너머에서 차분한 여자 목소리가 들렸다.

"구급차를 보내주세요. 친구가 숨을 안 쉬어요."

"일단 장소가 어딘지 말씀해주십시오."

아리는 대학교 이름을 알려주었다.

"지금 그쪽으로 구급차가 가고 있습니다. 어떤 상황인지 말씀해주십시오."

"친구가 찔렸어요."

"누가 칼로 찔렀다는 말씀이십니까?"

"예."

"경찰에 신고는 하셨습니까?"

그러고 보니 안 했다. 하지만 구급차보다 경찰을 먼저 부르다니 말도 안 된다.

"아니요."

"경찰에는 저희가 연락하겠습니다. 이제 중요한 사항을 확인할 테니 잘 들으세요. 찌른 사람은 가까이에 있습니까?"

아리는 가슴이 철렁했다.

맞다. 녀석은 어디 있지?

아리는 뒤를 돌아보았다.

녀석은 바로 뒤에 있었다.

거리는 1미터.

"여기 있어요."

"일단 신고하신 분의 안전을 확보하십시오."

남자는 아직 피에 젖어 번들번들 빛나는 식칼을 쥐고 있었다.

아리를 보면서 어깨를 들먹이고 있었다.

괜찮아. 진정해. 날 죽일 작정이었다면 기회는 얼마든지 있었
어. 이 남자는 날 죽일 생각이 없는 거야.

"식칼 줘." 아리는 말했다.

"범인과 교섭하는 일은 경찰에게 맡기세요!" 전화에서 여자 목
소리가 울려 퍼졌다.

"안 줄 거면 여기서 사라져." 아리는 천천히 말했다. "이제 곧
경찰이 올 거야."

남자는 고개를 저었다.

"그럼 절대로 날 해코지하지 않겠다고 약속해."

남자는 말없이 아리를 잠깐 바라본 후에 눈을 감았다.

이건 해코지하지 않겠다는 의사 표시? 아니면 나를 속이려는
건가?

"해코지할 생각이 없다면 조금만 더 물러나. 정신이 흐트러져서
응급조치를 못 하겠어."

남자는 식칼을 들어 올렸다.

뭐야? 역시 찌르려고? 어떡하지? 달아날까? 하지만 분명 다리가 꼬여서 제대로 못 달릴 거야. 분명 따라잡혀서 뒤에서 찔리겠지. 그럼, 싸울까? 더 말도 안 돼.

아리는 숨을 들이마셨다.

조금만 있으면 경찰과 구급차가 올 거야. 가능한 한 시간을 벌어야 해. 그럼 만에 하나 찔리더라도 바로 치료를 받을 수 있을 가능성이 높아.

"여기서 날 찔러봤자 당신한테는 아무 이득도 없어. 그것보다 수사에 협력하는 게 상책이라고. 당신 목적이 뭐야? 왜 리오 씨를 찔렀어?"

남자는 눈을 감은 채 미소 지었다.

식칼 끝이 빙그르르 방향을 바꾸었다.

그대로 자기 자신의 목을 향해 움직였다.

"잠깐만, 뭐 하는 거야?" 아리는 당황하여 외쳤다.

칼끝이 목과 가슴 사이에 닿았다.

피부가 눌려서 푹 들어갔다.

"위험해. 그만둬."

푹.

피가 배어 나왔다.

남자는 손을 멈추지 않았다. 미소가 고통스러운 표정으로 변했다.

"무슨 생각이야!"

말려야 해. 이 남자를 위해서도, 날 위해서도.

하지만 몸이 움직이지 않았다. 아리의 몸은 공포에 압도당한 상태웠다.

피가 뚝뚝 흘러 떨어졌다.

"아아아끄아아아!" 남자가 비명을 질렀다.

"꺄아아악!" 아리도 비명을 질렀다.

남자의 손이 부들부들 떨렸다.

식칼을 쥔 오른손을 왼손으로 받쳤다.

눈을 부릅뜬 채 억지로 식칼을 밀어 넣었다.

피가 펑펑 쏟아져 나왔다.

숨을 크게 들이마시려고 하는 것 같았지만 커어어어, 하고 잡음 같은 소리만 들릴 뿐 숨을 잘 쉬지 못하는 것 같았다.

온몸이 경련하기 시작했다.

땅에 털썩 쓰러졌다.

어떻게 해야 하지? 식칼을 뽑으면 되나? 하지만 뽑으면 출혈이 심해지는 거 아닐까? 그럼 놔둘까? 하지만 기관에 다다랐다면 숨이 막혀서 죽을 거야. 뽑아야 기도에 공기가 들어가지 않을까?

아아. 모르겠어.

남자는 움직이지 않았다.

눈을 크게 뜨고 아리를 가만히 응시하고 있었다.

아리는 움직임이 없는 두 사람을 그저 멍하니 바라보는 것이 고작이었다.

잠시 후 사이렌 소리가 멀리서 들려왔다.

11

"흰토끼가 죽었어." 미치광이 모자 장수가 앨리스에게 말했다.

앨리스는 트럼프카드 병정들이 크로케를 준비하는 모습을 넋 놓고 바라보고 있었다. 원래 카드이다 보니 하나하나 구별하기가 어려웠다. 그들이 뿔뿔이 흩어졌다가 모이는 모습은 정말로 게임이나 카드 점을 하고 있는 것으로밖에 보이지 않았다.

"그렇겠죠."

"알고 있었던 것 같은 말투로군."

"아마 그렇지 않을까 싶었어요."

"왜?"

"지구에서 흰토끼의 분신이 죽었으니까요."

"지구?"

"정말로 몰라요? 아니면 모르는 척하는 거예요?"

"그 질문에 대답하기 전에 일단 네 입으로 지구인지 뭔지를 설명해주실까?"

"그럼, 지금 질문은 없던 걸로 할게요. 잊어버려요. 그런데 누가 죽었어요?"

"몰라." 모자 장수는 어깨를 으쓱했다. "너겠지?"

"또, 나라고요?" 앨리스는 외쳤다.

"이번만은 동기가 충분해."

"반대죠. 그녀는 마지막 희망이었다고요."

"그녀? 누구 이야기를 하는 거야? 혹시 흰토끼 이야기를 하는 거고, 네가 성별을 착각했다면 이렇게 대답해두지. 그는 네게 불리한 증언을 했어. 그가 죽으면 그런 증언을 하는 녀석은 없어."

"자기가 오해했다는 걸 흰토끼가 알아차렸다면 내게 유리한 증인이 됐을지도 몰라요. 하지만 죽으면 내게는 영원히 불리한 증인으로 남죠."

"진심으로 하는 소리야? 그렇다면 너처럼 낙관적인 용의자는 본 적이 없어."

"어차피 지금까지 이상한 나라에 용의자 같은 건 없었잖아요."

"그러니까 본 적이 없다는 거야. 말은 되잖아."

"사인은?"

"사인은 모른다는 거야?"

"정말로 몰라요."

"흰토끼의 집에 새 예초기가 배달됐대."

"흰토끼가 산 거예요?"

"아니. 메리 앤 말에 따르면 흰토끼는 산 기억이 없었다나 봐. 하지만 분명 누가 선물해준 거라고 받아들였다는군."

"왜 그렇게 생각했을까요?"

"그는 인망이 있었으니까…… 본인 생각은 그랬지."

"그래서, 결국 예초기 때문에 죽은 거예요?"

"그런데 그건 예초기가 아니었어."

"하지만 흰토끼는 예초기라고 생각했잖아요."

"물론 그랬지."

"그럼 예초기로 혼동했다는 뜻이군요."

"그래, 맞아."

"뭐였는데요?"

"물론 스나크지."

"스나크?"

"응. 예초기로 혼동할 만한 거라면 당연히 스나크잖아."

"그 스나크는 깃털이 있고 무는 스나크? 아니면 수염이 났고 할퀴는 스나크?"

"양쪽 다 아니야. 그 스나크는 부점이었어."

"설마……."

"흰토끼는 갑자기 사라지고 말았어. 이제 두 번 다시 못 만나겠지."

"어떻게 부점인 줄 알았어요?"

"빌과 메리 앤이 증인이야."

모자 장수 뒤에서 빌과 메리 앤이 나타났다.

"도대체 둘 다 어디서 튀어나온 거예요?"

"미치광이 모자 장수 등 뒤에 숨어 있었지. 좁아서 꽤나 힘들더라."

"왜 그런 짓을 한 건데?"

"그래야 널 놀래줄 수 있잖아."

"별로 놀라지는 않았는데."

"어? 전혀?"

"응. 그냥 어처구니가 없기는 했지만."

"아아. 다행이다. 그럼 전혀 의미가 없었던 건 아니고, 절반쯤은 의미가 있었네."

"그런데 무슨 일이 있었던 건가요?" 앨리스는 빌을 무시하고 메리 앤에게 물었다.

"흰토끼는 누가 새 예초기를 줬다면서 기쁜 얼굴로 상자를 자랑했어. 상자에는 빨간색과 하얀색 리본이 둘둘 감겨 있었고, 겉에는 커다란 글씨로 '예초기'라고 적혀 있었지. 빌이 빨리 예초기를 보여달라고 하자 흰토끼는 이건 내게 온 거니까 내가 제일 먼저 볼 권리가 있다, 내가 본 다음에 언제든지 보여주겠다면서 상자를 자기 침실로 들고 들어갔어. 그리고 얼마 지나지 않아 침실에서 목소리가 들리더군.

'맙소사! 이건 예초기가 아니야! 스나크다!'

빌은 그 목소리를 듣고 아주 기뻐했어."

"당연하지. 스나크는 좀처럼 보기 힘드니까." 빌은 말했다.

"그리고 어떻게 됐는데요?" 앨리스는 빌을 무시하고 메리 앤에게 물었다.

"빌이 물었어. '그 스나크는 깃털이 있고 무는 스나크야? 아니면 수염이 났고 할퀴는 스나크야?'라고."

"앨리스도 아까 똑같은 질문을 했지. 우리는 마음이 통하는가 봐." 빌이 말했다.

앨리스는 아까 충동적으로 별 쓸모도 없는 질문을 한 것을 몹시 후회했다.

"그래서요?"

"흰토끼 목소리가 들렸어. '부…….' 거기까지였지. 잠시 기다려봤지만 흰토끼가 나오지 않기에 큰맘 먹고 문을 열어봤어. 침실에는 아무도 없더라고. 테이블 위에 빈 상자는 있었지만."

"상자에 부점이 들어 있었다는 건 어떻게 알았죠?" 앨리스는 미치광이 모자 장수에게 물었다.

"뭘 당연한 걸 묻고 그래? 만약 부점이 아니었다면 흰토끼가 어떻게 밀실에서 사라졌겠어?"*

모자 장수의 말에도 일리가 있었다. 상황으로 보건대 상자에는 부점이 들어 있었던 것이 틀림없으리라. 그리고 그것은 범인이 남긴 단서이기도 하다.

"상자는 누가 보냈는데요?"

"몰라."

"보낸 사람 이름이 적혀 있지 않은 우편물이 배달된 거예요?"

"우편물?" 빌이 물었다. "그런 우편물이 있었어?"

"우편물이 아니라면 누가 배달한 건데요?" 앨리스는 빌을 무시

---

*스나크의 일종인 부점을 만난 사람은 사라진다고 한다.

하고 메리 앤에게 물었다.

"모르겠어. 흰토끼는 문 앞에 놓여 있었다고 했어."

"누군가가 부점을 상자에 담아서 흰토끼 집 앞에 놓아두었다는 말이군요. 그런데 어떻게 부점을 상자에 담을 수 있었을까요?"

"그건 간단해." 3월 토끼가 빌의 등 뒤에서 나타났다. "부점은 하루에 딱 3분간 보통 스나크가 되거든. 그때 상자에 담으면 아무 문제도 없지."

"이봐요, 어디에서 나온 거예요?"

"빌의 등 뒤에 숨어 있었어. 좁아서 꽤나 힘들더라."

"왜 그런 짓을 한 건데요?"

"그래야 널 놀래줄 수 있잖아."

앨리스는 3월 토끼도 무시하기로 결심했다.

"즉, 범인은 완벽한 밀실 살인에 성공했고 증거는 전혀 남기지 않은 거로군요."

"물적 증거는 없는 거나 마찬가지야. 하지만 무슨 방법을 썼는지는 명백하지."

"부점을 사용한 살인이 자주 일어나나요?"

"아니. 처음 듣는 일인데. 하지만 부점이 아니라면 밀실 살인을 설명할 수가 없어. 메리 앤과 빌 둘이서 거짓말을 하고 있다면 이야기는 달라지겠지만."

"빌이 거짓말을 할 리 없어요. 거짓말을 하려면 상상력이 필요하니까."

"우리도 그렇게 생각해. 빌에게 거짓말은 무리야."

"저기. 날 칭찬하는 중이야?"

"굳이 따지자면 칭찬이지. 안심해." 모자 장수가 말했다.

"고마워. 칭찬해줘서 정말 기뻐."

"빌이 거짓말을 하지 않았다고 해서 반드시 부점이라는 보장은 없지 않을까요? 빌은 고의로 거짓말을 하지는 않지만 속임수에는 홀딱 잘 넘어간다고요."

"부점으로 살해한 게 아니면 뭐 어때서? 살해 방법이 그렇게 중요해?"

"현재로서는 중요하지 않죠." 앨리스는 한숨을 쉬었다.

"그럼 방법이 아니라 역시 동기가 중요해. 흰토끼가 죽어서 득을 보는 사람은 한 명뿐이야."

"그런 생각을 당신에게 심어주는 게 목적이라면?"

"그럼 누가 득을 보는데?"

"진범요."

"너 말고 진범이 있다면 그렇겠지. 하지만 그런 인물이 있다는 증거는 어디에도 없어. 아니면 진범이 누구인지 이미 규명하기라도 했다는 거야?"

"안타깝게도 범인의 정체에는 전혀 접근하지 못했어요. 하지만 이번 일로 범인에게도 약점이 있다는 걸 알았죠."

"약점? 그게 뭔데?"

"모르겠어요. 하지만 범인은 위험한 다리를 건너면서까지 흰토끼를 죽여야만 했죠. 범인에게 흰토끼는 없애야만 하는 방해물이었다는 뜻이에요."

"네게 살인 혐의를 더 단단히 씌우기 위해서 그랬다는 건 동기 치고 약하지 않아?"

"그러니까 그것 말고 다른 이유가 있다고요."

"단도직입적으로 물을게. 도대체 그 이유가 뭐야?"

"그걸 알면 이 고생 안 하죠. 그 이유만 알면 범인을 밝혀낼 수 있을 것 같은데……."

"말이 전혀 안 통하는군. 알겠지만 앞으로 닷새 안에 진범인지 뭔지를 찾아내지 못하면 네 목은 댕강 잘려나갈 거야."

"예. 알고말고요." 앨리스는 조용히 대답했다.

12

"이런 일이 일어날까 봐 걱정했던 건데." 다니마루 경감은 안타
깝다는 듯이 말했다. "너희들이 협력해주었다면⋯⋯."

"우리가 협력했다면 리오 씨는 죽음을 면할 수 있었을 거란 말
인가요?" 아리는 따졌다.

"음." 다니마루 경감은 머리를 긁적였다.

이곳은 경찰서에 있는 방 중 하나다. 취조실은 아니고 그냥 회
의실 같은 곳이다. 적어도 아리에게 무슨 혐의를 두고 있는 것은
아닌 듯했다.

"확실히, 반드시 구할 수 있었다고 단언할 수는 없지만⋯⋯."

"그 남자는 우리랑 아무 접점도 없었어요."

"지금까지 조사한 바에 따르면 그렇더군."

"그렇다면 이번 사건을 예방하기는 불가능하지 않았을까요? 혹
시 우리가 협력했다면 24시간 경호라도 해줄 생각이었나요?"

"뭐, 경우에 따라서는 그런 조치도⋯⋯."

"경감님, 거짓말은 좋지 않습니다." 니시나카지마가 말했다. "어지간히 확실하고 긴급한 이유가 없는 한 일반인을 24시간 경호하라는 지시는 내려지지 않을 겁니다."

다니마루 경감은 헛기침을 했다.

"그 남자는 누군가요?"

"무샤 스나히사라는 사람이야. 각성제를 사용한 전과가 있지."

"이번에도 각성제를 맞았나요?"

"시신에서는 반응이 나왔어."

"무차별 살인이었던 걸까요?"

"표면상으로는 그렇게 보이지."

"뭔가 내막이 있다는 뜻이로군요." 아리는 캐묻듯이 말했다.

"현실적으로 내막은 없어."

"무슨 말인지 알아듣게 설명해주세요."

"현실의 이면에 진실이 숨어 있다는 말이야."

"현실의 이면이라뇨?"

"비현실이지. 환상세계라고 해도 돼."

아리는 웃었다. "경찰이 그런 말을 해도 되나요?"

"지금 한 말은 경찰로서 한 말이 아니야. 동일한 내용의 불가사의한 체험을 공유하는 동지로서 한 말이지."

"환상 속의 이야기라면 평범하게 수사해서는 아무것도 밝혀지지 않을 것 같은데요?"

"그래. 아무것도 밝혀지지 않겠지."

"그렇다면 수사하는 의미가 없잖아요."

"가능성은 남아 있어."

"무슨 가능성이 남았는데요?"

"환상 속에서 수사하는 거지."

"환상 속에서 수사한다고요? 진심으로 하는 말씀이세요? 환상 속에서 수사해봤자 그 결과는 증거로 삼을 수 없잖아요."

"응. 맞아."

"그럼 무슨 의미가 있는데요?"

"현실 세계에서 진행한 수사와 대조함으로써 진실에 도달할 수 있지."

"그렇게 해서 범인을 알아낸들 현실 세계에서는 어떻게도 할 수 없다고요."

"하지만 환상세계에서는 목을 칠 수 있을지도 모르죠." 니시나 카지마가 담담하게 말했다.

"이봐. 니시나카지마. 말조심 좀 해." 다니마루 경감의 안색이 변했다.

"그게 형사님들 목적인가요?" 아리의 입술이 희미하게 떨렸다.

"목적?" 다니마루 경감이 되물었다.

"시치미 떼지 말아요. 당신들, 범인의 목을 싹둑 잘라버리고 싶은 거죠?"

"그런 건 불가능해."

"지금 니시나카지마 형사님이 그랬잖아요."

"그는 어디까지나 환상 속의 이야기를 하고 있는 거야. 현실의 일본에 그런 형벌은 없어."

"환상 속에서 죽은 사람은 현실에서도 죽는다고요."

"그건 증명된 사실이 아니야."

"제가 보고 겪은 바로는 그렇던데요."

"환상은 객관적인 사실이 아니니까 네 경험에서 도출한 법칙은 성립되지 않아."

"그럼 환상세계에서 누군가의 목이 날아가고, 그 일에 호응해서 현실 세계의 누군가가 죽어도 상관없다는 건가요?"

"그런 말은 안 했어."

"그럼 뭘 하고 싶은 건데요?"

"아까도 말했다시피 진실을 규명하는 거지."

"규명한 결과, 누군가의 목이 댕강 잘려도 괜찮나요?"

"진실을 규명하지 않으면 또 다른 사람이 살해당할지도 몰라."

아리는 입을 다물었다.

"환상세계에 있는 살인귀가 현실 세계에 영향을 미치고 있다면, 그 살인귀를 환상세계의 규칙으로 처벌한다는 방법도 검토해봐야 한다고 생각지 않나?" 다니마루 경감이 물었다.

"그 인물이 진범이라는 확신이 있다면 고려해볼 만도 한 것 같네요."

"그래. 그러니까 우리는 진범을 확정하기 위한 정보가 필요해."

"유감스럽게도 범인 확정에 도움이 될 만한 정보는 전혀 가지고 있지 않은데요."

"그건 너희들이 그렇게 생각하고 있을 뿐이잖아? 우리에게 너희가 아는 정보를 전부 제공해주면 우리가 거기서 무슨 진실을 찾아닐지도 모른다는 생각은 안 들어?"

"무슨 진실을 찾아낼지도 모르죠. 아니면 우리가 제공한 정보를 실마리 삼아 얼토당토않은 누명을 씌울지도 모르고요."

"누명? 도대체 무슨 소리야?"

"형사님들은 빨리 범인을 붙잡고 싶죠?"

"물론 그렇지. 경찰이라면 누구라도 그럴 거야."

"진범인지 아닌지는 상관없이 그냥 아무나 범인으로 만들고 싶은 거죠?"

"아니. 그건 아니야. 무고한 사람을 범인으로 몰고 싶지는 않아."

"그럼 왜 집요하게 앨리스를 추궁하는 건가요?"

"지금, '앨리스'라고 했겠다." 니시나카지마가 대화에 끼어들었다. 아차. 그만 입을 잘못 놀리고 말았어.

"너, 누가 앨리스인지 알지?" 니시나카지마가 눈을 번쩍였다.

"알고 있으면 뭐 어쩌려고요?"

"현실 세계에서 앨리스의 본체에게 이야기를 듣고 싶어."

"왜요?"

"앨리스는 사건과 밀접한 관계에 있어. 그렇다면 뭔가 알고 있을지도 모르잖아."

"그냥 사건에 말려들었을 뿐, 아무것도 모를 가능성도 있어요."

"그래도 앨리스의 이야기를 들어볼 가치는 있어. 아까 전에도 말했다시피 본인은 모르더라도 우리는 앨리스의 증언에서 뭔가 찾아낼 수 있을지 모른다고." 다니마루 경감은 당장이라도 군침을 홀릴 듯한 표정이었다.

아리는 다니마루 경감의, 형사가 쓰기에는 약간 화려하고 꼴사나운 모자에 눈길을 준 후 말했다. "아쉽게도 현실 세계에서 앨리스의 증언을 얻기는 힘들 것 같네요."

"증언을 얻기 힘들다니, 앨리스 본인의 뜻이 그렇다는 건가?"

"뭐, 그렇게 받아들이셔도 될 것 같아요."

다니마루 경감은 어깨를 축 늘어뜨렸다. "더 이상 붙잡아둘 이유는 없을 듯하군. 이제 돌아가도 돼."

"그럼, 실례할게요." 아리는 자리에서 일어났다.

"만약 마음이 바뀌면 언제든지 연락해."

"알았어요. 마음이 바뀔 가능성은 아주 적을 것 같지만."

회의실에서 나오자 복도에서 이모리가 기다리고 있었다.

"너도 경찰이 불러서 왔어?"

두 사람은 밖을 향해 걸었다.

"경찰이 불렀다기보다 다니마루 경감이 개인적으로 부른 거야. 나는 이번 사건과 특별한 접점이 없으니까 수사의 일환으로 날 불러서 조사할 수야 없지."

"다니마루 경감이 뭘 물어보디?"

"별것 아니었어. 이번 사건에 대해 뭔가 짐작 가는 점은 없느냐고 묻던데."

"뭐라고 대답했어?"

"이상한 나라에서 일어나고 있는 연쇄살인 중 한 건일 거라고 대답했지. 물론 현실 세계에서는 서로 간에 아무 연관도 없는 세 사람이 죽은 것에 지나지 않는다는 이야기도 했고."

"이번 사건은 다른 두 사건과는 사정이 조금 다르지만."

"사정이 다르다고? 무슨 소리야?" 이모리는 이상하다는 듯한 표정을 지었다. "양쪽 세계에서 명확하게 살인사건으로 인정받은 건 이번이 처음이었다는 뜻?"

"그것도 그렇지만, 이번 사건으로 상황이 크게 달라졌다는 말이 야."

두 사람은 경찰서 밖으로 나왔다.

"상황이 어떻게 달라졌는데?"

"꼭 설명해줘야 알겠니? 일련의 사건을 저지른 범인이 죽었잖 아. 이제 적어도 연쇄살인은 끝났어. 이제 이상한 나라에서 죽은 범인이 누구인지 알아내면 앨리스가 무죄라는 것도 증명할 수 있 어."

"잠깐만. 일련의 사건을 일으킨 범인이 죽었다니, 무샤 스나히 사를 말하는 거야?"

"그래. 그런 이름이었어."

"어째서 그가 범인이라고 단정하지?"

"단정이고 뭐고 난 눈앞에서 목격했다고. 그는 리오 씨를 죽였 어. 그 사람 말고 누가 범인이라는 거야?"

"으음. 그러니까 그건 다나카 리오를 살해한 범인이 무샤 스나 히사라는 뜻이지?"

"그런데?"

"확실히 무샤 스나히사는 다나카 리오를 죽였어. 하지만 그는 오지 다마오와 시노자키 교수님을 죽이지는 않았어."

"그러니까, 현실 세계에서는 살인으로 보이지 않지만 이상한 나라에서는 누군가가 험프티 덤프티와 그리핀을 죽였잖아."

"그런 식으로 말하자면 현실 세계에서는 무샤 스나히사가 다나카 리오를 죽였지만 이상한 나라에서는 그가 아닌 다른 누군가가 흰토끼를 죽였을지도 모르지."

아리는 걸음을 멈췄다. "그건……. 하지만 무샤가 범인이 아니라고 할 수는 없지 않나?"

"물론, 무샤가 범인일 가능성을 완전히 배제할 수는 없어. 하지만 지금까지 벌어진 두 건의 사건에서 범인은 현실 세계에서는 피해자에게 직접 손을 쓰지 않았어. 이번만 현실 세계에서 범인이 눈에 띄는 형태로 살인을 저지르다니 부자연스럽잖아."

"무샤가 범인이 아니라면 그는 도대체 뭐야?"

"그는 흉기에 지나지 않아. 시노자키 교수님을 죽음으로 몰아넣은 굴과 똑같은 셈이지. 무샤 스나히사는 부점이었던 거야."

"그럼 범인은 아직 살아 있다는 거네?"

"그런 셈이지."

"그럼 수사도 아직 끝나지 않겠구나."

"그렇겠지. 나도 오지 씨와 시노자키 교수님 주변을 독자적으로 조사해봤는데 말이야." 이모리는 수첩을 꺼냈다.

"리오 씨 주변도 조사했어?"

"어제 일어난 사건이라 아직 그것까지는 못 했어. ……아무튼 조사 결과 시노자키 연구실에서 한 명만 상태가 이상하다는 걸 알았지."

"누군데?"

"다바타 조교수."

"이상하다니, 어떤 식으로?"

"혼자 중얼중얼하거나, 화장실에서 몇 시간이나 손을 씻거나, 아무도 없는 연구실에서 날뛰거나……."

"아무도 없었는데 날뛰었는지는 어떻게 알았어?"

"우연히 연구실로 돌아온 사람이 목격했어. 누가 보고 있다는 걸 알아차린 순간 조용해졌대."

"도대체 왜 그러지?"

"정신적으로 궁지에 몰렸다는 뜻이야."

"누가 궁지로 몰았는데?"

"지금부터 그걸 조사하러 가야지."

"그럼 히로야마 부교수님한테 물어보는 게 제일 낫겠다. 공작부인은 이상한 나라에서 앨리스를 도와주려고 했잖아. 공작 부인은 같은 편이야."

"여왕이 미치광이 모자 장수를 수사관으로 임명하려고 했을 때반대했던가? 확실히 악의는 없는 것 같아. 좋아, 당장 시노자키연구실에 가보자."

"히로야마 선생님!" 이모리는 연구실에서 머리를 감싸 안고 있는 히로야마 부교수를 불렀다.

"응? 너희들 누구니?"

"이모리와 구리스가와입니다. 왜, 요전에도 한번 이야기 나눴지 않습니까."

"그랬나?"

"이상한 나라. 공작 부인. 그리핀. 도도새." 아리가 주문처럼 중얼거렸다.

"아아. 아아. 이상한 나라의 사람들이구나." 히로야마 부교수는 안경을 벗었다. "너, 도도새였나?"

"저는 빌입니다. 도도새는 다바타 씨고요."

"그랬지. 참. 다바타가 도도새였어."

"요전에는 감사했어요." 아리가 말했다.

"요전이라니, 무슨 소리니?"

"앨리스를 의심하는 미치광이 모자 장수를 수사관으로 삼지 말라고 여왕에게 진언해주셨잖아요."

"아아. 아아. 그때는 힘이 되어주지 못해서 참 아쉬웠어. 뭐, 이미 결정된 일이니 어쩔 수 없지만. 어쩐지 모자 장수가 꼭 앨리스를 붙잡기를 바라는 것 같았다니까."

"여왕이 말입니까?" 이모리가 물었다.

"그런데?"

"여왕이 앨리스를 붙잡고 싶어 하는 이유는 상상이 가세요?"

"아니. 뭐, 그 사람이야 늘 누군가의 목을 치고 싶어 하니까."

"단도직입적으로 묻겠습니다. 여왕이 연쇄살인의 범인일 가능성은 없을까요?"

"뭐? 진짜야?" 아리는 눈이 휘둥그레졌다.

"확실한 증거는 없지만, 만약 그렇다면 집요하게 앨리스에게 죄를 뒤집어씌우려고 할 만도 하지."

"음. 잠깐만 기다려. 생각해볼게." 히로야마 부교수는 관자놀이를 짚고 눈을 감았다. "아니. 그건 아니야. 여왕에게는 알리바이가 있어."

"알리바이?"

"험프티 덤프티가 살해당했을 때도, 그리핀이 살해당했을 때도 공작 부인, 즉 나랑 크로케를 하고 있었거든."

"당신들은 매일 크로케를 하는군요." 이모리가 질렸다는 듯이 말했다.

"나라고 좋아서 그러는 건 아니야. 여왕이 하고 싶어 하니까 어쩔 수 없이 하는 거지."

"만일을 위해 흰토끼가 살해당했을 때의 알리바이를 여쭤봐도 될까요?" 이모리가 말했다.

히로야마 부교수는 어리벙벙한 표정으로 두 사람을 멀거니 바라보았다.

"생각나셨습니까?"

"뭐라고?" 히로야마 부교수가 외쳤다.

"뭔가 생각나셨느냐고요?"

"그게 아니라 누가 살해당했다고?"

"흰토끼요. 모르셨어요?"

"응. 몰랐어. 언제?"

"어제요. 이상한 나라에서도 화제였습니다."

"나는 까맣게 몰랐네."

"미치광이 모자 장수가 보고하지 않았습니까?"

"여왕에게는 보고했을지도 모르지. 하지만 내게는 안 했어. 누구한테 살해당했니?"

"엄밀하게는 살해당했는지 어떤지도 모릅니다. 그는 부점과 맞닥뜨렸어요."

"어머, 그래? 아무튼 좋은 사람이었는데 안됐다."

"그렇게 좋은 사람이었나요? 리오 씨는 좋은 사람이었지만 흰 토끼일 때는 그렇지도 않았던 것 같은데요." 아리가 말했다.

"리오가 누구야?" 히로야마 부교수가 물었다.

"현실 세계에 있던 흰토끼의 본체요."

"흰토끼도 양쪽 세계에 살고 있었던 거구나. 그는 좋은 사람이야. 요전에도 빌을 위해서 깜짝 파티를 열어주겠다고 했어."

"예?" 이모리가 말했다.

"어머. 아직 못 들었니?"

"예."

"그러고 보니 리오 씨가 그런 말을 했어. 난 영락없이 현실 세계의 이야기인 줄 알았는데." 아리가 말했다.

"현실 세계와 이상한 나라를 구분 없이 대했다는 거니?"

"꿈이라고 생각했을 때는 그러지 않았지만요." 이모리가 말했다. "지금이야 살인이라는 긴급 사태가 일어났기 때문에 저쪽 세계를 억지로나마 기억해내고자 애쓰고 있는 형편이지만, 평소에는 거의 의식하지 않죠. 하지만 리오는 자신이 흰토끼라고 강하게 실감하고 있었던 것 같습니다. 아바타라와 본체가 얼마나 일체화하느냐는 개인차가 큰지도 모르겠어요."

"아무튼 흰토끼 일을 알려줘서 고마워. 저쪽에 가면 메리 앤을 불러서 대응책을 강구해야겠어. 하지만 그건 저쪽에 가고 나서 생각해도 상관없어. 지금은 현실 세계의 일만으로도 버거우니까……."

"한 가지 더 여쭤봐도 될까요?"

"응. 하지만 시간이 별로 없으니까 짧게 부탁해."

"다바타 씨에 관해서입니다."

"다바타? 아아. 걔는 누구였지? 3월 토끼?"

"도도새요."

"맞아. 도도새였지. 그런데 다바타가 뭐 어쨌기에?"

"최근에 그 사람 상태가 이상하다는 이야기를 들었는데요."

"그런가? 그러고 보니 피곤해 보이기는 해."

"눈에 띄게 기이한 행동을 한다고 하던데요."

"기이한 행동? 뭐, 혼잣말을 하거나, 요란하게 체조를 하는 게 기이한 행동이라면 그럴지도 모르겠네."

"원인이 뭔지 짐작 가는 구석은 없고요?"

"아마도 피곤해서 그런 거 아닐까?"

"왜 피곤할까요?"

"그야, 연구가 바쁘니까."

"연구는 모두 다 하고 있는걸요. 왜 유독 다바타 씨만 바쁜 걸까요?"

"왜일까?" 히로야마 부교수는 생각에 잠겼다. "맞다. 걔는 잡일이 많아."

"잡일?"

"잡일이라는 표현이 좀 그렇다면 연구지원 업무라고 하자. 국가에 제출할 신청 서류를 작성하고, 학회 발표용 자료를 만들고, 실험 담당 행정직원과 학생이 읽을 실험 순서도를 만들고, 비상구 안내 표시를 붙이고, 약품과 재료 목록을 만들고, 연구실 멤버의 컴퓨터 설정을 통일하고, 보안 프로그램을 깔고, 메모리를 관리하고, 연속 운전하는 장치를 야간에 확인하러 오고……."

"그거 전부 필요한 일입니까?"

"응. 필요한 일이지."

"우리 연구실에서는 처음 몇 가지밖에 하지 않는 것 같은데요." 아리가 의문을 입에 담았다.

"뭐, 우리 연구실은 좀 많을지도 모르겠다. 하지만 원래 다 필요한 일이야."

"시노자키 연구실에는 왜 연구지원 업무가 많은 건가요?" 이모리가 물었다.

"아마도 시노자키 선생님이 꼼꼼한 분이셨기 때문이 아닐까 싶어."

"꼼꼼하다기보다는 조금 신경질적인 느낌도 드는군요. 비상구 안내 표시는 대학본부가 설치해둔 것으로도 충분할 겁니다. 컴퓨터 설정을 통일할 필요는 없을 테고, 보안 프로그램은 연구실에서 자체적으로 깔지 않아도 정보 관리실에서 알아서 해줄 거고요. 연속 운전하는 장치도 소정의 심사를 통과했을 테니 꼭 야간에 확인하러 갈 필요는 없습니다. 그리고…….”

“주의에 주의를 거듭 기울이라는 뜻 아닐까? 규칙으로 정해놓은 것 이상으로 철저하게 하면 좀 더 안전하잖아.”

“그렇다고 해도 왜 그런 업무가 다바타 씨에게 몰리는 거죠?”

“그러고 보니 어째서일까?”

“시노자키 선생님은 히로야마 선생님께는 그런 잡일을 시키시지 않았습니까?”

“어느 정도는 시키셨지.”

“다바타 씨와 비교하면 어떻습니까?”

“글쎄. 다바타의 일이 많았던 것 같기도 하네. 아니면 단순히 업무 속도가 느려서 일이 밀렸을 뿐인지도 모르지.”

“다바타 씨는 업무를 처리하는 속도가 느립니까?”

“요령이 별로 없어서 그런지 문제가 하나 발생하면 연이어서 일이 밀리는 것 같더라고.”

“즉, 시노자키 연구소에는 원래 잡일이 많은 데다 다바타 씨는 요령이 별로 없기 때문에 부담이 상당히 컸다는 말씀이로군요.”

“많다고 해도 말도 안 되게 많은 건 아니지만.”

“다바타 씨가 일을 제대로 처리하지 못하는 걸 시노자키 선생님도 알고 계셨습니까?”

“글쎄. 뭐, 매일 다바타에게 보고를 받으셨으니까 파악하고 계셨겠지.”

"보고를 매일요?"

"응. 업무 내용을 파악하려면 필요한 일이지. 특히 다바타는 요령이 별로니까 매일 업무 내용을 관리해줄 필요가 있어."

"보고 자체가 부담이었던 건 아닐까요?"

"그건 아닐걸. 보고 자료라고 해봤자 파워포인트로 열 장 전후니까."

"매일 보고를 하는데 파워포인트로 자료를 만들었다고요?"

"귀찮을 것 같지만, 업무 내용을 파악하기 위해서는 양식이 제각각인 서류를 보여주는 것보다 파워포인트로 깔끔하게 정리하는 편이 효율적이야."

"시노자키 선생님께는 효율적일지 몰라도 다바타 씨에게는 부담이 클 텐데요."

"다바타 입장에서는 그럴지도 모르지. 하지만 연구실 전체를 생각하면 시노자키 선생님의 효율을 우선하는 게 합리적이라고 봐."

"시노자키 선생님은 다바타 씨의 부담이 크다는 걸 알면서 다바타 씨에게 업무를 집중시켰다는 뜻이로군요."

"무슨 말을 하고 싶은 거니? 시노자키 선생님이 잘못하셨다는 거야?"

"정확한 상황을 모르니 함부로 말할 수는 없지만, 경우에 따라서는 우월한 지위를 남용한 행위에 해당할지도 모르겠군요."

"이제 와서 시노자키 선생님을 고소하겠다는 거니?" 히로야마 부교수는 놀란 것 같았다.

"그럴 생각은 없습니다. 애당초 저희에게는 그럴 권리도 없고요."

"그렇지. 그런 짓은 안 하겠지."

"저는 다바타 씨가 시노자키 선생님께 원한을 품고 있지는 않았을까 신경이 쓰이네요."

"원한? 조교수가 정교수한테 원한을? 그건……."

"말도 안 된다고요?"

"그럼. 교수의 지시는 일반 기업의 업무명령과 다를 바 없으니까 어떤 경우에도 따르는 게 상식이야. 그런데 원한이라니……."

"일반 기업에서도 우월한 지위를 남용한 행위는 문제시되고 있습니다. 대학에서도 마찬가지고요."

"만에 하나 원한을 품고 있었다고 치고, 그게 뭐 어쨌다는 거니?"

"다바타 씨에게는 시노자키 선생님을 살해할 충분한 동기가 있었다고 볼 수 있지 않겠습니까?"

"시노자키 선생님은 살해당한 게 아니라 병으로 돌아가셨어."

"현실 세계에서는 그렇죠. 하지만 이상한 나라의 죽음과 현실 세계의 죽음은 연결되어 있어요."

"도도새가 그리핀을 죽였다는 거니?"

"이건 가설입니다. 다바타 씨가 시노자키 선생님을 죽이고 싶을 만큼 원망했으며, 그 기분을 간신히 꾹꾹 억눌러왔다고 치죠. 만약 그런 상황에서 현실 세계의 죽음과 이상한 나라의 죽음이 연결되어 있다는 사실을 알아차렸다면?"

"이상한 나라에서 그리핀을 죽여도 현실 세계에서는 살인이 성립되지 않지. 그렇지만 시노자키 선생님은 죽어. 일종의 완전범죄라고 할 수 있겠네."

이모리는 고개를 끄덕였다. "하지만 위험이 전혀 없는 건 아닙니다. 현실 세계만큼 우수하지는 않지만 이상한 나라에도 죄를 심판하는 법정이 존재하니까요."

"하지만 그쪽에 사는 인간과 동물은 멍청하든지 머리가 이상한 것들뿐이니까 이쪽보다는 살인을 저지르기 쉬울지도 몰라."

"그래서 어떻게 하자고? 다바타 씨를 체포할 수는 없어. 꿈속에서 살인을 저질렀을 뿐이니까." 아리가 말했다.

"바로 그렇습니다. 가설이 올바르든 잘못됐든 현실 세계에서 다바타 씨는 살인을 저지르지 않은 셈이에요. 하지만 그가 살인을 저질렀다는 증거를 이상한 나라의 수사관에게 제시하면 어떻게 될까요?"

"여왕 귀에 들어가면 도도새는 목이 떨어지겠지. 그리고 다바타에게도 무슨 일이 일어날 거야. 넌 다바타가 죽었으면 좋겠니?"

"아니요. 그런 건 아닙니다. 다만 범인을 찾아내지 못하면 구리스가와가 큰일 나거든요."

"저기. 내 걱정은⋯⋯."

"그러고 보니 앨리스는 용의자였지." 히로야마 부교수는 고개를 끄덕였다. "넌 얘를 구하고 싶은 거구나."

"범인의 목숨을 빼앗고 싶지는 않습니다. 그저 구리스가와의 목숨을 구하고 싶을 뿐이에요."

"하지만 결과적으로 누군가가 죽을 거야. 그것도 본인이 아니라 아바타라가 살인을 저지른 탓에."

"가능하면 두 세계를 연결하고 있는 죽음의 끈을 끊어버리고 싶

180

습니다. 하지만 아무 실마리도 보이지 않는 현재 상태를 감안하건대 진범을 밝힌다는 차선책을 선택하는 수밖에 없겠죠."

"구리스가와라고 했지. 너도 그러면 되겠니?"

"예. 저도 일단 진범을 찾는 게 우선이라고 생각해요. 그리고 여왕이 법정에서 사형 판결을 내리지 않도록 애써봐야죠."

"생각해주는 척하기는."

"예?"

"일단 자기 안전을 확보해놓고 범인에게 선심 쓰려는 거잖아."

"말씀이 너무 심하신 것 아닙니까?" 이모리가 이의를 제기했다. "구리스가와가 죽어야 할 이유는 없습니다."

"애한테 자기희생을 강요하는 건 아니야. 그냥 정직해지라는 거지. 자기 목숨이 제일이니까 자신이 살 수 있다면 범인은 죽어도 상관없다. 하지만 약간은 동정을 베풀어줄 수도 있다. 그거 아니니?"

"너무 노골적이시군요."

"하지만 정직하다는 건 그런 거야. ……알았어. 나도 제멋대로 설치는 범인 대신 앨리스가 사형을 당하는 건 바라는 바가 아니니까 가능한 한 협력할게."

"그럼 도도새와 다바타 씨에게 공동작전을 펼쳐보죠."

"무슨 뜻이니?"

"두 세계에서 다바타 씨와 도도새를 추궁하는 겁니다. 양쪽 세계에서 협공하면 허점을 찾아내기도 쉬울 테니까요."

"상당히 치사한 방법이구나."

"신사적으로 나가기에는 시간이 모자랍니다. 어디 보자, 현실 세계와 이상한 나라를 분담하여 맡는 편이 낫겠군요."

"공작 부인과 도도새는 접점이 없으니까 난 다바타를 맡을게."

"그럼 저희는 이상한 나라에서 도도새를 추궁하겠습니다. 이틀 후에 서로 결과를 보고하는 게 어떻겠습니까?"

"좋아. 어쩐지 가슴이 두근두근하는걸."

13

눈앞에 잡다한 물건들이 두두룩하게 쌓여 있었다.

도대체 이게 다 뭐야.

앨리스는 진절머리가 났다.

그것들은 식기와 과자였다. 잡다할 뿐만 아니라 더럽기 짝이 없었다. 뭐, 어쩔 수 없으리라. 여기서는 그만둘 낌새 없이 오랜 세월 다과회가 계속되고 있다. 그러므로 아무도 과자를 정리하지 않고 식기도 씻지 않는다. 하지만 다과회가 계속되는 한 과자와 차는 끊임없이 날려 온다. 도대체 누가 날라 오는지는 모르겠지만, 자꾸자꾸 나오는 것으로 보아 누가 나르고 있기는 할 것이다. 누가 가져오는지 확인하려고 눈을 왕방울처럼 크게 뜨고 기다려보았지만, 잠깐 한눈을 판 사이에 이미 과자와 차가 놓여 있었다. 한번은 재채기를 하느라 눈을 감은 순간에 당했다. 이렇게 재빠르게 나를 수 있으니 정리도 순식간에 척척 할 수 있을 것 같지만, 과자와 차를 날라 오는 누군가는 정리에는 전혀 흥미가 없는 모양이었다.

테이블 위에는 더 이상 뭔가를 놓을 공간이 없었다. 그러므로 식기 위에 식기를 놓고, 과자 위에 과자와 찻잔, 찻주전자를 놓을 수밖에 없다. 케이크가 찻잔에 깔려 찌부러지고, 차가 테이블에 쏟아져도 물론 아무도 정리하지 않는다. 테이블 여기저기에 생긴 작은 물웅덩이가 조금씩 넓어지다가 서로 합쳐져서 더 커진다. 이윽고 물웅덩이가 연못이나 작은 호수처럼 커지자 어디서 나타났는지 물고기가 헤엄치고, 그 물고기를 노리는 물새들이 내려앉고, 물새들에 붙어 온 씨앗이 뿌리를 내려 온통 수초 천지가 되는 바람에 앨리스는 수초를 헤치면서 쿠키를 찾아야 했다.

"그런데 어째서 이 호수는 테이블 위에서 쏟아져 내리지 않는 걸까?" 앨리스는 문득 떠오른 의문을 입에 담았다.

"그건 내가 세심한 주의를 기울이고 있기 때문이야." 미치광이 모자 장수가 말했다.

"주의를 기울이면 물이 쏟아지지 않아요?"

"그야 당연히 그렇지. 예를 들면 여길 봐. 당장에라도 물이 테이블 가장자리로 흘러 떨어질 것 같지?"

"예. 앞으로 2, 3초 안에 분명 흘러 떨어질 거예요."

"그럴 때는 이렇게 테이블보를 살짝 집어 들면 돼. 봐. 조그만 돌기가 생겼지?"

"예. 조금 튀어나왔네요."

"이게 댐 역할을 해서 물을 막는 거야."

"하지만 그렇게 오래 버티지는 못할 텐데요."

"아니, 그렇지 않아. 내 솜씨가 얼마나 대단한지 알면 그런 허튼소리는 못 할걸." 모자 장수가 손을 재빨리 움직여 테이블보 몇 군데에 돌기를 만들어 물을 되밀어내자 커다란 만이 형성되었다.

아아. 옛날에 내가 빠진 바다도 실은 여기였나?

"그런데 무슨 용건이 있어서 이 다과회에 왔지?"

"나, 초대받은 거 아니었어요?"

"너처럼 예의 없는 인간을 초대할 리가 있나."

"내가 그렇게 예의 없어요?"

"초대받지도 않은 다과회에 당당히 찾아오다니 당연히 예의가 없지."

그렇구나. 말이 되는 것 같기도 한데 뭔가 이상한 느낌도 드네. 하지만 머리가 이상한 사람하고는 말싸움하지 않는 게 최고야.

"여기에 도도새는 안 왔어요?"

"아까부터 몸을 말리려고 저기를 빙글빙글 달리고 있어."

"누가 도도새 아니랄까 봐." 3월 토끼가 낄낄 웃었다. "도도하게 달린대요."

"왜 젖었는데요?"

"호수에 빠졌대. 웬 호수가 생겨가지고 그러는지 모르겠네."

"그거 모자 장수 당신 탓이잖아요."

"왜 호수가 생긴 게 내 탓이야?"

"그도 그럴 게 이 테이블 위에 생긴 호수잖아요?"

"테이블 위에 호수라고? 얼빠진 소리 좀 작작 해라!"

"하지만 실제로……."

"테이블 위에 호수가 생기다니, 그런 악몽 같은 일이 일어나겠냐!" 3월 토끼는 튜브를 끼고 테이블보에 생긴 호수에 둥둥 뜬 채로 말했다.

앨리스는 그들을 무시하기로 했다.

"저기, 도도새." 앨리스는 도도새를 불렀다.

"도도새라고? 멸종된 새가 발견됐어?" 도도새가 주변을 둘러보면서 말했다.

"도도새는 지구에서만 멸종됐어요." 앨리스는 가르쳐주었다. "이상한 나라에서는 멀쩡히 살아 있다고요."

"하지만 죽음을 향해 천천히 나아가고 있잖아?"

"그렇게 생각하고 싶으면 그렇게 생각하든지요."

"그런데 도도새는 어디 있지?"

"내 질문에 잘 대답하면 가르쳐줄게요."

"이봐, 조심해!" 3월 토끼가 도도새에게 외쳤다. "그러다 깜빡 속아 넘어간다!"

"응? 속아 넘어갈 만한 사람이 어디 있는데?"

"사람이 아니에요." 앨리스가 말했다.

"그럼 네발짐승?"

"새요."

"새가 속아 넘어갈 상황이야?" 도도새는 눈을 반짝였다. "그건 꼭 봐야지."

"왜 새가 속아 넘어가는 모습을 보고 싶은데요?"

"왜냐니, 그렇게 멍청한 새를 본 적 있어?"

"아마도 있을 것 같은데요." 앨리스는 도도새를 보며 말했다.

"그런데 그 새는 무슨 종류지?"

"도도새."

"뭐야. 김샜네." 도도새는 갑자기 흥미를 잃은 것 같았다.

"왜 김샜다는 거예요? 도도새라고요."

"알아."

"도도새가 속아 넘어가는 모습을 보고 싶지는 않아요?"

"응. 도도새잖아? 원래 멍청하니까 속는지 안 속는지 확인할 필요도 없어."

"어떻게 멍청한지 알죠?"

"멍청하지 않다면 멸종당했겠어?"

"일리는 있지만 멸종된 건 지구의 도도새예요. 이상한 나라의 도도새가 아니고요."

"그럼 지구의 도도새와 달리 이 세계의 도도새는 똑똑해?" 도도새는 앨리스에게 물었다.

"글쎄요." 앨리스는 도도새를 보면서 말했다.

"이쪽 세계의 도도새가 특별히 더 똑똑한 것 같지는 않네요."

"거봐. 그럴 줄 알았어. 시간만 낭비했네." 도도새는 고개를 휙 돌렸다.

"그럼 도도새는 잊어버리고 내 이야기를 들어주지 않을래요?"

"좋아. 지금은 한가하니까 잠깐은 괜찮아."

"이봐, 조심해!" 3월 토끼가 도도새에게 외쳤다. "그러다 깜빡 속아 넘어간다!"

187

"응? 속아 넘어갈 만한 사람이 어디 있는데?" 도도새는 주변을 두리번거렸다.

"토끼가 하는 말을 일일이 진지하게 받아들이지 말아요."

"말이 너무 심하지 않아?" 3월 토끼가 항의했다.

"그래. 이 세계의 모든 토끼에게 실례야."

"정정해!"

"알았어요. 3월 토끼가 하는 말을 일일이 진지하게 받아들이지 말아요."

"그래, 그래. 뭐, 그러면 대상이 한정되니까 문제없지." 3월 토끼는 수긍한 듯했다.

"3월 토끼의 말은 처음부터 신경도 안 썼어." 도도새가 말했다. "고마워. 재미있는 이야기였어. 그럼 이만." 도도새는 다시 달리려고 했다.

"잠깐만요. 내가 하려던 이야기는 그것뿐만이 아니에요."

"뭐야, 아직도 남았어? 혹시 도도새 이야기?"

"다바타 조교수에 관한 이야기예요."

도도새는 어리둥절한 표정을 지었다.

"다바타 조교수요. 알죠?"

"알지. 그런데 어떻게 네가 아는 거지?"

"나도 지구에 있으니까요."

"그래. 생각났다. 분명 꿈에 나왔어. 넌 지구에서……."

앨리스는 모자 장수와 3월 토끼를 힐끔 살펴보았다.

두 사람 다 앨리스를 보지 않는 척하는 것 같았다.

아직 저 두 사람에게는 들키지 않는 편이 좋을 것 같아.

"그건 나중에 또 이야기하죠."

"그래. 좋아. 그럼 지금은 무슨 이야기를 하지?"

"그리핀에 대해서요."

"그리핀? 요전에 죽은? 미안하지만 그 녀석에 대해서는 잘 몰라. 친구고 뭐고 아무 사이도 아닌걸."

"하지만 지구에서는 알고 지냈잖아요."

"뭐? 그 녀석 누구였는데?"

"시노자키 교수님요."

"누구라고?"

"당신의 예전 상사요."

"오오. 분명 그런 이름이었어."

"당신, 자기 상사 이름도 기억 못 해요?"

"꿈속에 나오는 사람 이름을 누가 신경 써서 외운다고 그래?"

"뭐, 맞는 말이네요."

"어? 말이 얻어맞았다고?" 3월 토끼가 끼어들었다.

앨리스는 무시했다. "그런데 당신은 그리핀을 어떻게 생각했죠?"

"그러니까 그리핀은 잘 모른대도 그러네."

"그리핀 말고 시노자키 교수님은요?"

"시노자키 교수는 만난 적도 없어."

"다바타 씨는 만났잖아요."

"아아. 하지만 다바타는 내가 아닌 것 같은 기분이 들어."

"다바타 씨가 무슨 생각을 했고, 어떤 일을 겪었는지는 기억하

189

잖아요."

"응. 하지만 그건 내가 아닌 것 같은 기분이 든다고. 어쩐지."

"지구에 있는 자신과 이상한 나라에 있는 자신을 동일시하는 능력에는 각자 차이가 있는 모양이에요. 사람에 따라 자신과 거의 동일하다고 느끼는 사람도 있고, 객관적으로밖에 보지 못하는 사람도 있는 것 같아요. 당신은 후자네요. 그건 그렇고 다바타 씨는 시노자키 교수님을 어떻게 생각했죠?"

"어떻게라니……."

"일을 마구 떠맡겨서 짜증스럽지는 않았어요?"

"아니. 그건 뭐랄까……."

"솔직하게 말해봐요."

"뭐야, 이거 신문 같은 거야?"

"신문이라고?" 미치광이 모자 장수가 소리쳤다. "신문이라면 내 역할이지. 멋대로 남의 일을 가로채지 마!"

"도대체 뭐가 어떻게 된 거야?" 도도새가 물었다.

"즉, 그 여자는 널 함정에 빠뜨리려는 거야." 3월 토끼가 말했다.

"'날 함정에 빠뜨리려 한다'는 게 무슨 뜻이야?"

"'널 함정에 빠뜨리려 한다'는 뜻이지."

"정말이야, 앨리스?" 도도새는 앨리스에게 물었다.

"함정에 빠뜨릴 생각은 없어요. 그저 당신, 다바타 조교수에 대해 알아보고 싶은 게 있을 뿐이에요."

"다바타 조교수가 범인이라고 생각하는 거야?"

"범인이라고는 생각 안 해요. 다만 그에게 동기가 있을 가능성이 나와서 확인하는 것뿐이에요."

"그러니까 의심한다는 거잖아."

"의심하는 게 아니라요. 그냥 여러 가지 가능성을 검토하고 있을 뿐이라니까요."

"아무 의심도 없다면 애당초 조사를 시작하지도 않았겠지."

"잘한다, 도도새." 3월 토끼가 신이 나서 말했다.

"그건……." 앨리스는 말끝을 얼버무렸다.

"내 말이 맞지, 앨리스?" 도도새가 캐물었다.

"솔직하게 대답해야 해, 앨리스." 어느 틈엔가 옆에 빌이 서 있었다. "네가 솔직하지 않으면 상대방도 솔직하게 대답해주지 않을 거야."

"그래. ……요컨대 다바타 조교수가 범인일 가능성이 없다고는 생각지 않는다는 뜻이에요."

"빙빙 둘러서 말했지만, 결국 날 의심한다는 거네." 도도새는 충격을 받은 것 같았다.

"다바타 조교수가 시노자키 교수님을 원망했을지도 모른다는 정보를 얻었어요. 이해해줘요."

"다바타가 실행범일 리 없잖아."

"예. 실제 범행은 이쪽 세계에서 저질렀으니까."

"그 말인즉슨 내가 그리핀을 죽였다는 거네?"

"난 가능성을 이야기하는 거예요. 알죠?"

"그러니까 이 여자는 표적 수사를 하고 있는 거야." 미치광이 모자 장수가 말했다. "정말 가증스럽군."

"그럼, 난 이제 아무 말도 안 할래." 도도새는 토라진 것 같았다.

"만약 당신이 범인이 아니라면 그 근거를 차근차근 말해줘요. 그럼 더 이상 당신을 의심하지 않을게요."

"'만약'이라고? '만약 당신이 범인이 아니라면?' 난 범인이 아닌데 왜 그런 가정을 하는 거지?"

"이것 좀 보라지. 이 녀석을 믿으면 된통 뒤통수를 맞는다니까." 3월 토끼가 불에 기름을 부었다.

"3월 토끼는 괜히 과장해서 말하는 것뿐이에요. 이야기를 듣는 게 뭐 어때서 그래요. 사실을 숨김없이 알려주기만 하면 수사에 진전이 있을 테고, 그럼 두 번 다시……."

"이제 됐지? 난 바빠." 도도새는 고개를 획 돌렸다.

"도도새."

하지만 도도새는 앨리스를 무시하고 같은 장소를 빙글빙글 달리기 시작했다.

"저기요. 이야기 좀 해요." 앨리스는 포기하지 않고 다시 말을 걸었다.

"더 이상은 안 될 것 같아." 빌이 말했다.

"하지만 모처럼 얻은 실마리인데……."

"누구나 의심받으면 기분 나쁠 거야. 네가 제일 잘 알잖아."

"하지만 그래서는 수사를 못 해."

"그러니까 수사관이 존재하는 거지. 탐정이 어지간해서는 범죄 수사에 성공하지 못하는 건 일반 시민의 협력을 얻지 못하는 탓이 커."

"너, 지금 이모리가 조금 들어 있는 거 아니야?"

"들어 있다고 할까, 어떻게든 불러내려고 노력 중이야. 좀처럼 잘 안 되지만."

"어째서 그럴 마음을 먹었어?"

"진범이 누군지 확인할 수 있는 중요한 사실을 알아차린 것 같은 기분이 들어서."

"정말? 뭔데?"

"모르겠어."

"엥? 무슨 소리야? 알아차렸다고 했잖아?"

"난 알아차린 것 같은 기분이 든다고 했어."

"무슨 소리야, 그게. 알아차렸어? 못 알아차렸어? 도대체 어느 쪽이야?"

"아무튼 애매모호해서 긴가민가해."

"무슨 소린지 더 모르겠네."

"다시 말하자면 마음속 깊은 곳에서는 이모리가 '알았다!'라고 외치고 있어."

"뭘 알았는데?"

"범인이 우연히 안 사실을 나불나불 지껄인 인물이 있어."

"그게 누군데? 우연히 안 사실이라니, 그게 뭐야?"

"그건 이모리에게 물어봐. 아무튼 진범에 관한 중요한 사실이야."

"모르다니 말이 돼? 넌 이모리와 동일 인물이잖아."

"새삼스런 말 같지만 동일 인물은 아닌 것 같은 기분이 들어. 연결되어 있기는 하지만."

"아무튼 연결되어 있잖아."

"연결되어 있지."

"그럼 범인이 누구인지 물어봐."

"내가 존재하고 있을 때 이모리의 존재감은 아주 미약해. 그러니까 자신의 견해를 확실하게 남에게 전달할 수 없어."

"답답해 죽겠네. 그럼 어떻게 해야 해?"

"이모리가 되었을 때 추리의 결과만 마음속 깊이 새겨두면 기억해낼 수 있을 거야. 번거로운 추리 과정을 기억해내지는 못하겠지만. 아니면 네가 이모리에게 물어보든지."

"내가?"

"너라기보다는 구리스가와 아리가. 이모리랑 넌 요즘에 제법 친하잖아."

"여전히 오해가 있는 것 같네."

"적어도 이모리는 그렇게 생각해."

"그거, 이모리가 마음속에 담아둔 비밀 아니야? 이모리가 되었을 때 지금 네가 한 말이 생각나면 개 엄청 후회할 텐데."

"괜히 말했나?"

"아니야. 별로 상관없어. 아리도 어렴풋이 느끼고 있었으니까."

"하지만 오해가 있는 거구나."

"응. 오해가 있지."

"나뿐만 아니라 이모리도 오해하고 있는 거고."

"뭐, 그렇지."

"이모리는 실망하려나?"

"글쎄. 그런 건 제쳐놓고, 이모리가 범인을 추리한 과정을 네가 지금 의식 속에서 *끄*집어내면 되는 거 아니야?"

"그게 그렇게 쉬우면 이 고생 안 하지."

"이제 진짜 지구와 이상한 나라를 몇 번이나 왔다 갔다 할 시간 없어. 힘 좀 써봐. 지금 당장 범인을 알고 싶다고."

"말이야 쉽지……" 빌은 난감한 표정을 지었다.

"바빠 보이는데 미안하지만." 어느 틈엔가 메리 앤이 다가와 있었다. "빌에게 전할 말이 있는데 잠깐 실례해도 될까?"

"아. 그래요." 앨리스는 한 발 뒤로 물러섰다.

"뭐야, 누가 나한테 말을 전해달라고 했는데?" 빌이 불안한 듯이 물었다.

"공작 부인이."

"아아. 공작 부인이라면 괜찮아. 공작 부인은 우리 편이거든."

"알리바이도 있고 말이지." 앨리스가 말했다.

"알리바이가 있는지 없는지만 따지면 모두 떠나갈 거야."

"아아. 미안해요. 하기야 알리바이가 확실한 건 너랑 여왕, 그리고 공작 부인 정도니까 별 의미는 없지만."

"나?"

"그리핀이 살해당했을 때 나랑 함께 있었잖아."

"그랬나?"

"아아. 이제 그 이야기는 그만두자."

"그런데 전할 말은 뭐야?"

메리 앤은 빌에게 종이를 건넸다.

"이 종이 뭐야? 코를 풀라고? 아니면 뒤를 닦는 종이?"

"거기에 공작 부인의 말이 적혀 있어."

"뭐라고 적혀 있는지 읽어줘."

"응? 괜찮겠어?"

"이렇게 긴 글은 못 읽어."

"너, 대학원 다니잖아?" 앨리스가 눈을 동그랗게 뜨고 말했다.

"그건 이모리잖아. 난 평범한 도마뱀이니까 글자를 읽을 줄 아는 것만으로도 칭찬받아 마땅하다고."

"으음. 그럼 읽을게." 메리 앤은 종이를 펼쳤다.

"'친애하는 빌에게. 사건에 관해 알려주고 싶은 것이 있으니 지금 당장 공작 저택의 뒤뜰에 있는 광으로 반드시 혼자 오려무나. 공작 부인이.'"

"'오려무나'는 무슨 뜻이야?" 빌이 물었다.

"'와달라'는 뜻이야."

"진범을 알아내는 데 도움이 될 만한 단서라도 찾았나?"

"그럼 나도 갈래." 앨리스가 말했다.

"나 혼자 가는 편이 낫지 않을까?"

"어째서?"

"'반드시 혼자 오라'고 쓰여 있으니까."

"그 말을 엄밀하게 지킬 필요가 있겠어? 내가 따라가는 것 정도는 괜찮잖아?"

"공작 부인도 네가 따라오려 할 거라고 예상치 않았을까?"

"뭐, 그랬겠지."

196

"즉, 이건 앨리스를 데려오지 말라는 뜻일 거야."

"왜 나는 가면 안 되는데?" 앨리스는 불쾌감을 드러냈다.

"네가 알면 안 되는 게 있는 것 아닐까? 예를 들어 범인밖에 모르는 정보라든가."

"내가 알아도 모르는 걸로 해두면 되잖아."

"무심코 입 밖에 낼지도 몰라. 처음부터 모르면 그럴 위험은 사라지지. 아니면 뭉쳐서 행동하는 것 자체가 걱정되는 걸 수도 있고."

"무슨 뜻이야?"

"당연히 범인도 우리 행동을 그냥 보고만 있지는 않을 거야. 너랑 나랑 공작 부인이 한군데 모이는 건 위험할지도 몰라."

"확실히 일리 있네."

"뭔가 알게 되면 바로 연락할게. 내가 너한테 아니면 이모리가 구리스가 아리에게."

"알았어. 그럼 될 수 있는 한 빨리 연락 줘."

뽈뽈뽈 걸어가는 빌의 뒷모습을 보고 앨리스는 왠지 가벼운 불안감을 느꼈다.

14

"히로야마 선생님!" 아리는 역 앞에서 히로야마 부교수를 보고
손을 흔들었다.

그녀 앞에는 남자 중학생 두 명이 서 있었다. 복장이 상당히 불
량한 것으로 보아 히로야마 부교수와 크게 인연이 있을 법한 부
류는 아닌 듯했다. 중학생들은 히로야마 부교수의 손에서 지폐를
받아 들었다.

중학생들은 아리를 흘끗 보더니 땅에 침을 뱉고 물러갔다.

"살았다." 히로야마 부교수는 아리에게 달려와서 안심했다는
듯이 말했다.

"무슨 일 있었어요?"

두 사람은 대학교를 향해서 걸었다.

"느닷없이 시비를 걸더라고. 목숨이 아까우면 돈을 내놓으라지
뭐야."

"돈을 주셨어요?"

"다치거나 죽기는 싫은걸. 반격할 힘도 없고, 도움을 요청할 틈도 없었어."

"저를 보고 도망친 것 같던데요."

"그렇다기보다 목적을 달성했으니까 달아난 것 같아. 요즘 불량배들은 이렇게 직설적으로 협박하나?"

"보통은 돈을 빌려달라는 식으로 말하지 않나요?" 아리는 생각에 잠겼다. "'목숨이 아까우면'이라는 말이 마음에 걸리네요."

"그게 왜?"

"일련의 연쇄살인과 관련되어 있을 것도 같아서요."

"설마, 우연이겠지. 애당초 현실 세계에서 살인은 한 건뿐이잖아."

"그들이 진범과 모종의 관계를 맺었을 수도 있잖아요. 이건 경고일지도 몰라요."

"너무 지나친 생각 아니니? 그런 협박이라면 돈을 빼앗지는 않겠지."

"은근슬쩍 겁을 주려고 그랬는지도 모르죠."

"의심하기 시작하면 한도 끝도 없어. 아무튼 경찰에 피해 신고는 해둘게. 걔들이 체포……랄까, 붙잡혀서 훈계를 받으면 뭔가 알아낼 수 있을지도 모르니까."

"과연 그럴까요? 미성년자니까 피해자에게는 정보를 거의 알려주지 않을 거예요." 아리는 답답한 심정으로 말했다. "그런데 다바타 씨의 상태는 어때요?"

"다바타? 무슨 일 있었어?"

"직접 접촉해봤어요."

"다바타에게?"

"도도새에게요. 앨리스가."

"'범인은 너다!' 이런 식으로?"

"설마요. 그냥 시노자키 교수님을 어떻게 생각하느냐고 물어봤을 뿐이에요."

"그러니까 뭐라고 대답했는데?"

"대답이라고 할 만한 말은 못 들었어요."

"당연해. 동기에 직결될 법한 질문을 던졌으니 자신을 범인으로 의심하고 있다고 받아들였을 거야."

"앨리스는 수사의 일환으로 물었을 뿐인데요."

"도도새한테도 그렇게 설명했니?"

"예. 똑똑히요."

"하지만 대답해주지 않았고."

"이해가 가세요?"

"응. 보통 그렇게 반응하지 않겠니?"

"난감했어요. 증언을 얻어내려면 사과하는 편이 나을까요?"

"무슨 말을 해도 역효과일걸. 완고해질 뿐이지."

"그런가요. 일단 이번 일은 이모리하고도 상의해볼게요."

"어?" 히로야마 부교수는 작게 비명을 질렀다.

"왜요?"

"너, 아직 이모리에게 무슨 일이 있었는지 못 들었어?"

불길한 예감이 들었다. 가능하다면 지금 이야기는 못 들은 것으

200

로 해두고 싶었다.

하지만 그럴 수는 없겠지.

"예. 아무것도 못 들었는데요. 이모리에게 무슨 일 있었나요?"

"빌에게 무슨 일이 생겼는지 확인해봐야겠지만, 적어도 현실 세계에서는 사고였대."

"무슨 일이 있었는데요?" 아리는 자기 몸이 덜덜 떨리는 것을 느꼈다.

"나도 잘은 몰라. 그냥 이모리가 사고를 당했다는 소식만 들었어."

"누구한테 들었는데요?"

"다바타."

"그 사람은 어떻게 알고 있었던 거죠?"

"우리가 이야기해줬거든." 때마침 대학 정문에 도착했을 때 뒤에서 귀에 익숙한 목소리가 들렸다.

아리가 뒤돌아보자 다니마루 경감과 니시나카지마 순경이 서 있었다.

"이모리는 많이 다쳤나요?"

"아아. 많이 다쳤죠." 니시나카지마가 대답했다.

"하지만 생명에는 지장이 없죠?"

"누구한테 그런 이야기를 들었죠?"

"아무한테도 안 들었어요. 그냥 그런 생각이 들었을 뿐이에요."

"근거는 뭡니까?"

"근거는 없어요. 그냥 그런 생각이 들었다니까요."

"그렇군요." 니시나카지마는 머리를 긁적였다. "경감님, 구리스가와 씨에게 뭔가 질문하시겠습니까?"

"우리가 질문하기에 앞서 구리스가와의 질문에 답하는 게 먼저겠지."

"아아. 그러고 보니 그렇군요." 니시나카지마는 아리의 얼굴을 보고 뭐라고 말하려다가 입을 딱 멈췄다.

"왜 그러나, 니시나카지마."

"무립니다." 니시나카지마는 울상을 지었다. "제게는 무립니다."

"그럼 내가 말하지." 다니마루 경감은 체념한 듯한 표정을 지었다. "그 전에 한 가지만 물어봐도 될까?"

"내 질문에 대답하기 전에 도대체 질문을 몇 개나 할 생각이에요?"

"기본적으로는 한 가지만 더. 의문이 더 생기면 추가할지도 모르지만 일단 이 질문에 대답해줘. 너랑 이모리는 약혼자나 연인, 또는 그에 준하는 관계인가?"

아리는 잠시 생각하다 고개를 저었다. "아닌데요."

"그럼 그냥 친구라는 말이로군."

"아는 사람 이상 친구 미만이라고나 할까요."

"즉, 그에게 어떤 일이 일어나도 마음이 많이 아프지는 않겠어."

"친구나 아는 사람에게 무슨 일이 생기면 걱정하는 게 당연하지 않아요? 도대체 아까 전부터 뭐예요?" 아리는 참다못해 짜증을 냈다.

"그걸 직접 보여주는 건 역시 힘들 것 같군." 경감이 혼잣말처럼 말했다.

"아마도 그렇겠죠." 니시나카지마가 동의했다. "사진으로 할까요?"

다니마루 경감은 말없이 고개를 끄덕였다.

니시나카지마는 호주머니에서 사진을 꺼냈다. "발견됐을 때 이런 상태였습니다."

처음에는 그것이 뭔지 짐작이 가지 않았다.

정체 모를 빨간 뭔가가 인간의 옷을 입고 있었다.

자세히 보자 빨간 뭔가에는 희미하게 굴곡진 부분이 있었다. 구멍이 세 개 있으면 인간의 얼굴로 보인다는 심령사진의 법칙대로 어쩐지 인간의 얼굴처럼 보이기도 했다.

아니. 오히려 백골과 비슷하다고 할까. 그러고 보니 두둘두둘한 부분은 마치 인간의 이 같았고, 털이 듬성듬성한 먼지떨이 같은 부분은 머리카락의 잔해로 보이기도 했다.

하지만 그렇게 받아들이려면 상상의 나래를 활짝 펼칠 필요가 있었다. 대충 한 번 본다면 어린아이가 빨간 찰흙으로 괴수를 만들다가 내팽개친 것 같다는 인상을 받을 것이다.

"그래서, 이게 뭔데요?"

"역시 설명을 안 하면 모르겠습니까?" 니시나카지마는 안쓰럽다는 듯이 말했다.

"그야 그렇겠지. 느닷없이 이런 걸 보고 뭔지 알아보는 사람은 별로 없을 거야." 다니마루 경감이 말했다. "설명해주게, 니시나카지마."

"그러니까 말이죠." 니시나카지마는 먼 산을 바라보는 것 같은 눈빛으로 말했다. "이 사진에 찍혀 있는 옷을 본 기억 없습니까?"

아리는 옷을 보았지만 이런 새빨간 옷은 본 기억이 없었다.

"이렇게 빨간 옷은 없는데요."

"이건 당신 옷도 아니고, 빨간색 옷도 아닙니다."

"그럼 뭔데요?"

"이모리 씨의 파란색 옷입니다."

"무슨 말인지 이해가 안 가는데요."

"설마요. 아주 단순한 어구인걸요. '이모리, 씨, 의, 파란색, 옷, 입니다.' 단어로 치면 고작 여섯 단어예요. 서술격 조사 '이다'의 활용 형태인 '입니다'는 제외해도 뜻이 통하고요."

"문장이 어렵다는 게 아니고요."

"그럼 뭐가 어려운데요?"

"사진과 형사님 말이 일치하질 않잖아요. 이건 빨간색인걸요."

"예. 빨간색이네요."

"그럼 빨간 옷이죠."

"뭐, 이때는 이미 빨간색 옷이었는지도 모르겠군요. 다만 원래 는 파란색이었다는 뜻입니다."

"그럼 빨갛게 물들었다는 건가요?"

"예! 그겁니다! 빨갛게 물들었어요."

"빨갛게 물들다니, 도대체 어쩌다……." 아리는 별안간 깨달았다. "이거 피인가요?"

"피입니다."

"누구 피인데요? ……앗. 아니요. 말하지 않아도……."

"이모리 씨의 피입니다."

"아아아아." 아리는 저도 모르게 낙담한 목소리를 흘렸다.

그럼 역시 굉장히 많이 다친 거야.

"그래서, 이모리의 상태는 어떤가요?"

니시나카지마는 약간 난처하다는 듯이 집게손가락으로 콧등을 긁적이더니 손가락으로 사진에 찍힌 빨간 덩어리를 툭툭 쳤다.

"이 빨간 찰흙이 왜요?"

"그게, 찰흙이 아닙니다."

"그럼 뭔가요? 아까 전부터 계속 뜸만 들이는데 빨리 뭐가 어떻게 된 건지 말씀해주세요."

"얼굴입니다."

"예?"

"이거, 얼굴입니다."

"빨간 찰흙으로 얼굴을 만들었다는 뜻인가요?"

"그러니까, 빨간 찰흙이 아닙니다."

"그럼 뭔데요?"

"주로 갈기갈기 찢긴 근육이죠. 그리고 약간의 지방과…… 이 부분은 연골이고, 이건 이, 이건 아마 뇌수의 일부가 아닐까 싶습니다."

"빨간 찰흙으로 얼굴을 만들었다는 뜻인가요?"

"그러니까, 빨간 찰흙이 아니라고요."

그럼 뭐지?

아니야. 말하지 마.

"이건 이모리 씨입니다. 정확하게는 이모리 씨의 얼굴이었던 것이죠."

"얼굴……이었다?"

"피부, 지방, 눈알, 근육이 반쯤 없어졌으니 더 이상 얼굴이라고 하기는 뭐하죠. 눈코도 없을뿐더러 아무 표정도 못 지으니까요."

"농담……이죠?"

"그런 질 나쁜 농담을 하는 악취미는 없습니다."

안 돼애애애애!

아리는 소리를 질렀지만 목소리는 나오지 않았다. 그저 공기를 푸푸 내뿜을 뿐이었다. 다리가 풀려서 제자리에 털썩 주저앉았다.

"뭐, 그렇죠. 시체 중에서도 상당히 딱한 축에 들 겁니다."

"시체?" 아리는 자신이 한 말의 의미를 곱씹었다.

누구 시체?

"예. 이미 시체입니다. 다행스럽게도."

"다행?"

누가 다행인데?

"그렇습니다. 이런 상태로 살아 있는 것보다야 시체가 되는 편이 차라리 다행이겠죠."

아리는 니시나카지마의 손에서 사진을 낚아챘다.

빨간 찰흙은 천천히 형태를 이루어 끔찍한 사람의 얼굴로 변모했다.

피부는 벗겨졌고, 근육도 엉망진창으로 찢어졌다. 눈알은 어디로 갔는지 흔적도 없었고, 비강이 훤히 드러나 안쪽 코곁굴*의 입

*콧구멍이 인접해 있는 뼈 속 공간으로 굴처럼 만들어져 공기로 차 있는 부위.

구까지 확인이 가능했다. 눈구멍과 비강 사이의 뼈에는 있어서는
안 될 구멍이 뚫렸고, 그 구멍으로 연한 내부 조직이 보였다.

웩!

뭔가 쿨럭쿨럭 쏟아지는 불쾌한 소리가 들렸다.

"어이쿠, 조심하십시오."

"예?"

"사진이 더러워지지 않도록 조심하시라고요."

그렇구나. 나, 토했구나.

왜지? 병인가?

"죄송해요." 아리는 입을 눌렀다.

손가락 사이로 토사물이 줄줄 새나왔다.

"경감님, 어쩌죠? 자꾸 토하는데요."

"음. 역시 자극이 너무 강했나. 마음이 굳센 아가씨인 줄 알았는
데 너무 끔찍했던 모양이군."

끔찍하다고? 아아. 나, 이모리의 시체를 보고 속이 거북해졌구
나. 병에 걸린 게 아니야. 하지만 왜 내가 토하는 줄도 몰랐을까?

분명 너무나 무서워서 내 의식이 이해하기를 거부한 거야. 하지
만 잠재의식은 제대로 이해하고 이해한 사실에 상응하는 반응을
한 거지.

그럼 어떻게 해야 하지? 이대로 계속 이해하기를 거부해? 아니
야. 안 돼. 난 벌써 이해했는걸.

"괜찮아요……. 웩!"

"아니요. 안 괜찮은 것 같은데요. 아직도 토하잖아요." 니시나

카지마가 참 별난 구경을 다 한다는 듯이 말했다.

"이제 더는 토할 것도 없으니까…… 괜찮아요."

"그렇군요. 이제 위액밖에 나오질 않네요."

"도대체, 무슨 일이…… 생긴 건가요? 살해당했나요?"

"아니요. 사고입니다. 적어도 이쪽 세계에서는."

"저쪽에서는…… 어떻게 됐는데요?"

"그건 아직 모릅니다. 내일 아침에 일어나보면 알겠지만."

"도대체 무슨 사고가…… 난 거예요?"

"오호. 확실히 아무것도 안 나오는군요. 구역질은 계속 나는 것 같습니다만."

"가르쳐……주세요."

"술에 취한 모양입니다." 니시나카지마는 호주머니에서 티슈를 꺼내 사진을 닦았다. "거나하게 취한 나머지 길바닥에서 잠들어 버렸어요."

"목격자가 있었나요?"

"아니요. 상황증거로 추정했습니다. 그리고 잠든 상태에서 토했죠. ……지금 당신과 같은 상황이네요."

"그래서 질식사를? 숨이 막혀 죽었는데 이런 상태가…… 되지는 않을 텐데요?"

"맞습니다. 숨이 막혀서 이렇게 된 게 아니에요. 이모리 씨는 잔뜩 취했지만 질식사한 건 아닙니다."

"그럼 왜 이런 꼴이?"

"들개 때문이에요."

"예?"

"최근에는 정말로 보기 드문데요. 하지만 완전히 없어진 건 아닌 모양입니다. 어제도 보건소에서 한 마리를 보호했다는군요."

"보호하나요?"

"뭐. 보호한다고 해도 기를 사람이 없으면 결국 살처분하지만요." 니시나카지마는 수첩에 적힌 것을 읽었다. "그런데 그 개가 너무 피에 젖어 있어서 경찰에 문의했습니다. 다치지는 않았지만 피에 젖은 개가 있는데 누가 개에게 물린 것 아니냐고요. 그래서 이모리 씨가 발견됐죠."

"개에게 습격당한 건가요?"

"습격당했다고 할까, 토사물 냄새를 맡고 온 개가 이모리 씨의 얼굴을 먹었습니다."

"잠자코 자기 얼굴을 먹게 둘 리가…… 없잖아요."

"그야 그렇죠. 하지만 안타깝게도 이모리 씨는 만취한 상태였습니다. 어쩌면 얼굴을 물렸다는 건 알아차렸을지도 모르죠. 그렇지만 충격과 출혈 때문에 의식을 잃은 것 같습니다."

"타살인가요?"

"사고죠."

"이런 사고가 있다고요?"

"있느냐 없느냐를 물으신다면 있죠. 실제로 이런 식으로 사망하지 않았습니까."

"살해당한 거예요."

"아니요. 사고입니다."

"사고라는 증거는 있나요?"

"타살이나 자살이라는 증거가 없으면 사고입니다."

"수긍 못 하겠어요."

"난처하네요. 하지만 당신이 수긍하든 말든 상관없습니다."

"이게 사고라니, 저도 이상하게 느껴지는데요." 히로야마 부교수가 말했다.

"당신은?" 다니마루 경감이 물었다.

"히로야마라고 해요. 대학교에 부교수로 있어요."

"히로야마 선생님……. 최근에 어디서 성함을 들어본 것 같은데."

"시노자키 연구실의 멤버예요."

"아아. 식중독으로 돌아가신 그……."

"그것도 살인이에요."

"흘려들을 수 없는 말씀이로군요. 정말입니까?"

"예. 정말이죠."

"무슨 증거가 있습니까?"

"예. 구리스가와에게 들었어요."

"구리스가와, 뭔가 증거가 있나?"

"증거는 없어요."

"그럼 그냥 추측인가?"

"단순한 추측은 아니에요. 사실이에요."

"이것 참 곤란하군."

"이제 시치미는 그만 떼지그래요. 당신들도 알잖아요."

"가정 아래 나눈 이야기라면 알지."

"가정이 아니에요."

"객관적인 증거는 없지만 실제로 체험했다고 말하고 싶은 건가."

"예, 그래요."

"하지만 그건 어디까지나 주관적인 이야기야."

"객관적으로 설명할 수 없는 현상이니까 어쩔 수 없잖아요."

"하지만 증거가 없으면 경찰은 못 움직여."

"당신들은 아무 쓸모도 없다 그건가요?"

"그런 말은 안 했어. 허나 지금 같은 상황에서는 사람들을 지키기 힘들어."

"그럼 어떻게 해야 하는데요? 잠자코 죽으라는 거예요?" 아리는 그만 언성을 높이고 말았다.

"너도 표적이라고?"

"애는 사정이 좀 달라요." 히로야마 부교수가 말했다.

"사정이?"

아리는 히로야마 부교수에게 고개를 저었지만 히로야마 부교수는 눈치채지 못한 것 같았다.

"그래요. 애는 아마도 직접적인 표적은 아닐 거예요. 하지만 이대로 가다가는 죽을 거라고요."

"무슨 소리죠? 혹시……."

"알았다!" 니시나카지마가 외쳤다. "이 아가씨는 앨리스야. 살인사건 용의자인."

"과연." 다니마루 경감의 눈이 빛났다.

"좀 물어봐도 될까?" 니시나카지마가 말했다. "너 정말로 범인 아니야?"

"난 범인 아니에요."

"하지만 상황증거로 보건대 네가 제일 수상하다고. 험프티 덤프티가 살해당했을 때는 목격자가 있었고, 그 후에 사건이 발생했을 때도 알리바이가 없어. 그리고 흰토끼와 빌. 이 둘은 너와 가까웠어. 너와 행동을 함께하다가 뭔가 알아냈을지도 몰라."

"그러니까 흰토끼와 빌은 얘한테 불리한 증거를 찾아냈기 때문에 살해당했다는 건가요?"

"그런 식으로 말하면 마치 구리스가와 씨가 범인 같지 않습니까?" 니시나카지마가 불만스러운 듯이 말했다.

"아니. 자네는 줄곧 그런 식으로 말했는데."

"어떤 식으로요?"

"마치 구리스가와가 범인 같다는 식으로. 구리스가와, 미안하네."

"괜찮아요. 의심받고 있는 건 사실이니까."

"그런데 어떻게 할까요, 경감님? 이 아가씨를 계속 감시할까요?"

"그래봤자 아무 의미도 없겠지. 어차피 살인은 저쪽에서 발생하니까. ……앗. 아니. 네가 범인이라는 말은 아니야, 구리스가와."

"저쪽에서는 확실히 감시하고 있으니까 괜찮겠죠." 니시나카지마가 말했다.

"험프티 덤프티가 죽었을 때부터 날 정말로 확실하게 감시했다면 그 이후의 살인사건을 저질렀다는 혐의는 받지 않았을 텐데……."

"연쇄살인이 일어날 가능성은 전혀 염두에 두지 않았거든. 미안해."

"어느 쪽이에요? 얘가 범인이에요? 아니면 진범이 따로 있는 거예요?" 히로야마 부교수는 불안한 듯한 기색을 보였다.

"그걸 단언할 수 있을 만한 상황이 아닙니다."

"만약 얘가 범인이라면…… 그리고 만약 얘가 범인이라는 증거를 제가 찾아낸다면……."

"살해당할지도 모르죠." 니시나카지마가 말했다.

"절대로 그럴 일 없으니까 안심하세요." 아리가 말했다.

"그럼 만약 얘가 범인이 아니고 진범이 따로 있다면?" 히로야마 부교수가 물었다.

"이 아가씨에게 죄를 뒤집어씌우기 위해 진범이 선생님을 죽이겠죠." 니시나카지마가 말했다.

"잠깐만, 그게 무슨 소리예요?"

"지금 말씀드린 그대로인데요."

"그런 어처구니없는 이야기가 어디 있어요? 전 그저 애들의 이야기를 잠깐 들어줬을 뿐인데요?"

"애들?" 다니마루 경감이 말했다.

"얘랑 다른 애, 오늘 죽은 애요."

"두 사람이 선생님한테 이야기를 했군요."

"예. 느닷없이 연구실로 찾아와서 이상한 나라와 현실 세계의 살인이 연결되어 있다는 이야기를 하고 갔어요."

"과연. 너희 두 사람은 독자적으로 조사를 하고 있었구나."

"제 몸을 지키기 위해서였어요."

"하지만 너희는 프로 수사관이 아니야."

"수사관을 신용하라는 건가요?"

"신용할 수밖에 없을 텐데."

"못 믿겠어요. 리오 씨도 이모리도 못 구했잖아요."

"만약 너희가 협력해줬다면 구할 수 있었을지도 모르지."

"협력하고 싶어도 아무 할 말도 없다고요."

"정말? 이모리가 살해당한 데는 무슨 이유가 있을 거야. 이모리가 범인에 관련된 이야기를 하지 않았나?"

"아니요."

"그렇다면 빌이 한 말이라도 상관없어. 짐작 가는 거 없어?"

"그러고 보니 '진범이 누군지 확인할 수 있는 중요한 사실을 알아차린 것 같은 기분이 들었다'고 했는데요."

"뭐라고! 그 사실이 뭔데?"

"그건 몰라요."

"그런 말까지 들어놓고 왜 가장 중요한 걸 물어보지 않은 거야?"

"저도 물어보고 싶었지만 빌도 기억이 안 나는 것 같았어요."

"즉, 이모리의 추리였다는 건가?"

"맞아요. 다만 그 추리가 빌에게는 너무 복잡했던 모양이라."

"그것참 골치 아프게 됐군." 니시나카지마가 무표정을 유지한 채 말했다.

"이모리가 진범에 관한 중대한 사실을 알아차렸다는 걸 진범이 눈치챘는지도 몰라." 다니마루 경감이 말했다.

"난 그만둘래!" 히로야마 부교수가 당장에라도 울음을 터뜨릴 것 같은 표정으로 말했다. "구리스가와. 미안해. 하지만 무서워. 이대로 가다가는 나도 살해당할 것 같아."

"하지만 진범을 못 잡으면 진정한 의미의 위험은 사라지지 않습니다." 다니마루 경감이 타일렀다.

"그렇겠죠. 하지만 제가 뭘 할 수 있겠어요?"

"수사에 협력하실 수 있습니다."

"말이야 그렇지만 전 정말 아무것도 몰라요."

"뭔가 생각나는 것 없습니까? 현실 세계의 일이든, 이상한 나라의 일이든 상관없습니다."

"그러고 보니 구리스가와에게 아직 말하지 않은 게 있어요."

"뭡니까?"

"싫어요. 말하고 싶지 않아요."

"어째서요?"

"범인에게 불리한 일일지도 모르니까요."

"만약 그렇다면 더더욱 듣고 싶습니다만."

"안 돼요. 실제로 네 명이나 살해당했잖아요. 다음은 제가 아니라고 보장할 수 있어요?"

"난처하군요. 범인이 붙잡히면 선생님의 위험도 사라지는 셈인데요."

"어차피 현실 세계에서는 체포 못 하잖아요."

"그럴지도 모르지만 누가 범인인지 알면 나름대로 대처할 수 있습니다. 또한 살인을 자행한 곳인 이상한 나라에서는 체포도 가능하고요."

"꿈속에서 체포한들 아무 소용도 없지 않겠어요?"

"뭐, 꿈이라고 하면 꿈이지만…….'

"실례지만, 이제 가봐도 될까요? 이 일에 더 이상 관여하다가는 정신이 못 버틸 것 같아요."

"그렇습니까. 뭐, 어쩔 수 없죠. 다만 혹시 마음이 바뀌면 이야기를 들려주십시오."

"마음이 바뀔 일은 없을 것 같네요. ……그리고 구리스가와."

"아, 예." 느닷없이 이름을 불리는 바람에 아리는 당황했다.

"정말 미안해. 진범을 규명하는 데는 힘이 되어줄 수 없겠지만 사건이 해결되면 또 연구실에 놀러 오렴."

"예. 저야말로 무서운 사건에 끌어들여서 죄송해요."

히로야마 부교수는 주변을 흘깃거리며 종종걸음으로 멀어져갔다.

"자, 이제 어떻게 할까?" 다니마루 경감은 도무지 어떻게 해야 할지 모르겠다는 투로 말했다.

"뭘 고민하는 건데요?"

"널 어떻게 하느냐가 고민이야. 이대로 내버려둬도 될까?"

"도주하거나 증거를 인멸할 가능성이 있으니까요." 니시나카지마가 말했다.

"또 범인 취급이에요?" 아리는 발끈하여 말했다.

"어디까지나 가능성의 문젭니다."

"난 구리스가와가 범인일 가능성에 대해서는 그렇게 걱정하지 않아. 그것보다 오히려 범인이 아닐 경우가 문제지."

"어째서요, 경감님? 범인이 구리스가와 씨를 죽이기라도 한다
는 겁니까?"

"그럴 가능성은 거의 없겠지. 범인은 구리스가와에게 죄를 뒤집
어씌우고 싶어 하니까, 구리스가와가 죽으면 역효과야."

"그럼 구리스가와 씨는 별일 없겠군요. 뭘 걱정하시는 겁니까?"

"범인이 구리스가와의 주변 사람에게 위해를 가할까 봐 걱정이
지. 아까 히로야마 선생님도 걱정했잖아."

"즉, 히로야마 선생님이 위험하다?"

"그래. 히로야마 선생님은 구리스가와랑 친하니까."

"아니요. 그렇게 친하지는 않은데요." 아리는 허둥지둥 부정했
다. "다 합쳐봤자 고작 두세 번 만났을 뿐이에요."

"실제로 친하냐 친하지 않느냐는 문제가 아니야. 주변에서 어떻
게 느끼느냐가 문제지."

"게다가 이상한 나라에서 우리는 완전히 소원한 사이라고요. 옛
날에 한두 번 만난 적은 있지만요."

"흐음. 두 사람은 저쪽에서도 아는 사이로군."

"아니요. 예전에 아는 사이였다고 말해야겠죠. 최근에는 격조
했어요."

"그런데 히로야마 선생님은 누구지?"

"별로 말하고 싶지 않은데요."

"정보를 제공하고 싶지 않다는 건가?"

"그걸 알고 나서 형사님들의 움직임이 어떻게 달라질지가 걱정
이에요. 저쪽에서 히로야마 선생님의 행동을 제약하는 게 아닐까

싶어서요."

"그런 일은 절대로 없을 거라고 약속하지."

어떻게 하지? 만약 두 사람이 저쪽 세계에서 우리를 적대시하면 히로야마 선생님까지 피해를 입을지도 몰라. 하지만 반대로 두 사람이 우호적으로 나온다면 히로야마 선생님을 포함하여 강력한 연대를 구축할 수 있을지도 모르지.

"히로야마 선생님은 공작 부인이에요."

메모를 하던 니시나카지마가 손을 멈추었다. "정말로요?"

"예."

"공작 부인이라." 경감이 탄식하듯이 말했다.

"히로야마 선생님이 공작 부인이면 곤란한가요?" 아리가 물었다.

"뭐. 곤란하냐 곤란하지 않느냐를 묻는다면 좀 곤란할지도 모르겠군."

"그렇습니까? 그렇게 곤란하지는 않을 것 같은데요." 니시나카지마가 말했다.

"어쩐다?" 경감이 말했다.

"그렇게 난처한가요?" 아리는 물었다.

"응. 뭐." 경감이 대답했다. "공작 부인은 그, 뭐랄까, 저쪽에서는 실력자니까."

"그렇죠, 그렇죠. 실력자죠." 니시나카지마가 동의했다.

"실력자면 난처한가요?" 아리는 다시 물었다.

"난처하다고 할까⋯⋯. 뭐, 난처하지." 경감은 난감해했다. "어떻게 할까, 니시나카지마?"

"역시, 그렇죠. 이상한 나라에서 공작 부인을 조사하지 말고, 현실 세계에서 히로야마 선생님께 사정을 듣는 게 좋지 않겠습니까?"

"아아. 그야 그렇겠지."

"일단 이쪽 세계에서도 조사하는 거군요." 아리는 말했다.

"뭐. 조사하지 않을 수는 없으니까." 다니마루 경감은 떨떠름한 듯이 말했다.

"이제 히로야마 선생님은 조사하지 않는 줄 알았어요."

"그러면 얼마나 좋겠냐만." 다니마루 경감은 말했다. "뭐. 일단 상황을 조금 더 봐야 할 것 같기는 해."

"그렇죠. 저도 동의합니다. 상황을 조금 더 보시죠." 니시나카지마도 찬성했다.

뭐야, 이 사람들? 권력자에게는 손을 못 대는 거야?

아리는 더더욱 환멸감을 느꼈다.

15

광의 축축한 느낌은 제법 마음에 든다.

빌은 그렇게 생각했다.

하지만 공작 부인의 집 뒤뜰에 있는 광에는 처음 들어와본다.

"실례합니다." 빌은 광 입구에서 정중하게 인사했다.

잘 생각해보니 여기서 인사하는 것보다는 뒤뜰 입구에서 인사하는 편이 나았을 것 같았다.

하지만 뒤뜰 입구 부근에 인기척은 없었으며 무엇보다 문도 달려 있지 않았다. 자유로이 드나들 수 있는 공간이니까 인사 없이 들어오는 것이 당연하다는 기분도 들었다.

하기야 광 주변에도 인기척은 없었다. 하지만 일단 문이 달려 있으니까 멋대로 들어가지 말고 인사를 하고 나서 문을 여는 것이 예의일 것이다.

안에서는 아무 대답도 없었다.

아무도 없나?

빌은 귀를 기울였다.

무슨 소리가 났다. 인간이 활동하는 것처럼 부스럭부스럭하는 느낌은 아니었다. 오히려 육식동물이 배가 고파서 신경이 곤두섰을 때 내는 소리와 비슷했다.

하지만 그럴 리 없다. 왜냐하면 여기는 공작 부인의 집 뒤뜰에 있는 광이니까. 설령 공작 부인이 육식동물을 키운다고 해도 광 같은 곳에서 키우지는 않겠지.

아아. 하지만 나도 육식동물인가. 이 축축한 느낌은 싫지 않아. 그렇다면 나 같은 육식동물을 키우는 걸까?

"실례합니다." 빌은 다시 한 번 정중하게 인사했다.

여전히 대답은 없었다. 그리고 육식동물이 내는 듯한 소리가 들렸다.

빌은 가볍게 문을 두드렸다.

역시 대답은 없었다. 육식동물이 내는 듯한 소리에도 변화는 없었다. 즉, 반응하지 않았다는 뜻이다.

혹시 안에 있는 동물은 내 말을 못 알아듣는 걸까?

이상한 나라에 사는 짐승은 두 종류다. 하나는 지구의 짐승과 마찬가지로 인간의 말을 알아듣지 못하는 야생동물이다. 그리고 다른 하나는 빌이나 3월 토끼, 그리고 체셔 고양이처럼 인간의 말을 이해하는 의인화된 동물이다.

왜 특정한 짐승만 의인화되었는지 그 이유는 모른다. 또한 엄밀히 따지자면 인간 또한 의인화된 것과 되지 않은 것 두 종류로 구분할 수 있을지도 모른다. 하지만 의인화되지 않은 인간과 의인화된 인간은 구별이 되지 않으므로 정말로 두 종류인지는 수수께 끼로 남아 있다.

뭐, 어느 쪽이든 지장은 없으므로 빌은 원래부터 신경 쓰지 않았지만.

바로 지금 시급한 과제는 광에 들어가느냐 마느냐다.

공작 부인이 광으로 들어오라고 편지에다 썼으니 들어가지 않으면 실례겠지. 하지만 아무에게도 허락을 받지 않았는데 들어가는 것 또한 실례야.

아니지. 공작 부인이 들어오라고 했으니까 이미 허락은 받은 셈인지도 몰라. 그렇다면 들어가야겠지.

아아. 골치야. 머릿속이 좀 복잡해졌어. 이럴 때 이모리였다면 생각이 깔끔하게 정리될 텐데.

그러고 보니 범인에 대해 생각난 게 있었던가. 도대체 뭐였더라?

육식동물이 내는 듯한 소리가 조금 거칠어진 것 같았다.

즉, 내 존재를 알아차렸다는 건가? 내가 내뿜는 냄새나 초음파, 적외선, 전자파 같은 걸 느꼈다는 뜻? 하지만 나는 냄새가 별로 나지 않으니까 분명 코가 엄청나게 좋거나, 아니면 냄새 말고 다른 신호를 포착했겠지.

어쩌면 소리의 변화는 어서 들어오라는 의사 표시일지도 모르겠군.

결국 빌은 고민한 끝에 절충안 하나를 내놓았다.

양해를 구하는 말을 하면서 안에 들어가는 것이다. 그러면 적어도 도둑질 같은 못된 짓을 할 생각이 없음을 알아줄 것 같았다.

"이보세요. 들어가겠습니다. 괜찮죠? 도둑 아니에요. 지금 문을 열겠습니다. 놀라지 마세요. 자. 들어갑니다. 조금 열었어요. 좀 더 열게요. 안이 보이네요. 아무도 보이지 않지만 어딘가에 계시겠죠. 이제 들어갑니다. 한 발짝 들어갔습니다. 다른 발도 집어넣을게요. 완전히 들어왔습니다. 문 닫습니다. 앗. 캄캄해졌다."

빌은 밤눈이 어느 정도 밝은 데다 적외선도 감지할 수 있어서 옴짝달싹도 못할 정도는 아니었지만.

그러고 보니 이모리가 알고 있는 지식에 따르면 지구에서 피트 기관*을 지니고 있는 건 도마뱀이 아니라 뱀이었지. 그렇다면 난 도마뱀이 아니라 뱀인가? 하지만 뱀이라면 손발이 없을 거야. 아아. 하지만 장지뱀한테는 발이 있구나. 그거 뱀? 아니면 도마뱀? 어느 쪽이지? 다음에 이모리가 됐을 때 잘 생각해보자.

너무 어두우니까 일단 문을 조금 열어서 밝게 하자. 공작 부인은 인간이니까 밝은 편이 낫겠지. 하지만 앨리스 말에 따르면 공작 부인의 아이는 돼지였다니까 의외로 인간이 아닐지도 모르겠네. 그렇다면 뭘까? 인돈(人豚)?

빌이 다시 문손잡이를 잡은 순간, 찰칵 소리가 났다. 그리고 문은 꿈쩍도 하지 않았다.

응? 어떻게 된 거지? 문이 잠겼나? 내가 뭔가 저지른 거야? 뭐. 됐어. 공작 부인한테 열어달라고 하자. 만약 공작 부인이 광에 없다면? 그래. 그때는 여기 있는 육식동물한테 열어달라고 하면 되

---

*뱀의 입 근처에 있는 작은 열 감지 기관. 적외선으로 열을 감지한다.

겠다.

 ……하지만 그 육식동물이 인간의 말을 알아듣지 못한다면? 그때는 어떡하지?

 인간의 말을 알아듣지 못할뿐더러 나보다 큰 육식동물이라면? 나를 친구로 여기지 않고 먹이로 생각할지도 몰라. 그건 싫은데. 난 먹히는 데는 익숙하지 않아.

 "저기요. 공작 부인 계세요? 문이 잠겼어요. 갇혀서 무서우니까 열어주시지 않겠어요? 여기에는 육식동물이 있는 모양이에요."

 쿵!

 뭔가가 바로 옆으로 뛰어내렸다.

 크다. 크기가 빌의 열 배는 될 것 같았다.

 비릿한 냄새가 사방에 진동했다.

 침이 계속 뚝뚝 떨어졌다.

 "저기. 실례합니다." 빌은 그 짐승에게 말을 걸었다. "무슨 말인지 알아듣겠죠? 지금 여기서 나갈 수가 없는데 문 좀 열어주시지 않겠어요?"

 짐승에게서 마치 뭔가가 타닥타닥 타들어가는 것 같은 소리가 났다. 온몸에서 희미하게 연기가 피어오르고 있었다.

 설마, 그런.

 빌은 천천히 뒷걸음질했다.

 기분 탓이야. 그럴 리 없어.

 짐승이 포효했다.

 타다 남은 재가 사방팔방으로 풀풀 흩어졌다.

훈노*하는 밴더스내치!

빌은 낙관적인 도마뱀이었다. 그러므로 어떤 일이든 쾌활한 태도로 받아들이는 것쯤은 식은 죽 먹기였다.

하지만 이 순간, 빌은 절망했다.

엎드리면 코 닿을 곳에 훈노하는 밴더스내치가 있다. 그 어떤 일이 이것과 같은 크기의 절망감을 초래할지는 상상하기조차 힘들다. 근처에 있는 스나크가 부점이라는 것을 알거나 보펄 검 없이 재버워크와 맞서야 지금에 필적하는 절망감을 느끼지 않을까?

밴더스내치는 훈노하고 있었다. 그것만은 틀림없다.

빌은 주변을 둘러보았다. 어디 숨을 곳이 없을까 싶어서였다.

여기저기에 물건이 어수선하게 놓여 있었다. 광이니까 당연하다. 그리고 광 안쪽에는 2층으로 올라가는 계단이 있었다. 경사가 수직에 가까워서 계단이라기보다는 거의 사다리나 마찬가지였다. 하지만 빌은 도마뱀이므로 별로 힘들지 않고 올라갈 수 있다. 문제는 훈노하는 밴더스내치다. 빌이 달려가는 순간에 물어 죽일지도 모른다.

물론 2층으로 올라간다고 해도 반드시 살아난다는 보장은 없다. 하지만 여기 있으면 목숨은 앞으로 몇 초밖에 부지하지 못할 것이다.

빌은 달렸다.

그리고 밴더스내치는 그 몇 배나 되는 속도로 목을 뻗어 빌의

*燻怒. 원문에서는 루이스 캐럴이 만들어낸 단어 'frumious'를 연기가 피어오를 만큼 화를 낸다는 뜻인 '이부리쿠루에루(燻り狂える)'로 표현했다. 여기서는 미칠 광(狂) 자를 빼고 성낼 노(怒) 자를 넣어 '분노(憤怒)'와 비슷한 발음이 되도록 옮겼다.

몸을 물어뜯었다.

밴더스내치가 빌의 꼬리를 씹는 동안 빌은 계단을 뛰어 올라갔다.

다행히도 자신이 도마뱀이라는 사실이 때마침 기억났다. 꼬리를 잘라내는 것이 1초만 더 늦었다면 지금쯤은 살점이 잘게 저며져 밴더스내치의 배 속에 들어갔을 것이다.

빌은 2층 바닥에 섰다.

……그렇게 생각했을 때는 이미 넘어진 뒤였다.

얼레, 어떻게 된 거지? 허리를 삐끗했나?

하지만 허리가 어떻게 된 것 같은 느낌은 아니었다.

혹시 난 꼬리가 없으면 제대로 못 서는 건가?

확실히 그럴 듯한 이야기였다. 카메라의 삼발이는 다리가 세 개니까 서 있을 수 있다. 두 개라면 바로 쓰러질 것이다.

설 수 없다면 어떻게 해야 하지? 도마뱀처럼 발발 기어 다닐 수밖에 없나? 뭐, 도마뱀이니까 상관없지만.

빌은 꼬리를 만져보았다.

생각했던 것보다 더 짧아졌다. 더 아래쪽인 줄 알았는데 거의 엉덩이 살까지 없어졌다. 몹시 거친 절단면에서 피가 철철 흘러나오고 있었다.

아니야. 이건 내가 잘라낸 자국이 아니야. 물려서 잘린 거야. 내가 스스로 잘라내기 직전에 훈노하는 밴더스내치가 꼬리를 물어뜯은 거라고.

빌은 이어서 다리를 만져보았다.

손이 오른쪽 넓적다리에 닿았다. 그리고 그 아래는 없었다.

꼬리와 함께 오른쪽 다리도 물어뜯은 것 같았다.

무시무시한 밴더스내치!

그럼 왼쪽 다리는 어떻게 됐을까?

왼쪽 다리는 그나마 나았다. 발뒤꿈치부터 앞쪽만 사라졌다.

하지만 어차피 걸을 수 없으니 기뻐하고 있을 때는 아니군. 그런데 꼬리는 또 자라겠지만 다리는 어떨까? 꼬리도 뼈는 재생되지 않는 거였나? 그렇다면 다리는 이제 글렀군. 정말 불편하겠는데.

깜짝 놀랄 만한 포효가 들려왔다.

내 꼬리랑 다리를 다 먹어치웠나? 배가 불렀으면 좋으련만 분명 아직 모자라겠지. 도망치는 게 좋겠어.

빌은 팔을 사용해 앞으로 엉금엉금 기어갔다.

틀렸어. 이래서는 너무 느려. 게다가 핏자국 때문에 어디 있는지 금방 들킬 거야.

그럼 어쩌지? 이모리였다면 분명 뭔가 좋은 방법을 생각해낼 텐데. 아니, 내 속에도 이모리가 조금은 있을 거야. 그걸 불러내면 약간은 도움이 되겠지.

밴더스내치는 무지막지하게 거대했어. 분명 이 광보다 훨씬 클 거야. 광보다 큰 녀석이 억지로 광에 들어왔으니 몸을 움직이기가 쉽지는 않겠지. 게다가 여기는 2층이라고 해도 실질적으로는 다락이니까 1층보다 훨씬 좁아. 계단도 좁다랗고 위험하지. 밴더스내치가 쉽사리 올라오지는 못할 거야.

그럼 여기서 밴더스내치가 다른 데로 갈 때까지 가만히 기다릴까?

그건 분명 무리야. 피가 너무 많이 나니까 나는 금방 죽을 거야.

내가 죽으면 이모리도 죽어. 아리는 분명 슬퍼하겠지. 내가 죽으면 앨리스가 슬퍼할지 말지는 잘 모르겠지만.

그리고 공작 부인이 아무것도 모르고 왔다가 밴더스내치에게 잡아먹힐지도 몰라. 그러면 히로야마인가 하는 여자도 죽을 거야.

숨이 멎기 전에 어떻게든 여기서 빠져나가서 모두에게 알리지 않으면 네 명이나 죽을지도 몰라.

그럼 어떻게 한다?

밴더스내치를 피해 달아나느냐, 숨느냐, 아니면 그놈과 싸워서 이기느냐, 셋 중 하나야.

다리가 잘려나갔으니 달아나거나 숨을 수는 없어. 그렇다면 싸워서 이기는 수밖에 없겠군.

그런데 어떻게 하면 밴더스내치를 죽일 수 있을까?

밴더스내치한테 약점이 있을까?

계단에서 뿌드득뿌드득, 하고 격한 소리가 났다.

역시 올라올 생각인가? 분명 부서뜨리면서 올라오는 거야. 그렇다면 밴더스내치를 쓰러뜨린 후에 못 내려갈지도 모르겠네. 아아. 하지만 지금은 그런 걱정을 할 때가 아니지. 아무튼 놈을 쓰러뜨려야 해.

밴더스내치의 약점은 모르지만 강점은 알지. 어쨌거나 놈은 터무니없이 빨라. 그리고 목이 늘어나.

그럼 목이 늘어났을 때 꽤나 가늘어지지 않을까? 그렇다면 비교적 수월하게 물어뜯어서 잘라버릴 수 있을지도 몰라. 나도 육식동물이야. 마음만 먹으면 얼마든지 물어뜯을 수 있다고.

벼락이 치는 듯한 소리가 울려 퍼지고 밴더스내치의 산만 한 모습이 보였다.

크기가 이 광의 다섯 배는 되겠군.

밴더스내치가 빌을 보았다.

자. 언제 올 거냐? 놈은 정말 빠르니까 기회는 한순간밖에 없어. 눈앞까지 목을 뻗었을 때 머리를 짓누르며 등 뒤로 돌아가서 목을 물어뜯는 거지. 잘라내지 못해도 돼. 혈관을 찢든지 신경에 상처를 입히기만 해도 감지덕지지.

빌은 밴더스내치를 노려보며 심호흡을 반복했다.

머리는 아주 맑아. 이모리가 된 것 같은 기분이야.

그리고 확실히 기억났다.

그래, 공작 부인이 범인이라니 말도 안 돼. 난 완전히 착각하고 있었어. 앨리스랑 미치광이 모자 장수랑 3월 토끼에게 알려야 해.

한순간 밴더스내치의 모습이 흐려진 것 같은 기분이 들었다.

아니. 아직이야. 아직 움직이지 않았어.

하지만 뭔가 이상한데.

밴더스내치는 뭔가를 먹고 있었다.

그리고 그제야 빌은 자신의 입과 코가 사라졌다는 사실을 깨달았다.

아차, 밴더스내치는 내 생각보다 훨씬 빠르구나.

그럼 할 수 없지.

16

아리는 문을 두드렸다.

대답은 없었다.

아리는 다시 문을 두드렸다.

"실례합니다. 들어갈게요."

마침 히로야마 부교수가 도시락을 먹으려고 입을 쩍 벌리고 있
었다.

"악! 왜 멋대로 들어오는 거야?"

"어째서 없는 척하셨죠?"

"밥을 먹으려던 참이었어."

"그럼 그렇게 말하면 되잖아요."

"귀찮잖아. 그것보다 멋대로 들어오는 게 더 예의 없는 짓이라
고."

"누가 멋대로 들어오는 게 싫으면 문을 잠가놓지 그랬어요?"

"친구와 애인이 살해당해서 혈압이 올라갔다는 건 알겠는데, 되

지도 않는 시비는 걸지 마."

"예. 확실히 전 흥분한 상태예요. 하지만 무리도 아니죠."

"이번에는 또 무슨 꺼림칙한 일이 있었는데?"

"꺼림칙한 일이 아니에요. 오히려 좋은 일일지도 모르죠. 그리고 선생님에게도 관련된 일이에요."

"뭔데?"

"진범에 대한 정보가 나왔어요."

"뭐?" 젓가락에서 튀김이 툭 떨어졌다.

"실마리를 잡았는지도 모르겠어요."

"범인을 알아낸 건 아니구나."

"선생님이 협력해주시면 좋은 결과가 있을지도 몰라요."

"왜 내가 도와야 하니? 네가 알아서 하렴. 날 끌어들이지 마."

"친구였던 두 사람은 살해당했고, 경찰은 믿을 수가 없어요. 제가 의지할 수 있는 사람은 이제 선생님뿐이라고요."

히로야마 부교수는 한숨을 쉬었다. "알았어. 하면 되잖아. 그렇게까지 말하는데 어떻게 쫓아내겠니. 그래서, 무슨 정보를 얻었는데?"

"다잉 메시지요."

"누구의 다잉 메시지?"

"이모리의 다잉 메시지요. 아니. 정확하게 말하자면 빌의 다잉 메시지지만."

"빌이 남긴 다잉 메시지가 증거가 될 거라고 생각하니?"

"아니요. 하지만 중요한 단서죠. 빌은 얼굴 절반을 밴더스내치에게 뜯어 먹힌 상태로 광 바닥에 피로 다잉 메시지를 썼어요."

"도마뱀은 목숨이 참 질기구나."

"예. 아마도 밴더스내치는 먹기 위해서가 아니라 죽이기 위해 빌을 덮쳤을 거예요. 그래서 이제 오래 버티지 못할 것이라 판단하고 숨통을 끊지 않은 것 같아요."

"먹지 않을 거면 왜 죽였지?"

"인간이 사냥을 하는 것과 똑같죠. 놀이예요."

"밴더스내치는 제법 머리가 좋군그래. 그런데 뭐라고 쓰여 있었니?"

"'공작 부인이 범인일 리 없다.'"

"무슨 의미지?"

"그냥 쓰여 있는 대로 받아들이면 될 것 같은데요."

히로야마 부교수는 고개를 갸웃했다. "우리에게는 전혀 새로운 정보가 아닌데."

"하지만 이 말이 의미하는 바는 명확해요. 처음 두 건의 살인사건이 발생했을 때 여왕과 공작 부인은 크로케를 하고 있었죠. 그러니까 그 두 사람은 서로에게 알리바이를 증언해줄 수 있어요."

"서로 증언해주지 않아도 트럼프카드 병정들이 해주겠지만."

"즉, 그 두 사람은 틀림없이 범인이 아니에요."

"그건 빌이 굳이 지적해줄 필요도 없는 사실이잖아?"

"그렇죠. 바로 그렇기 때문에 이 다잉 메시지에 의미가 있는 거예요."

"어떤 의미?"

"당연하기 때문에 범인이 그냥 넘어간 거죠. 범인의 이름을 직접 쓰기라도 했다면 지웠을 거예요."

"확실히 당연한 사실을 적으면 범인은 그냥 넘어가겠지. 하지만 아무 의미도 없지 않나?"

"당연하지만 의미가 있어요. 이 다잉 메시지는 진범을 찾는 사람이 뭔가에 주목하기를 바라고 남긴 거예요."

"빌이 쓴 거잖니. 그렇게 깊은 뜻을 담았을까?"

"빌 속에는 이모리가 있었어요."

"이모리와 빌은 별개의 존재잖아?"

"별개지만 기억과 생명을 공유했죠. 빌이 죽음을 앞두자 이모리의 지능이 발현되었는지도 몰라요."

"근거가 빈약하지만 뭐, 그렇다고 칠까. 그래서? 빌은 뭐에 주목하기를 바랐는데?"

"모르겠어요."

"몰라? 아주 자신만만하게 말하더니만."

"모르겠지만 추정은 할 수 있죠. 이 말인즉슨 유일하게 신뢰할 수 있는 사람은 공작 부인이라는 뜻 아닐까요?"

"그럴지도 모르지. 하지만 여왕도 무고하잖아?"

"여왕을 신용할 수 있겠어요?"

"범인이 아니라고 해도 여왕을 신뢰할 수는 없지. 늘 누군가의 목을 치고 싶어 하니까."

"그러니까 공작 부인이 유일하게 의지할 수 있는 사람이에요."

"뭐, 의지한다니 기분이 나쁘지는 않다만, 이제 뭘 어떻게 해야 할지 앞이 깜깜하네."

"선생님 지시를 받으라는 뜻 같은데요."

"내 지시를 받으라니, 난 좋은 방법이 하나도 안 떠오르는걸."

"정말로요? 뭔가 생각나는 것 없으세요? 뭐든지 상관없어요."

"정말로 마음에 짚이는 게 전혀 없어. 분명 빌의 착각이야. 아니면 이모리가 날 과대평가했든지."

"그런가요." 아리는 고개를 떨구었다. "그럼 제가 지레짐작한 건지도 모르겠네요."

"그렇게 단정하기는 일러. 내게 지시를 받는 것 말고도 날 만나는 의미가 있지 않을까? 예를 들면 우리 둘이 협력해야 비로소 사건을 해결할 수 있다든가."

"그렇군요. 그럴지도 몰라요. 각자가 가지고 있는 정보를 합쳐야 비로소 진실이 눈에 들어올지도 모르죠."

"그럼 한번 해보자. 일단 너부터 정보를 공개해."

"저부터요?"

"그래."

"하지만 알고 있는 정보는 다 이야기했는걸요."

"그건 나도 마찬가지야." 히로야마 부교수는 안타깝다는 듯이 말했다.

"큰일이네요."

"응. 큰일이네."

아리는 입술을 깨물었다. "다잉 메시지에 의미가 없을 리 없는데……."

"역시 네 기대가 과했던 것 아닐까?"

"아니요. 분명히 의미가 있을 거예요."

"그러니까 무슨 의미?"

"즉, 정보가 아니라…… 두 사람의 추리력을 합치는 거죠."

"방금 전이랑 크게 달라질 건 없는 것 같은데."

"그래도 해볼 만한 가치는 있어요."

"뭐, 밑져야 본전이니까. 그래서, 뭘 어떻게 할까? 추리라고 해도 난 아무 생각도 안 나."

"일단 이야기를 들어주세요."

"누구 이야기를?"

"제 이야기요. 그리고 뭔가 석연치 않은 부분이 있으면 알려주세요."

"그거라면 편해서 좋겠다. 어서 이야기해봐."

"당초부터 제일 큰 의문은 '왜 흰토끼는 앨리스가 살인 현장에 갔다고 말했는가?'였어요."

"진짜로 봤기 때문 아니겠니?"

"그럴 리 없어요. 앨리스는 살인을 저지르지 않았고 현장에도 없었다고요."

"그건 네 주장이지. 하지만 객관적인 증거는 없어."

"그게 큰 문제죠. 하지만 돌파구는 있을 거예요."

"돌파구라니?"

"지금부터 순서대로 설명할게요. 일단 흰토끼가 앨리스를 목격하지 않았다는 게 중요해요."

"흰토끼가 거짓말을 했다는 거니?"

"아니요. 흰토끼는 거짓말을 하지 않았어요."

"뭐야 그게? 모순되는 말이잖아."

"모순은 없어요. 흰토끼는 앨리스를 목격하지 않았어요. 하지만 목격했다고 단단히 믿은 거예요."

"그게 말이 되니?"

"그럼요. 흰토끼는 눈이 상당히 나빴어요. 빌이 눈앞에 있는데도 누구인지 못 알아봤을 정도라고요."

"그렇게 눈이 나쁜데 사건 현장에 앨리스가 있었다고 단언한 거구나."

"예."

"그거 이상하네." 히로야마 부교수는 뭔가 알아차린 것 같았다. "아아. 빌의 다잉 메시지는 그런 뜻이었구나. 녀석, 제법이잖아."

"뭔가 알아내셨어요?" 아리는 기대를 품고 말했다.

"응. 알아냈어. 하지만 그렇게 좋은 일은 아닐지도 모르겠다. 좀 더 생각을 정리하고 나서 설명할게. 지금은 네 추리를 계속 들어보자."

"동물들은 시각에 의존하지 않고도 남을 인식할 수 있대요. 예를 들면 냄새나 적외선, 초음파, 전자파 같은 것을 감지해서. 흰토끼는 냄새로 남을 식별했어요. 그러니까 체셔 고양이처럼 모습을 감출 수 있다고 해도 흰토끼는 알아차렸을 거예요."

"그래. 즉, 흰토끼는 시각으로 앨리스를 확인한 건 아니었다는 뜻이지."

"흰토끼는 늘 냄새로 앨리스를 인식했다. ……앗!"

"왜 그러니?"

"범인을 알아낸 것 같아요."

"그거 잘됐네."

"지금 나가봐야겠어요."

"어디 가려고?"

"범인을 알아냈으니 모두에게 알려야죠."

"여기는 현실 세계야. 이상한 나라로 돌아가지 않으면 알릴 수 없어."

"하지만 범인을 그냥 내버려둘 수는 없잖아요."

"그렇지만 방법이 없는걸. 다음에 이상한 나라에서 눈을 뜰 때를 기다리는 수밖에 없어."

"다니마루와 니시나카지마 두 형사님한테 상의하는 건 어떨까요?"

"으음. ……글쎄? 그 사람들한테 상의하는 건 그렇게 좋은 방법이 아닌 듯해. 그 사람들 뭔가 숨기고 있는 것 같아."

"그러고 보니 공작 부인을 두려워하는 것 같더라고요."

"정말? 그렇다면 누굴까? 공작 부인의 일꾼인가?"

"그 밖에는 의지할 만한 사람이 생각나지 않네요."

"상관없어. 일단 우리 둘이서 추리를 완성하는 거야. 그리고 이상한 나라로 돌아가면 증거를 수집하자."

"증거 수집?"

"현실 세계에서 아무리 엄밀한 추리를 펼쳐도 그건 탁상공론에 지나지 않아. 이상한 나라에서 증거를 확보해야 네가 무고하다는 게 증명돼."

"알겠어요."

"그런데 진범은 누구니?"

"그 전에 해결해야 할 말이 있어요. '범인이 우연히 안 사실을 나불나불 지껄인 인물이 있어.'"

"뭐야 그게?"

"이모리가 남긴 말이에요. 정확하게는 빌을 통해서 간접적으로 들은 말이지만요."

"범인밖에 모르는 사실이라는 거니? 하지만 범인이 누구인지 알았는데 그 말이 이제 와서 무슨 의미가 있어?"

"범인밖에 모르는 사실이라는 말과는 어감이 조금 다른 것 같아요. 일단 제가 범인을 알아냈다는 걸 전제로 둘게요. 그 범인밖에 모르는 사실을 아는 인물이 있다는 뜻 아닐까요?"

"공범자가 있다는 말이니?"

"그게 아니라 범인의 본체에 해당하는 인물이 있다는 뜻 아닐까요? 범인밖에 모르는 사실을 현실 세계에서 알고 있는 인물이 있다면, 그 인물은 진범의 본체가 틀림없어요."

"와, 마치 명탐정이 추리하는 것 같구나. 하지만 난 무슨 소린지 도통 모르겠어. 넌 알겠니, 구리스가와?"

모르겠다. 하지만 침착하게 생각하자. 빌은 도대체 뭘 전하려고 했던 걸까?

공작 부인이 범인일 리 없다.

그래. 그건 의심할 여지 없는 사실이야. 그럼 뭘 의심하면 되지? 의심해야 하는 사실?

…….

"거기 비켜, 메리 앤! 늦을 것 같아! 알잖아!"

…….

"돌아왔나?"

…….

"공작 부인!" "공작 부인!" "공작 부인!"

"그래. 공작 부인이었어."

…….

"깜짝 파티에 관해서 이모리에게는 절대 말하지 마. 당일까지는 우리 둘만의 비밀이야."

…….

"흰토끼도 양쪽 세계에 살고 있었던 거구나. 그는 좋은 사람이야. 요전에도 빌을 위해서 깜짝 파티를 열어주겠다고 했어."

…….

"범인이 우연히 안 사실을 나불나불 지껄인 인물이 있어."

…….

어떻게 그녀는 그 사실을 알고 있었을까? 공작 부인은 범인일 리 없는데.

그렇다면 그것이 의미하는 바는 단 하나.

서둘러야 해.

"선생님, 이만 실례할게요."

"안 돼. 아직 추리가 끝나지 않았어." 히로야마 부교수는 아리와 문 사이로 끼어들었다.

"급한 볼일이 생각났어요."

"나도 급해. 자, 추리를 완성하자. 일단 진범의 이름을 알려줘."

아리는 히로야마 부교수를 가만히 쳐다보았다.

"그건 바로 당신이에요, 메리 앤."

"멋진 추리로구나."

"거기서 비켜요."

"아직 못 비켜주겠는데."

"소리 지를 거예요."

"그 전에 이야기 좀 하자. 내 이야기를 듣고 납득이 가지 않으면 그때는 소리를 지르도록 하렴."

"알았어요. 하지만 조금이라도 이상한 낌새가 보이면 바로 소리 지를 거예요."

"그건 그렇고 어떻게 내가 범인인 줄 알았니?"

"일단 범인이 메리 앤임을 알아낸 이유부터 이야기할까요?"

"그건 대충 짐작이 가. 하지만 확인하고 싶으니 들려줘."

"흰토끼는 늘 나를 메리 앤으로 착각했어요. 겉으로 보기에 나이 차이가 많이 나는데 말이죠. 하지만 무리도 아니에요. 흰토끼는 눈이 나빴으니까요. 그래서 냄새에 의존하는 수밖에 없었어요."

"나랑 네 체취가 비슷하다는 말이구나."

"앨리스와 메리 앤의 체취가요. 나랑 당신이 어떤지는 모르겠네요."

"아아. 확실히 현실 세계에서 나랑 네 체취가 비슷한지는 모르 겠어."

"흰토끼는 험프티 덤프티가 살해당했을 때 정원을 드나든 건 앨리스뿐이라고 말했어요. 하지만 흰토끼가 앨리스와 메리 앤을 구분하지 못한다면 용의자는 앨리스와 메리 앤 두 사람인 셈이죠. 그리고 난 앨리스가 범인이 아니라는 사실을 알아요. 그러므로 소거법에 따라서 범인은 메리 앤이에요."

"아까워라."

"지금 추리에 뭔가 틀린 점이라도 있었나요?"

"안 틀렸어. 정답이야."

"그럼 뭐가 아까운데요?"

"지금 추리는 다른 사람에게 증명할 수가 없거든."

"미치광이 모자 장수에게 흰토끼는 앨리스와 메리 앤을 구분할 수 없었다고 가르쳐주면 되죠."

"그러니까, 그걸 어떻게 실제로 증명할 건데? 흰토끼는 이미 죽었어. 검증할 방법이 없다고."

"시치미를 뗄 작정인가요?"

"그럴 생각이야."

"나 자신이 증인으로 나서겠어요."

"넌 피고니까 증언에는 효력이 없어." 히로야마 부교수는 미소를 지었다. "자, 이제 또 다른 수수께끼의 해답도 가르쳐줘. 내가 공작 부인이 아니라 메리 앤이라는 건 어떻게 알았니?"

"그건 당신이 메리 앤밖에 모르는 사실을 알고 있었기 때문이에요."

"너한테 뭔가 말했나?"

"예."

"그런 실수를 한 기억은 없는데."

"무리도 아니죠. 실수한 건 오히려 흰토끼였으니까요."

"흰토끼가 무슨 실수를 했다는 거니?"

"앨리스를 메리 앤으로 착각했어요."

"그거야 늘 그랬잖아?"

"예. 하지만 이번에는 특별했죠."

"그래서, 내가 뭐라고 했는데?"

"당신은 이렇게 말했어요. '그는 좋은 사람이야. 요전에도 빌을 위해서 깜짝 파티를 열어주겠다고 했어.'"

"그게 뭐 어때서?"

"그 말을 듣기 얼마 전에 리오 씨가 내게 '깜짝 파티에 관해서 이모리에게는 절대 말하지 마. 당일까지는 우리 둘만의 비밀이야'라는 말을 했어요."

"그래서 뭐? 흰토끼는 내게도 깜짝 파티 이야기를 했어."

"그래요. 그리고 난 이상한 나라에서 흰토끼에게 깜짝 파티 이야기는 못 들었어요."

"아아. 알았다. 흰토끼, 다나카 리오는 널 메리 앤이라고 생각한 거구나."

아리는 고개를 끄덕였다. "앨리스와 빌이 흰토끼에게 이야기를 들으러 갔을 때, 그날 처음 만났는데도 흰토끼는 앨리스를 향해

'돌아왔나'라고 말했어요. 즉, 앨리스를 아까 전까지 함께 있었던 메리 앤이라고 오인한 거죠. 그리고 그 직후에 빌이 '이쪽은 지구에서 아리야'라고 알려줬어요. 이 시점에서 흰토끼는 '메리 앤은 구리스가와 아리다'라고 오해하고 만 거예요. 그리고 다나카 리오도 그 오해를 공유했죠. 리오 씨는 날 계속 메리 앤으로 대했지만 난 그걸 까맣게 몰랐어요."

"이모리는 알아차렸을까?"

"분명 최종적으로는 알아차렸겠죠. 그리고 빌도 죽기 직전에 알아차렸을 거고요."

"'공작 부인이 범인일 리 없다.' 일부러 다잉 메시지를 그렇게 쓴 거구나."

아리는 고개를 끄덕였다. "'메리 앤이 범인'이나 '히로야마 선생님이 범인'이라고 쓰면 당신이 바로 지웠겠죠."

"응. 분명 지웠겠지."

"하지만 '공작 부인이 범인일 리 없다'라면 당신이 지우지 않으리라고 예상했겠죠."

"넌 내가 공작 부인이라고 믿었잖니. 그래서 오히려 유리할 것 같았어."

"공작 부인에게 알리바이가 있다는 건 저도 알고 있었어요. 그런데 굳이 그런 말을 적다니 뭔가 주의를 환기시키려는 의도가 있었다고 느껴지더군요. 범인을 안심시키기 위해 공작 부인은 범인이 아니라는 말을 적어야 했다는 건, 반대로 공작 부인을 범인으로 의심하고 있었다는 뜻이에요. 다시 말해 공작 부인을 범인으로 의심할 만한 증거가 있었다는 거죠."

"그러므로 자신의 아바타라가 공작 부인이라고 말한 내가 수상하다?"

"그래요. 그렇게 당신을 의심하자 모든 것이 딱딱 맞아 들어갔어요. 흰토끼는 앨리스와 메리 앤을 구별하지 못한다. 그리고 당신은 메리 앤밖에 모르는 비밀을 알고 있었다. 따라서 살인 현장에서 목격된 사람은 메리 앤이고, 그건 바로 당신이다."

"이야, 제법 머리가 잘 돌아가는구나. 놀랐어."

"도대체 왜 이렇게나 많은 사람을 죽였나요?"

"난 아무도 안 죽였어. 모두 사고나 병으로 죽었지. 아아. 한 명은 살해당했구나. 하지만 내가 죽인 건 아니야."

"험프티 덤프티는? 그리핀은? 흰토끼는? 빌은?"

"아아. 그 사람들이라고 할까, 짐승들을 죽인 건 내가 아니야. 메리 앤이지. 꿈속에 사는 메리 앤이 마찬가지로 꿈속 등장인물인 짐승들을 죽인 거라고. 그런 꿈을 꾼 것도 죄니?"

"단순한 꿈이 아니라는 건 당신이 제일 잘 알 텐데요."

"꿈이 아니라는 걸 어떻게 증명할래?"

"알았어요. 아무 쓸모도 없는 논쟁은 그만두죠. 그것보다 궁금한 걸 물어볼게요. 그 세계에 대해서는 언제부터 알고 있었죠?"

"난 아주 옛날부터 알고 있었어. 벌써 10년도 넘었지. 신변에 위기가 닥쳐오고 나서야 그 세계를 의식하다니 너희들도 참 태평하기 짝이 없구나. 난 항상 주의를 기울이거든. 매일 밤 꿈속에 나오는 세계가 매번 설정도, 등장인물도 같을 뿐 아니라 이야기가 쭉 이어지고 있다는 걸 알아차린 후 순식간에 모든 사실을 파악했어. 이상한 나라도 이 현실 세계와 똑같이 실감 넘치는 세계이며, 사람들과 짐승들이 어엿한 문명을 향유하고 있다는 걸."

"나 역시 위기가 닥치지 않았어도 조금만 더 있었으면 알아차렸을 거예요."

"글쎄, 어떨까? 어쩐지 이상하다 싶어도 결국 2, 3일쯤 지나면 생활 속의 잡다한 일들과 함께 잊어버리겠지."

"하지만 당신은 그렇지 않았고요."

"그래. 매일 잠이 깨면 바로 꿈의 내용을 정리해뒀거든. 놀랍게도 난 계속 같은 세계의 꿈을 꾸고 있었어. 꿈속에서 나는 흰토끼에게 고용된 가정부 메리 앤이었지. 그리고 마침내 메리 앤도 현실 세계를 기억해내기 시작했어."

"당신은 자신과 메리 앤이 동일 인물이라고 인정하는 거로군요."

"과연 그럴까. 두 사람이 기억을 공유한다는 것만으로 동일 인물로 간주해도 될까? 아무튼 난 세계의 비밀을 알아차렸어. 하지만 그걸 어떻게 이용해야 좋을지는 몰랐지."

"이용하고 말고를 떠나서 아주 엄청난 발견이잖아요."

"하지만 그런 이야기를 해봤자 정신 상태를 의심받을 뿐이야. 아무 이득도 없어."

"뭐. 그렇겠죠."

"그래서 난 세계의 비밀을 알면서도 그저 괴로운 하루하루를 반복할 뿐이었어."

"왜 괴로웠는데요?"

"그건 나중에 이야기할게. ……그러다가 난 두 세계의 규칙을 알았지."

"규칙?"

"죽음의 규칙 말이야. 이상한 나라는 느긋하고 바보스러운 세계로 보이지만 위험이 숨어 있지."

"여왕이 목을 친다든가?"

히로야마 부교수는 고개를 저었다. "여왕이 목을 치라고 명령해서 목이 날아간 사람은 하나도 없어. 위험한 건 맹수야."

"밴더스내치 말인가요?"

"밴더스내치뿐만이 아니지. 재버워크와 주브주브새, 거기에다 그 기괴한 부점도 있어."

"그러고 보니 꽤나 위험하네요."

"그래서 때때로 희생자가 나와. 사람이나 짐승이 죽임을 당하는 거지. 불행한 사고인 셈이야."

"뭐, 그런 일이 일어날 수도 있겠죠."

"하지만 그렇게 대단한 일은 아니야."

"죽은 본인에게는 그렇지 않겠지만요."

"그런데 그런 따분한 사망 사고의 이면에 중대한 사실이 숨겨져 있다는 걸 깨달았어."

"죽음이 연결되어 있다는 것 말이로군요."

"그래, 맞아." 히로야마 부교수는 고개를 끄덕였다. "이상한 나라에서 누가 죽으면 여기서도 아는 사람 중 누군가가 죽더라고."

"아는 사람요?"

"응. 저쪽에서 아는 사람이 죽자 거의 동시에 이쪽에서도 아는 사람이 죽었어. 뭐, 사고나 질병 등 그때마다 사인은 다양했지만."

"우연이라는 생각은 안 들었나요?"

"처음에는 그런 생각이 들었지. 하지만 매번 그런 일이 일어나더라고. 이상한 나라에서 사람이나 짐승이 죽는 일은 아주 드물고, 내 주변에서도 사람이 죽는 일은 좀처럼 없어. 그런데 죽을 때는 반드시 동시에 죽어. 두 세계가 죽음으로 연결되어 있다고 볼 수밖에 없잖아. 이거야말로 대발견이라고. 게다가 실용성도 있고."

"실용성?"

"자, 현실 세계에서 죽이고 싶은 사람이 있다고 치자. 죽이면 어떻게 될까?"

"살인죄로 체포되겠죠."

"그건 사양하고 싶네. 그럼 이상한 나라에서 죽이면 어떨까?"

"똑같지 않을까요? 저쪽에도 법률 같은 게 있는 모양이니."

"하지만 저쪽 인간들은 상당히 머저리라서 붙잡고 싶어도 그러기 힘들어. 애당초 동기가 없는 살인은 잘 발각되지도 않고."

"동기도 없이 죽였어요?" 아리는 눈을 둥그렇게 떴다.

"물론 동기는 있지. 다만 이쪽에서 통용되는 동기지. 저쪽의 나, 메리 앤에게는 동기가 없어."

"과연. 현실 세계에서는 동기가 있지만 살인이 아니므로 붙잡히지 않는다. 이상한 나라에서는 동기가 없으므로 붙잡히지 않는다. 그런 건가요?"

"그런 거지."

"그런데 왜 살인을 저질렀나요? 동기가 뭐예요?"

"난 말이야, 늘 꾹 참아왔어."

"참았다고요?"

"난 참는 게 싫어. 하지만 모두 내게 인내를 강요하지."

"그것참 안됐네요."

"왜 내가 참아야 해? 다른 사람들이 참으면 난 참지 않아도 될 텐데."

"무슨 사고방식이 그래요?"

"내게 인내를 강요하는 사람은 없어지면 좋겠어."

"그래서 죽였어요? 오지 씨가 당신한테 뭘 참으라고 강요했다 는 건데요?"

"오지? 그게 누군데?"

"험프티 덤프티의 본체요."

"아아. 그 사람. 그는 아무것도 아니야."

"아무것도 아니라고요? 무슨 뜻인가요?"

"그건 그냥 실수였어."

"역시 동기도 없이 죽인 거잖아요!"

"버릇없기는. 동기는 있었어. 다만 목표물을 혼동했을 뿐이지."

"오지 씨, 죽었다고요!"

"하지만 난 처벌받지 않아. 그게 중요한 거야."

"그게 아니라, 사람의 목숨이 먼저죠. 사람의 목숨은 그 무엇보다도 소중하다고요."

히로야마 부교수는 소리 내어 웃었다.

"뭐가 그렇게 우스운데요?"

"그게, 정말로 그렇게 믿는 것 같아서 말이야."

"무슨 이야기예요?"

"사람의 목숨이 소중하다고 정말로 믿는 건 아니겠지? 사람을 죽이면 자기가 처벌받으니까 소중한 척하는 것뿐이야."

"아니에요. 난 정말로 소중하게 여긴다고요."

"어머, 그러니? 하지만 난 정직한 사람이니까 그런 말은 못 하겠어. 사람의 목숨은 아주 하찮아." 히로야마 부교수는 책상 서랍에서 총 같은 물건을 꺼냈다. "그러니까 아무런 양심의 가책도 없이 빼앗을 수 있지."

17

험프티 덤프티는 먼 곳을 바라보고 있었다.

산들바람이 불자 잔디에 녹색 물결이 일었다.

험프티 덤프티는 천천히 숨을 들이마셨다가 내쉬었다.

만족스러운 듯이 뺨을 누그러뜨렸다.

"뭐가 그렇게 즐거워?" 여자 목소리가 들렸다.

험프티 덤프티는 온몸을 빙글 돌려서 뒤를 보았다. 그의 머리와 몸은 한 덩어리이므로 고개만 돌릴 수는 없었다.

등 뒤의 잔디밭에 청초한 중년 여성이 서 있었다.

"음. 당신은 분명……."

"메리 앤이야. 흰토끼의 집에서 일해."

"아아. 그러고 보니 그랬지. 당신은 메리 앤이야."

"그쪽으로 가도 될까?"

"이 담벼락 위에? 상관은 없지만 조심하지 않으면 균형을 잃고 떨어질걸."

"당신은 괜찮아?"

"난 익숙하니까. 그리고 혹시 떨어져도 걱정할 것 없어. 국왕님과 약속을 했거든."

"약속이라면, 말과 시종을 보내주겠다는 약속?"

"그래. 잘 아는군."

"하지만 그게 무슨 의미가 있어?"

"의미? 내가 중요한 인물이라는 의미지."

"하지만 떨어진 후에 국왕님의 시종이 오는 거잖아?"

"그야 그렇지. 언제 떨어질지 모르니까."

"그럼 아무 소용 없겠네."

"소용없나?"

"소용없어. 깨진 달걀은 두 번 다시 원상 복구 할 수 없으니까."

"달걀?"

"당신 말이야, 험프티 덤프티."

"내가 달걀이라고? 정말 웃기는군."

"아아. 웃긴다." 메리 앤은 깔깔 웃었다.

험프티 덤프티도 웃었다.

"여기 제법 높네." 어느 틈엔가 바로 옆에 메리 앤이 서 있었다.

"그런가? 익숙해지면 그렇지도 않아."

"바람도 불고."

"산들바람이야."

"분명 균형을 잃을 거야."

"아니. 이렇게 떡하니 앉아 있으면 균형은……. 이봐. 뭐 하는 거야?"

"당신 주변에 기름을 뿌리고 있어."

"이봐, 질 나쁜 농담은 그만두지 않겠어?"

"농담? 나 농담 싫어해."

"그런 짓을 하면 미끄러져 떨어지지 않을까?"

"그래. 떨어뜨리려고 기름을 뿌리는 거야."

"그만둬." 험프티 덤프티는 메리 앤의 팔을 붙잡았다.

"뭐 하는 거야? 위험하잖아."

"그건 내가 할 말이야."

"이제 그만 단념해. 고통은 한순간이야. 잘은 모르지만."

"지금 무슨 짓을 하고 있는 건지 모르는 거지? 나 여기서 떨어지면 죽어."

"잘 알다마다. 난 지금 당신을 죽이려고 해."

"내가 왜 죽어야 하는데?"

"당신이 잘못했으니까. 날 방해하잖아."

"방해고 뭐고 당신과 난 그렇게 잘 알고 지내는 사이도 아니잖아."

"이 세계에서는 그렇지. 하지만 지구에서는 아주 가까운 사이야."

"지구? 어떻게 내가 꾼 꿈을 알고 있는 거지?"

"나도 똑같은 꿈을 꾸니까. 사실은 꿈이 아니지만." 메리 앤은 험프티 덤프티의 등을 밀기 시작했다.

"지구에서 누가 내게 원한을 품고 있는 거야?"

"잘 아네. 맞아."

"너, 누구야? 아키요시? 도코로자와?"

"그게 누군데?" 메리 앤이 떠미는 힘이 약해졌다.

"날 원망할 만한 녀석들이지."

"그럼 그 사람들을 위해서라도 죽여야겠네." 다시 손에 힘이 들어갔다.

"그렇게 심한 짓은 안 했어. 점심을 사기로 한 약속을 어겼을 뿐이라고."

"겨우 그 정도로 죽이겠어? 뭐, 절대로 꼬리가 잡히지 않는다면 죽일지도 모르겠지만."

"그럼 넌 도대체 누구야?" 험프티 덤프티는 팔다리를 버둥거리며 균형을 잡으려고 했다.

"당신이 출세를 방해한 사람이라고 말하면 알겠지?"

"몰라. 난 지구에서 남의 출세를 좌지우지할 만큼 대단한 신분이 아니야."

"이제 와서 겸손 떨 필요 없어."

"미안해. 사과할 테니까 살려줘."

"뭘 사과한다는 거니?"

험프티 덤프티는 온몸이 거의 다 벽에서 밀려난 상태로 안간힘을 쓰며 벽 가장자리를 붙잡고 있었다.

"그러니까, 그거야. 네 출세를 방해한 걸 사과할게."

"그럼 내가 누군지 알아차린 거로군." 메리 앤은 입가를 일그러뜨려 웃었다.

"아니. 모르겠어. 정말이야. 정중하게 사과할 테니까 가르쳐줘."

"그럼 가르쳐줄게. 지구에 있는 내 분신은 히로야마 도시코야. 이제 알겠지, 시노자키 선생님."

"무슨 소린지 모르겠어."

"내 이름을 잊어버렸다는 말은 하지 마."

"아니. 네 이름은 알아. 시노자키 연구실의 부교수잖아."

"뭐야. 기억하네."

"하지만 난 시노자키 선생님이 아니야."

"응? 진짜?" 메리 앤은 험프티 덤프티의 등에서 손을 뗐다.

"진짜야. 난 지구에서 나카노시마 연구실에 소속된 박사 연구원 오지 다마오라고."

"하지만 그 체형은 시노자키 선생님과 똑같은데."

"메리 앤, 네 체형은 히로야마 선생님의 체형과 똑같아?"

메리 앤은 잠시 생각에 잠겼다. "아니. 전혀 달라. 히로야마 도시코는 키가 더 작고 통통해."

"거봐. 체형은 아무 기준도 아니야. 무엇보다 체형이 같다는 이유만으로 날 시노자키 선생님이라고 단정하다니 무슨 일을 그렇게 허술하게 해?"

"생각해보니 맞는 말이네. 체형이 비슷한 사람은 아주 많으니까."

"아니. 그러니까 두 세계에서 서로 연결되어 있는 사람의 체형은 똑같지 않다니까."

"그럼 어떻게 해야 시노자키 선생님을 찾을 수 있을까?"

"물어보는 수밖에 없지 않겠어?"

"만나는 사람마다 시노자키 선생님 아니냐고 물어보면서 돌아

다니라고? 그러면 내가 시노자키 선생님의 분신을 찾고 있다는
걸 동네방네 광고하는 꼴이잖아."

"반대로 하는 거야. 시노자키 선생님에게 선생님은 이상한 나라
에서 누구냐고 물어보면 되잖아. 그럼 시노자키 선생님 혼자한테
만 말하면 되니까."

"아하. 그것참 좋은 방법이네."

"자, 오해인 걸 알았으니 냉큼 내 곁에서 물러나주지 않겠어?
바로 옆에 서 있으니 아무래도 불안해서 말이야."

"어머. 그럴 수는 없지."

"왜? 이제 너도 여기에 있을 이유가 없을 텐데."

"지금 생각해보는 중이야. 그런데 내가 '시노자키 선생님의 목
숨을 빼앗겠다고 한 건 전부 농담이었다'고 말하면 믿을래?"

"물론 믿고말고." 험프티 덤프티의 얼굴에 안절부절못하는 빛
이 감돌았다. "아무한테도 말 안 할게."

"어머. 고마워라. 하지만," 메리 앤은 다시 험프티 덤프티의 등
에 손을 댔다. "당신한테 계획을 몽땅 말해버렸으니 이제 되돌릴
수 없어."

"아무한테도 말 안 한다니까!"

"도대체 내가 뭘 보고 당신 말을 믿어?"

"천지신명께 맹세코 아무한테도 말 안 할게."

"안 돼. 구멍이 하나라도 있으면 계획은 단번에 무너질 거야. 당
신을 믿는다는 부담을 짊어지고 싶지는 않아."

"그럼 어떻게 하면 좋을지 이야기를 해보자. 서로 각서를 쓰든

가 하면 보증할 수 있을 거야."

"잘 가." 메리 앤은 험프티 덤프티의 등을 세게 밀었다.

"난 절대로 말 안……." 험프티 덤프티의 몸이 공중에 떴다.

험프티 덤프티는 팔을 붕붕 휘저었다.

양손 손끝이 간신히 벽 위쪽 끄트머리에 걸렸다.

"살려줘. 아직 늦지 않았어." 험프티 덤프티는 열심히 설득했다.

"그래. 아직 늦지 않았지. 당신 입만 봉하면 계획을 속행할 수 있어." 메리 앤은 험프티 덤프티의 손가락을 짓밟았다.

"하지 마. 내 몸은 잘 깨진다고. 이 높이에서 떨어지면 분명 죽을 거야."

"그렇겠지. 그러니까 이 방법을 고른 거야." 메리 앤은 험프티 덤프티의 얼굴을 찼다.

험프티 덤프티의 얼굴에 금이 갔다. "싫어. 죽고 싶지 않아."

메리 앤은 아무 말도 없이 다시 한 번 얼굴을 찼다.

껍데기가 이리저리 흩어져 떨어졌다.

험프티 덤프티의 얼굴에서 눈과 코가 사라져 걸쭉한 알맹이가 보였다.

"어머. 생각했던 것하고 다르네. 노른자와 흰자가 선명하게 구분되어 있는 게 아니구나."

"사, 사, 사……." 입 부근도 많이 깨지는 바람에 험프티 덤프티는 말이 제대로 나오지 않는 것 같았다.

메리 앤은 험프티 덤프티의 오른쪽 어깨를 꽉 밟았다.

어깨 부분의 껍데기가 깨져서 산산이 흩어졌다.

.오른팔이 담 꼭대기에서부터 축 늘어졌다.

메리 앤은 험프티 덤프티의 오른팔을 걷어찼다.

땅에 툭 떨어졌다.

"살려줘. 뭐든지 할게." 험프티 덤프티는 왼손으로 매달린 채 말했다.

"뭐든지 하겠다고? 그럼, 죽어."

메리 앤은 험프티 덤프티의 머리를 힘껏 밟았다.

껍데기가 와그작거리며 깨지자 점도 높은 액체가 넘쳐흘렀다.

왼팔이 쏙 빠졌다.

다음 순간, 험프티 덤프티는 땅바닥에 있었다.

껍데기에서 흘러넘친 험프티 덤프티의 알맹이가 찔꺽찔꺽 지저분한 소리를 내며 땅에서 잠시 꿈틀거리다가 금세 움직임을 멈추었다.

메리 앤은 재빨리 사다리를 타고 내려와서 험프티 덤프티 옆에 섰다.

껍데기 속에 가득 들어찬 검붉은 조직이 서서히 생기를 잃으며 이리저리 움찔대고 있었다.

"제법 생명력이 강하네."

박살 난 껍데기 속에 들어간 눈이 어렴풋이 보였다.

메리 앤은 눈이 자신을 쳐다보고 있음을 똑똑히 느꼈다.

"굴을 양손에 넘칠 만큼 가득 담아서 산 채로 단숨에 삼키면 그 야말로 맛이 끝내줘." 메리 앤은 그리핀에게 말했다.

"정말이야?" 그리핀은 의심스럽다는 듯이 물었다.

"당연하지. 내가 왜 거짓말을 하겠어?"

"날 속이려고 하는지도 모르지."

"당신을 속여서 내가 무슨 득을 본다고 그래?"

"흐음." 그리핀은 잠시 생각에 잠겼다. "확실히 득은 없을 것 같아."

"그럼 먹어봐." 메리 앤은 그리핀의 양손에 굴을 가득 담았다.

"이거, 정말 많은데."

"이걸 단숨에 꿀꺽 삼켜야 맛있어."

"거짓말이야!" 굴 한 마리가 말했다.

"이봐. 들었어?" 그리핀의 눈이 휘둥그레졌다.

"뭘?"

"굴이 한 말."

"어엿한 어른이 고작 굴이 한 말에 흔들리는 거 아니야."

"그도 그렇군." 그리핀은 손바닥 위에 수북하게 쌓인 굴에 입을 가져갔다.

"속지 마!"

"이봐. 들었어?" 그리핀이 말했다.

"뭘?"

"굴이 한 말."

"그러니까, 어엿한 어른이 고작 굴이 한 말에 흔들리는 거 아니라고 했잖아."

"아아. 그랬지 참." 그리핀은 다시 손바닥 위에 수북하게 쌓인

굴에 입을 가져갔다.

"속지 말라고 했잖아!" 굴 한 마리가 외쳤다.

"또다." 그리핀이 말했다. "속지 말래."

"순 거짓말이야."

"왜 굴이 거짓말을 하는데? 무슨 득이라도 있나?"

"당신이 거짓말을 믿으면 적어도 이번에는 굴들이 살아남을 수 있을지도 모르잖아."

"확실히 내가 먹지 않으면 이 녀석들은 목숨을 건지겠군." 그리핀은 머리를 북북 긁었다. "그렇다면 안 먹는 게 맞는 건지도 몰라."

"무슨 바보 같은 소리를 하는 거야? 생명체는 서로 먹고 먹히도록 되어 있어. 절대로 남의 목숨을 빼앗고 싶지 않다면 굶어 죽는 수밖에 없다고. 게다가 애들도 헛되이 죽어서 썩는 것보다 당신에게 먹히는 편이 나아. 그래야 생명을 보람차게 사용했다고 할 수 있겠지."

"우리는 그저 죽기 싫어서 이러는 게 아니야!" 굴 한 마리가 말했다. "덧없이 죽기 싫을 뿐이라고."

"아니야. 너희들은 보람차게 죽는 거야."

"순 거짓말!"

"어떻게 해야 하지?" 그리핀은 머리를 감싸 안았다.

"먹기 싫으면 그만둬! 남이 일껏 친절하게 가르쳐줬더니만!" 메리 앤은 내뱉듯이 말했다.

"나 때문에 화난 거라면 미안해. 먹기 싫은 건 아니야."

"그럼 먹으면 되잖아. 당신은 배가 부르고, 내 조언을 받아들여줘서 나도 기분 좋고."

"하지만 이 녀석들은 기쁘지 않을지도 모르는데."

"괜찮아. 얘들은 죽으니까 더 이상 괴롭지 않을 거야. 아무도 불행하지 않게 전부 다 잘 마무리되는 거지."

"속지 마! 우리는 안 행복해!" 굴 한 마리가 말했다.

"안 행복하다는데."

"잠깐만." 메리 앤은 품에서 병을 꺼내 굴에 병 속의 액체를 끼었었다.

굴들은 일제히 까무러칠 것처럼 비명을 질렀다.

"뭘 한 거야?" 그리핀이 물었다.

"식초를 뿌렸어. 이제 더 감칠맛이 날 거야."

"하지만 이 녀석들은 괴로워하는걸."

"그야 식초를 뿌렸으니까. 가엾게도 얘들은 이대로 괴로워하다가 죽겠지."

"왜 그렇게 심한 짓을?"

"그러니까, 감칠맛이 나라고."

"어떻게 해야 하지?" 그리핀은 양손 위에서 괴로움으로 몸부림치는 굴들을 보고 어찌할 바를 모르는 것 같았다.

"편하게 해줘야 해."

"어떻게 하면 편해지는데?"

"죽이면 돼. 얘들을 단숨에 삼켜서 배 속에서 질식시키는 거야."

"살려줘!"

"살려줘!"

"살려줘!"

굴들은 저마다 외쳤다.

"정말로 그러면 편해지는 거지?" 그리핀은 메리 앤에게 확인했다.

"응, 편해져."

그리핀은 고개를 한 번 끄덕하고 부리를 크게 벌렸다. 그리고 울부짖는 굴들을 입에 넣으려고 했다.

"이, 이건……." 그리핀은 굴을 부리에 댔다가 바로 뗐다.

"왜 그래?"

"안 되겠어. 한꺼번에는 못 먹어."

"그렇게 응석 부리면 못써."

"하지만 안 되는 건 안 되는 거야."

"안 되기는. 자, 내가 먹는 방법을 가르쳐줄게."

"그래? 그럼 부탁할게."

"일단 부리를 힘껏 벌려."

"이렇게?"

"더 크게, 턱이 빠질 정도로."

"턱이 빠지면 큰일이잖아."

"큰일은. 혹시 빠지더라도 내가 끼워줄게."

"그래? 그럼 안심이군." 그리핀은 부리를 더 크게 벌렸다.

그리핀의 턱에서 둔탁한 소리가 났다.

"앗……." 그리핀이 외마디 소리를 질렀다. 눈물이 한 줄기 흘러내렸다.

메리 앤은 굴 수십 마리를 그리핀의 입에 쑤셔 넣었다.

그리핀은 불평하는 듯한 소리를 내며 고개를 돌리려고 했다.

하지만 메리 앤은 재빨리 굴들을 욱여넣었다. "주저하면 맛이 없어!"

"우욱우욱욱욱." 그리핀은 신음했다.

양손에 가득 찰 만큼 많은 굴들이 그리핀의 부리를 꽉 틀어막았다. 그리핀의 목구멍 안쪽에서 꺽꺽 숨넘어가는 소리가 들렸다.

그리핀은 메리 앤의 손을 떨쳐내려고 했다.

메리 앤의 눈초리가 매섭게 치켜 올라갔다. 왼손으로 그리핀의 머리를 잡고 오른손으로 굴을 쑤셔 넣으려고 했다.

그리핀은 눈을 희번덕거리며 달아나려고 했다.

하지만 메리 앤은 매달리듯이 그리핀의 몸에 올라타고 굴을 더 깊이 욱여넣었다.

원래 그리핀의 힘은 상당히 센 편이었다. 하지만 숨을 쉬지 못하는 예상치도 못한 상황에 맞닥뜨려 당황한 나머지 평소만큼 힘을 쓰지 못한 데다 이미 산소가 결핍되어 근육이 제대로 기능하지 못했다.

그리핀은 겁에 질린 눈으로 메리 앤을 보았다. 무릎에서 힘이 빠져서 주저앉고 말았다.

메리 앤은 소리 높여 웃었다. "왜 그래? 놀랐어? 그래. 당신은 죽는 거야."

그리핀은 힘없이 양손을 휘저었다.

"내가 뭔가 오해했다는 거야? 땡. 나는 오해하지 않았답니다, 시노자키 선생님."

그리핀은 눈으로 뭔가를 전하려는 것처럼 보였지만 이미 눈꺼풀이 축 늘어졌고, 눈은 빛을 반쯤 잃었다.

"자업자득이야. 모처럼 연구실이 증설됐는데 날 새 교수로 추천하지 않았잖아. 젊은 조교수한테 느닷없이 연구실을 맡기다니 머리가 어떻게 된 거 아니야?"

그리핀은 뭐라고 우물우물 말하려고 하는 것 같았다.

"뭐라고? 굴 때문에 뭐라고 하는지 잘 안 들려. 좀 더 똑똑히 말해봐." 메리 앤은 다시 소리 높여 웃었다.

그리핀의 멱이 크게 울렁거렸다.

굴 뭉치가 약간 움직이자 메리 앤은 온 힘을 다해 다시 꾹꾹 눌렀다.

이번에는 그리핀의 배가 울렁거렸다.

하지만 메리 앤은 계속 눌렀다.

굴 사이로 노란 액체가 배어 나왔다. 분명 위액이리라.

위액이 메리 앤의 옷을 적셨지만 그녀는 전혀 신경 쓰지 않았다.

그리핀은 눈을 부릅뜨고 몇 번이나 몸을 뒤틀었다.

"아무래도 기관지에 위액이 들어간 모양이네. 그래서 지금 기침을 하고 있는 거야. 하지만 공기를 들이마실 수 없으니까 폐가 경련하기만 할 뿐이고, 공기가 드나들지 않으니까 이렇게 조용하게 기침이 나오는 거구나." 메리 앤은 행복한 듯이 아름답게 미소 지었다.

그리핀은 하늘을 올려다보던 자세 그대로 뒤로 쿵 쓰러졌다.

메리 앤은 그리핀의 가슴에 올라타고 앉아 굴을 계속 밀어 넣었다.

그리핀은 눈을 까뒤집은 채 힘없이 머리를 도리도리 좌우로 흔들었다.

메리 앤은 힘을 빼지 않았다.

여기서 한 모금이라도 숨을 들이마시면 단숨에 힘을 되찾을 게 틀림없어. 그러면 정말 골치 아프다고. 확실하게 숨통을 끊어야 해.

그리핀은 드디어 자신이 무슨 상황에 처했는지 깨달았는지 손을 뻗어 메리 앤의 목을 잡았다.

"어쩌려고? 누가 먼저 죽이는지 해보자는 거야? 좋아. 당신이 압도적으로 불리하기는 하지만. 이제 당신의 뇌에는 산소가 모자랄 거야. 정상적인 판단을 할 수 없는 상태지. 지금부터 내 목을 졸라도 그렇게 쉽게는 죽일 수 없을걸."

그리핀의 날카로운 손톱이 목의 피부를 파고들었다.

하지만 따끔하는 정도였다. 호흡은 편했고 피도 잘 통했다.

그리핀이 다른 손으로도 메리 앤의 목을 잡았다.

메리 앤은 아하하 웃었다.

웃음이 멎자 목에서 컥 소리가 났다.

아직도 이런 힘이 남아 있었을 줄이야.

숨이 막혔다.

하지만 메리 앤은 손에 계속 힘을 주었다.

그리핀이 죽거나 기절하면 반드시 목에서 손을 뗄 거야. 하지만 내가 방심해서 그리핀이 숨을 쉬면 내 목을 단숨에 부러뜨려버리겠지.

그리핀의 눈에 눈동자가 되돌아왔다. 메리 앤의 얼굴을 쳐다보았다.

메리 앤은 온 힘을 다해 미소 지었다.

그리핀의 눈동자가 눈꺼풀 뒤쪽으로 슥 사라졌다.

눈이 천천히 감겼다.

메리 앤의 목을 잡고 있던 손이 땅으로 툭 떨어졌다.

딱 한 번 부들부들 경련한 후 잠잠해졌다.

죽었나?

가슴에 귀를 대고 확인하고 싶지만 참자. 섣불리 손을 떼면 되돌릴 수 없는 일이 벌어질지도 모르니까.

메리 앤은 천천히 수를 헤아리기 시작했다.

인간은 질식되면 1분 30초 정도 지나서 가사 상태에 빠진다고 한다. 그리핀은 어느 정도 걸리는지 모르지만 육상 생물이니까 아마도 비슷할 것이다. 만약에 대비해 5분간 기다리기로 했다. 5분이 지나면 확실하게 가사 상태에 빠질 것이다.

뿌직뿌직하고 역겨운 소리가 나더니 악취가 풍겨왔다.

어휴. 이 자식 똥 쌌네. 죽기 직전까지 괴롭히다니!

메리 앤은 고개를 잠깐 뒤로 돌렸다.

그 순간 그리핀이 메리 앤의 두 손목을 잡았다.

"역시 아직 살아 있었구나." 메리 앤은 굴을 꽉꽉 욱여넣었다.

또다시 그리핀의 손에서 힘이 빠졌다.

메리 앤은 수를 헤아렸다.

3백까지 헤아렸다. 굴은 절반쯤 목구멍 안쪽으로 밀려 들어갔다. 분명 기도에도 꽤 많이 들어갔을 것이다.

메리 앤은 심호흡을 한 후 굴에서 손을 떼는 것과 동시에 뛰어올라 그리핀의 목을 밟았다.

그리핀의 몸이 흔들렸다. 하지만 자발적인 움직임은 없었다.

아무래도 진짜 죽은 듯했다.

"살인자! 살인자!" 굴들이 소란을 피웠다.

메리 앤은 품에서 돗바늘을 꺼내 굴을 한 마리씩 꿰었다.

"고마워. 너희들한테 아주 큰 신세를 졌어. 헛되이 목숨을 잃은 게 아니라 정말 많은 도움이 됐어. 그러니까 기쁘게 죽으렴."

"싫어! 싫어!"

얼마 지나지 않아 그 목소리는 조금씩 작아지다가 완전히 사라졌다.

메리 앤은 일어서서 인기척이 없는 해안을 뒤로했다.

"이런 게 배달됐어요." 메리 앤은 상자를 꺼냈다.

상자에는 빨간색과 하얀색 리본이 둘둘 감겨 있었고, 겉에는 커다란 글씨로 '예초기'라고 적혀 있었다.

"그런데." 흰토끼는 안경을 고쳐 썼다. "뭐지, 이건?"

"'예초기'라고 쓰여 있네요."

"엉? 예초기?"

"생각건대 '풀을 베는 기계'를 가리키는 게 아닐까 하는데요."

"풀을 베는 기계? 아아, 그렇군. 예초기라 마침 가지고 싶었는데 잘됐어!" 흰토끼는 상자를 끌어안았다.

"지금 '예초기'라고 했어?" 빌이 방 안으로 뛰어 들어왔다. 달리던 기세를 이기지 못하고 반대쪽 벽에 부딪쳐 벌렁 자빠지더니 바닥을 구르며 의자와 테이블을 마구 쓰러뜨렸다.

"소란스럽기는!" 흰토끼가 야단을 쳤다.

"응? 예초기는 소란스러워?" 빌이 물었다.

"넌 도대체 왜 얌전히 행동하질 못하는 거냐?"

"어쩔 수 없죠." 메리 앤이 말했다. "빌이니까요."

"빌이지." 흰토끼는 한숨을 쉬었다.

"납득했으면 빨리 예초기를 보여줘."

"안 돼." 흰토끼는 거절했다. "이건 내 앞으로 온 거니까 내가 제일 먼저 볼 권리가 있어. 내가 본 다음에 언제든지 보여주지."

"에이……."

"나중에 보여주겠다고 했으니까 참으럼, 빌."

"쳇."

흰토끼는 자기 키만 한 상자를 침실로 비칠비칠 옮겼다. "이거 꽤나 무겁군."

"어쨌거나 예초기니까."

"그래. 예초기지." 흰토끼는 흡족한 표정이었다.

"그런데 예초기가 뭐야?" 빌이 물었다.

"풀을 베는 기계란다."

"흐음. 그렇구나."

"너, 예초기가 뭔지도 모르고 생난리를 친 거야?"

"응. 그래. 하지만 방금 메리 앤이 가르쳐줘서 예초기가 뭔지 알았어. 이제 생난리가 뭔지만 알면 완벽해." 빌이 말했다.

"메리 앤. 아무튼 내가 예초기를 구경하는 동안 이 녀석을 좀 조용하게 만들어봐." 흰토끼가 말했다.

"예초기는 조용하게 만들고 싶을 만큼 시끄러워?" 빌이 물었다.

흰토끼는 빌을 무시하고 침실로 들어가서 문을 쾅 닫았다.

"오늘 흰토끼는 어쩐지 기분이 별로네." 빌이 말했다.

"예초기가 손에 들어와서 조금 흥분한 거야. 조금만 있으면 또 기분이 풀리겠지." 메리 앤이 빌을 달랬다.

느닷없이 문이 열렸다.

흰토끼가 서 있었다.

"왜 그러세요?" 메리 앤이 물었다.

"리본이 너무 칭칭 감겨 있어서 못 풀겠어. 가위 좀 가져다줘." 흰토끼가 말했다.

"내가 물어뜯어서 끊어줄까?" 빌이 날카로운 이빨을 보여주었다.

흰토끼는 몸을 떨며 노골적으로 불쾌감을 드러냈다. "됐어."

"자. 가위예요." 메리 앤이 가위를 건넸다.

흰토끼는 다시 문을 쾅 닫았다.

"흰토끼 기분이 아직 안 풀렸나 봐."

"2, 3분만 더 기다려봐."

"맙소사!" 흰토끼가 외치는 소리가 들렸다.

"1분 이내일지도 모르겠네." 메리 앤은 중얼거렸다.

"이건 예초기가 아니야! 스나크다!" 다시 흰토끼가 외치는 소리가 들렸다.

"야호! 굉장해!" 빌도 소리를 쳤다. "나, 스나크를 보는 게 소원이었어!"

"어머. 그랬니?"

"저기, 그 스나크는 깃털이 있고 무는 스나크야? 아니면 수염이 났고 할퀴는 스나크야?"

대답은 없었다.

"심술부리지 말고 가르쳐줘."

"부……." 흰토끼의 목소리는 누군가가 지워버린 것처럼 중간에 끊겼다.

"응? 뭐라고?"

"'부'라고 한 것 같은데."

"나한테도 그렇게 들렸어. 그런데 '부'라니 무슨 뜻이지? 내 대답이 틀려서 버저를 부부 울린 건가?"

"넌 질문했잖니. 답을 말한 게 아니야." 메리 앤은 두 손 두 발 다 들었다는 투로 말했다.

"그럼 누가 답을 틀렸는데? 흰토끼?"

"흰토끼는 아직 답을 말하지 않았어. 게다가 스스로 자신의 대답에 오답 버저를 울리는 건 이상하잖아."

"있지." 빌은 문을 쿵쿵 두드렸다. "누가 답을 틀렸어?"

대답은 없었다.

"이상하네."

"응? 지금 누구 이가 상했다고?"

"빌, 문을 열어보자."

"하지만 흰토끼는 나중에 보여주겠다고 했어."

"흰토끼는 벌써 스나크를 봤어. 보지 않았다면 '스나크다!'라고 소리를 지르겠니?"

"응. 그도 그렇네." 빌은 고개를 끄덕였다. 그리고 아무 말도 없이 가만히 서 있었다.

"뭐 하니? 문을 열어."

"왜?"

"흰토끼가 소리를 지른 뒤로 대답이 없으니까. 어쩌면 병이 났거나 다쳐서 말을 할 수 없는지도 몰라."

"그거 큰일이네." 빌은 문을 열었다.

방 안에는 아무도 없었다.

그저 테이블 위에 빈 상자가 놓여 있을 뿐이었다.

"흰토끼는 어디로 갔을까? 창문으로 나갔나?"

"빌, 봐봐. 창문은 전부 안쪽에서 잠겨 있어. 이 방에서는 천장 위로도 바닥 아래로도 못 가. 출구는 우리가 보고 있던 문뿐이야."

"알아. 왜 그런 소릴 하는 거야?"

"이 방이 밀실이었다고 증언하기 위해서지. 자, 빌. 미치광이 모자 장수를 불러오렴. 가서 '흰토끼가 부점에게 당했다'고 전해."

"왜 미치광이 모자 장수를 부르는데?"

"그는 앨리스가 저지른 연쇄살인사건을 수사하고 있으니까."

"앨리스는 안 죽였다고 했어."

"빌, 너 그 말을 믿니?"

"하지만 본인이 그렇게 말하는 걸……."

"거짓말일지도 몰라."

"앨리스는 거짓말 잘 안 해."

"거짓말이 아니라는 증거는 있어?"

"어디 보자…… 없는 것 같아."

"흰토끼는 살인 현장에서 앨리스를 목격한 유일한 증인이었어."

"우와. 그랬구나."

"네가 몰랐다니 상당히 놀랍지만, 뭐 그건 상관없어. 흰토끼가 죽으면 누가 득을 볼까?"

"으음. ……흰토끼를 싫어하는 사람?"

"퀴즈나 풀고 있을 여유는 없으니까 정답을 알려줄게. 앨리스야."

"뭐라고? 어째서?"

"흰토끼는 앨리스가 범인이라고 증언한 유일한 사람이니까. 그가 죽으면 앨리스가 범인이라고 증언할 사람이 없어지는 셈이야."

"흰토끼는 사람이 아닌데."

"그가 죽으면 앨리스가 범인이라고 증언할 짐승이 없어지는 셈이야."

"그럼 앨리스한테 이득이네."

"아까 전부터 계속 그렇게 말했잖니."

"아아. 다행이다. 이제 앨리스는 더 이상 의심받지 않겠구나."

"진범이 체포되지 않아도 된다는 거야?"

"체포되든 체포되지 않든 상관없어. 하지만 난 앨리스를 좋아하니까 앨리스가 체포되지 않으면 좋겠어."

"제 욕심만 차리는 도마뱀이구나. 하지만 유감스럽게도 네 바람은 이루어지지 않을 거야."

"엥? 왜?"

"흰토끼가 죽으면 제일 득을 보는 사람이 앨리스니까. 필연적으로 앨리스가 제일 먼저 의심받겠지."

"그거 큰일인데…… 응? 이상한데."

"뭐가 이상한데?"

"흰토끼가 죽으면 앨리스는 득을 보는 거지?"

"응. 맞아."

"하지만 흰토끼가 죽어서 앨리스가 의심받는 거고?"

"응. 맞아. 앨리스가 득을 보니까."

"하지만 의심받는다면 앨리스는 흰토끼를 죽여서 손해를 보는 거잖아."

어머. 이 도마뱀, 제법 예리하네.

"실은 손해를 입지만 얼핏 보기에는 이득을 얻는 것처럼 느껴지거든."

"무슨 말인지 통 모르겠어. 알아들을 수 있게 말해줘."

"즉, 앨리스는 손해를 볼 줄은 몰랐던 거야."

"이득만 있을 거라고 생각해서 앨리스는 흰토끼를 죽인 거야?"

"그런 셈이지."

"하지만 실은 손해라는 걸 메리 앤은 알아차렸잖아."

"응. 물론이지."

"그럼 이상한데."

"뭐가 이상하다는 거니?" 메리 앤은 점점 짜증이 나기 시작했다.

"그게, 앨리스가 메리 앤보다 더 똑똑하니까 메리 앤이 알아차렸다면 앨리스도 알아차렸을 거야."

메리 앤의 가슴속에 분노가 부글부글 끓어올랐다.

나보다 그 계집애가 똑똑하다고? 이 도마뱀이 도대체 무슨 헛소리를 하는 거야. 하지만 빌은 흰토끼의 최후를 증언해야 해. 조금만 더 참자.

"정말 앨리스가 더 똑똑해?"

"정말이야. 앨리스는 똑똑해."

"나도 똑똑해."

"나보다는 똑똑하지. 하지만 앨리스 정도는 아니야."

"누가 더 똑똑한지 이제 곧 밝혀질 거야."

"무슨 소리야?"

"과연 누가 마지막에 웃느냐는 거지."

"무슨 소린지 더 모르겠어."

"넌 몰라도 돼. 구시렁거리지 말고 어서 미치광이 모자 장수나 불러와!"

빌은 못마땅한 듯이 입을 쭉 내밀었지만 잠자코 집을 나섰다.

일단 한 고비 넘겼네.

돌이켜보면 흰토끼 눈이 아니라 코에 걸린 건 오산이었다. 하지만 앨리스라고 착각했으니 다행이었다. 다만 흰토끼가 결국 자신이 착각했음을 깨닫지는 않을까 걱정이었다.

그래서 메리 앤은 흰토끼를 죽이기로 했다. 죽으면 자신의 착각을 깨달을 수 없다. 게다가 흰토끼가 살해당하면 앨리스의 혐의도 더욱 짙어진다. 그야말로 일석이조다.

"미안해, 흰토끼야. 난 네게 원한은 전혀 없어. 지구에서도 잘 알고 지내는 사이는 아니었으니 말이야. 하지만 넌 목격자야. 운이 나빴던 거지. 그러니까 포기하렴."

메리 앤은 발작적으로 웃음을 터뜨렸다.

하지만 마음속 한구석에 희미한 불안감이 싹텄다.

빌이 얼핏 보여준 영리한 모습. 그건 뭐였을까.

"어머. 아직 살아 있었니?" 메리 앤은 발치를 기는 빌을 내려다보았다.

빌은 힘없이 메리 앤을 올려다보았다.

이 녀석이야. 이 녀석이 진범, 그리고 히로야마 도시코였어. 난 마침내 진상에 도달했어. 하지만 진상을 모두에게 알릴 방법이 없군.

메리 앤은 2층 구석의 어둠 속에서 나타났다. 그리고 천천히 다가왔다.

훈노하는 밴더스내치는? 놈은 메리 앤을 공격하지 않나?

"내가 왜 밴더스내치를 무서워하지 않는지 궁금한 모양이구나. 하지만 안 가르쳐줄 거야. 특수한 방법으로 훈련시켰지만 그 방법이 뭔지는 극비 사항이거든."

확실히 메리 앤은 부점도 익숙하게 다뤘어. 이 세계에는 분명 그런 비밀이 아주 많겠지.

메리 앤은 발끝으로 빌의 배를 더듬었다.

빌은 재빨리 메리 앤의 발을 붙잡고 손톱을 세웠다.

"힉!" 메리 앤은 주먹을 쳐들어 빌의 머리를 힘껏 때렸다.

빌은 저도 모르게 발을 놓았다.

"제법 끈질기구나. 밴더스내치! 이 녀석의 하반신을 좀 더 물어 뜯어."

두 다리가 사타구니 부분까지 사라졌다.

이미 감각이 마비되어 잘 느껴지지는 않았지만 아무래도 생식 기도 뜯겨나간 것 같았다.

미안, 이모리. 내가 부주의하게 행동하는 바람에 너도 죽겠구나.

"왜 원망 어린 눈으로 날 보는 거야?" 메리 앤은 말했다.

내가 그런 눈으로 봤다고? 메리 앤에게도 양심이 조금은 남아 있는 모양이군. 그래서 내 눈이 그렇게 보이는 거야.

"따져보면 네가 잘못한 거야. 얌전하게 있으면 될 걸 가지고 앨 리스와 함께 사건을 조사한답시고 설치니까 그렇지."

그게 내가 잘못한 건가? 아니. 잘못은 메리 앤이 했지. 메리 앤 은 벌써 세 명이나 죽였어. 그리고 내가 네 번째가 되겠지.

"밴더스내치, 한 번 더!"

충격이 전해져왔다. 하지만 역시 고통은 느껴지지 않았다.

돌아다보자 허리까지 없어졌다.

피가 흐르는 상처에서 삐져나온 붉은 대롱에서 더러운 진흙 같 은 것이 뿜어져 나왔다.

저거, 똥인가?

"아직도 살아 있네. 대단해."

아아. 난 감탄할 만큼 대단하구나. 뭐, 파충류니까 생명력은 그

럭저럭 괜찮은 편이지. 하지만 하반신이 없어졌으니 아마 그렇게 오래 버티지는 못할 거야. 이대로 여기서 죽겠군. 이 일도 앨리스가 뒤집어쓰려나? 가엾은 앨리스. 뭔가 앨리스에게 해줄 수 있는 건 없을까?

그래. 뭐였더라. ……다잉 메시지. 그걸 남기는 거야. 내 피는 여기 철철 넘치니까 여기다 쓰면 돼.

그런데 뭐라고 쓰지?"

'범인은 메리 앤입니다.'

그럼 바로 지워버리겠지.

그래, 메리 앤은 그냥 넘어가더라도 앨리스는 그냥 넘어가지 않도록 쓰면 돼. 다행히도 앨리스는 메리 앤보다 머리가 좋아. 다만 안타깝게도 난 메리 앤보다 머리가 나쁜데.

하지만 내게는 이모리의 지식이 있어. 그리고 이모리의 사고방식도 기억 속에 남아 있지. 이모리라면 어떻게 할지 생각해보자.

메리 앤의 이름을 꺼내면 안 돼. 그럼 얼핏 보기에는 아무 관계도 없는 퀴즈처럼 쓰면 되려나? 아니야. 영문 모를 말을 쓰면 오히려 경계해서 지워버릴 거야.

과연 무슨 말을 써야 지우지 않을까?

메리 앤에게 유리한 내용이라면 지우지 않겠지.

'메리 앤은 범인이 아니다.'

메리 앤이 아니라고 썼으니까 메리 앤에게 불리한 내용이 아니야. 하지만 반대로 앨리스에게는 메리 앤을 의심하는 계기가 되겠지.

아니야. 메리 앤은 자기 이름이 나온 걸 보자마자 지울 거야.

'히로야마 선생님은 메리 앤이다.'

이것도 마찬가지 이유로 안 돼. 게다가 히로야마 선생님이 거짓 말을 했다는 것까지 폭로했으니 반드시 지우겠지.

'히로야마 선생님이 범인이다.'

'히로야마 선생님은 범인이 아니다.'

둘 다 히로야마 선생님에게 관심을 돌리기에는 충분하지만, 메리 앤은 자기 분신의 이름을 남겨두고 싶지 않을 거야.

히로야마 선생님은 '자신의 아바타라는 공작 부인'이라고 거짓 말했어. 공작 부인에게는 철벽의 알리바이가 있으니까 순간적으로 그런 거짓말을 한 거겠지. 그렇다면 공작 부인을 언급하는 것 정도는 안전한 범위 안에 있다고 여길지도 몰라.

빌은 자신의 생각에 자신이 없었다. 평소 머리가 아주 둔한 편인 데다 지금은 피를 많이 흘려서 의식이 몽롱했다.

하지만 지금은 다잉 메시지에 희망을 거는 수밖에 없어. 설령 메리 앤이 지워버린다고 해도 사태가 악화되는 건 아니야. 밑져야 본전이지.

빌은 집게손가락을 자기 피에 담갔다.

그리고 눈앞의 바닥에 댔다.

더 이상 아무것도 보이지 않았다.

부디 잘 쓸 수 있기를.

빌은 다잉 메시지를 쓰기 시작했다.

메리 앤은 빌이 무엇을 하려는지 알아차리고 가까이 다가왔다.

"공작 부인? 내 거짓말을 폭로하겠다는 거니? 불쌍해라. 바로 지워줄게." 메리 앤은 피로 쓴 글자를 발로 문지르려고 했다.

"어머? 뭐라고 쓰려는 거니?" 메리 앤은 발을 도로 내려놓았다.

"이게 뭐야? 혹시 너 내가 누군지 모르는 거니? 아니면 정신이 나가서 그냥 아무 말이나 막 쓴 거야?"

하지만 빌은 더 이상 움직이지 않았다.

메리 앤은 빌의 다잉 메시지를 보며 생각에 잠겼다.

"이건 오히려 내게 유리하겠어." 메리 앤은 그렇게 중얼거리더니 뒤로 물러났다. "밴더스내치, 밖으로 나가렴."

메리 앤이 떠난 후 빌은 조용히 미소 지었다.

그리고 정말로 움직임을 멈추었다.

18

아리는 숨을 삼켰다.

살해당한다.

"이게 뭔지 아니?" 히로야마 부교수가 아리에게 물었다.

"총인가요?"

"총이라면 총이지. 이건 타정총이야."

"역시 총이군요."

"엄밀하게 말하자면 총이라기보다는 공구지. 콘크리트나 철판에 못을 박을 때 사용해. 하지만 원리는 총과 똑같지. 그래서 타정총이라고 부르는 거야. 엽총과 마찬가지로 허가증도 필요하단다. 그러니까 총이라고 해도 아주 틀린 건 아니야."

"보통 총처럼 사용하는 건가요?"

"보통 총처럼 쓰기는 좀 어렵지. 끝부분을 접촉시키지 않으면 발사되지 않도록 되어 있거든. 그러니까 사람을 죽이려면 총구를 상대방에게 갖다 대야 해." 히로야마 부교수는 자리에서 일어나서 아리를 향해 한 걸음 다가왔다.

"가까이 오지 마요." 아리는 잠긴 목소리로 말했다.

"무섭지?"

"예. 하지만 울고불고할 정도는 아니에요."

"정말? 그럼 이제 안전장치를 풀게." 히로야마 부교수는 타정
총을 조작했다.

찰칵하고 작은 소리가 났다.

"날 죽이면 체포될 거예요."

"그럴지도 모르지. 하지만 내게는 다른 선택지가 없어. 지금 여
기서 널 죽이지 않으면 이상한 나라에서 사형당할지도 모르는걸.
맞다. 네가 갑자기 덤비는 바람에 하는 수 없이 정당방위로 죽였
다고 하면 되겠네."

"그렇게는 안 되죠."

아리는 비명을 질렀다.

사람들이 복도를 달려오는 소리가 들렸다.

"무슨 짓이니?"

"이제 당신은 제압당할 거예요."

"사람들이 너랑 나 둘 중에 누구 말을 믿을까?"

"총을 들고 있는 건 당신이에요. 게다가 내가 당신을 덮쳤다면
일부러 소리를 질러서 사람들을 부르지는 않겠죠."

"정말로 그럴까?"

"의심받아도 상관없어요. 나뿐만 아니라 당신도 조사를 받을 테
니까."

"그런다고 내가 겁낼 것 같니?"

"난 모두에게 메리 앤이 살인범이라고 알릴 거예요. 그러면 이상한 나라에서도 수사에 진전이 있겠죠."

"그런 짓 해봤자 아무 소용없어."

"왜 소용이 없죠?"

"난 감쪽같이 달아날 수 있거든."

문이 열렸다.

"무슨 일입니까?" 몇 사람이 뛰어 들어왔다.

히로야마 부교수는 씩 웃었다.

뭐야? 뭘 어쩌려고?

아리는 가슴이 두근거렸다.

"날 공갈하다니 간 한번 크구나, 구리스가와." 히로야마 부교수는 말했다.

아리는 히로야마 부교수가 이 무슨 생뚱맞은 말을 하나 싶었다.

공갈? 내가 히로야마 선생님을 공갈했다는 거야? 그런 턱없는 거짓말을 늘어놓다니 뭘 어쩌자는 거야?

"하지만 난 너한테 안 져. 달아나겠어." 히로야마 부교수는 타정총의 총구를 자기 미간에 댔다.

"바이바이, 앨리스."

아무도 움직이지 않았다. 모두 그 행위가 무슨 의미인지 이해하지 못했으리라.

히로야마 부교수는 방아쇠를 당겼다.

그녀는 풀썩 쓰러졌다.

그녀의 미간에 못 하나가 박혔고, 코와 입에서 피가 줄줄 흘러
내렸다.

아리는 그제야 메리 앤이 연쇄살인을 저지른 범인이자 앨리스
가 무고하다는 것을 증명할 수 있는 유일한 증인임을 깨달았다.

19

범인을 밝히는 데 성공했는데 내 입장이 전보다 더 위태로워지다니 도대체 어떻게 된 거야?

앨리스는 어찌할 바를 모르고 숲속 나무줄기에 기대앉아 있었다. 설마 히로야마 부교수, 즉 메리 앤이 그런 식으로 달아날 줄은 상상도 하지 못했다.

어차피 자기는 죽을 테니 너도 한번 죽어봐라 그거겠지. 정말 너무해. 난 그 사람의 원한을 살 만한 짓은 한 적이 없는데.

아아. 진짜로 어떻게 하지? 이대로 가면 네 명을 살해했다는 혐의에 더해 메리 앤이 죽은 일에도 관여했다고 간주될지도 몰라.

그러고 보니 메리 앤은 어떻게 죽었을까?

생각해보면 메리 앤 역시 피해자일지도 몰라. 원흉은 히로야마 선생님이니까. 메리 앤은 히로야마 선생님의 분신이었다는 이유만으로 느닷없이 죽음을 맞이한 거잖아.

앨리스는 한숨을 내쉬었다.

뭐, 될 대로 되라지. 미치광이 모자 장수와 3월 토끼에게 전부
다 털어놓는 수밖에 없겠어. 운이 좋으면 믿어줄지도 몰라. 그리
고 그 이야기를 토대로 내가 무고하다는 걸 증명할 증거를 찾아줄
지도 모르고.

게다가 다소 설득력이 떨어지기는 하지만 지금도 증거가 아예
없는 건 아니고 말이야.

"아가씨?" 후드를 푹 눌러쓴 인물이 갑자기 말을 걸었다.

"예? 왜요?"

"실례지만 앨리스 씨 아닌가요?" 목소리를 들어보니 나이가 지
긋한 여자 같았다.

"예. 그런데요."

"아아. 다행이다. 당신을 계속 찾고 있었어요."

"나를요? 별일도 다 있네요."

"별일은요. 당신을 찾는 사람이 많을 텐데요. 아무튼 상당한 유
명인이니까요."

"유명하다고 해봤자 연쇄살인범으로 유명한 거잖아요? 그리고
결백을 증명하지 못하면 머지않아 사형당할 거예요."

"전 그 일 때문에 왔어요."

"사형 날짜가 잡혔나요?"

"당신이 사형을 면하도록 도울 수 있을지도 모르겠어요."

"값싼 위로는 집어치워요."

"값싼 위로가 아니에요. ……그럼 이렇게 말하면 믿겠어요? 진
범은 메리 앤이에요. 아니지. '이었어요'라고 말해야 할지도 모르

겠군요."

앨리스는 갑자기 눈앞이 환해진 것 같은 기분이 들었다. "어떻게 그걸 아는 거죠?"

"절 따라오시면 알 거예요."

"메리 앤이 저지른 범행에 대해 아는 사람이 또 있다는 말인가요?"

"그렇죠. 여기서는 자세하게 이야기할 수 없지만 그런 셈이에요."

"왜 여기서는 말 못 하는데요?"

"양해 바라요. 여기서는 더 이상 이야기할 수 없어요. 만약 알고 싶다면 절 따라오세요."

어쩌지? 생판 모르는 사람을 따라가도 괜찮을까?

"뭘 망설이세요? 이대로 아무것도 하지 않으면 사형당할 뿐이에요. 어차피 모 아니면 도니까 절 믿고 따라오세요. 뭘 더 잃을 게 있다고 그러세요."

확실히 더 잃을 것도 없어.

"알았어요. 어디로 가면 되죠?"

"어딘지 알려드릴 수는 없어요. 절 따라오세요." 후드를 쓴 여자는 바쁘게 걸음을 옮겼다.

"앗! 기다려요."

갑자기 발아래가 물결쳤다.

하늘이 일그러지고 땅이 솟구쳤다.

대지가 뒤틀리고 별들이 흘러갔다.

시간과 공간이 일그러졌어. 공간 왜곡이 시작된 거야.

시공의 구조가 미로처럼 복잡하게 변해갔다. 단 한시도 똑같은 모습을 유지하지 않았다.

후드를 쓴 여자는 앞으로 척척 나아갔다.

그 뒷모습이 으스스하게 늘어났다 줄어들었다 해서 원근감이 이상해진 탓에 1미터 앞에 있는지 10킬로미터 앞에 있는지 도무지 짐작이 가지 않았다.

앨리스는 여자를 놓치지 않도록 죽을힘을 다해 따라갔다.

하지만 나무와 산이 앨리스와 여자 사이를 가로막는 바람에 시야에서 여자가 사라질 때가 많았다.

여자가 달 건너편으로 가버렸을 때는 거의 절망에 빠졌지만, 다음 순간 앨리스는 갑자기 어느 집 앞에 서 있었다.

"다 왔어요." 후드를 쓴 여자가 말했다.

"여기 어디에요?" 앨리스는 주변을 둘러보았다.

어두워서 잘 알아볼 수가 없었다. 숲속에 있는 독채 같았지만 이상한 나라에 그런 집은 아주 흔하다.

"모르시겠어요? 최근에 여기 오신 적이 있을 텐데요."

"글쎄 그게……."

"그럼 안으로 들어가시죠." 후드를 쓴 여자가 문을 열었다.

앨리스는 잠시 망설이다가 각오를 단단히 하고 뛰어들 듯이 어두운 집 안으로 들어갔다.

뒤에서 문을 닫고 자물쇠를 잠그는 소리가 났다.

앨리스는 당황하여 돌아보았다.

"혹시라도 방해꾼이 들어올까 봐서요. 안심하세요."

아무리 그래도…….

앨리스는 강한 불안감에 사로잡혔다.

"앨리스 씨, 메리 앤이 진범이라는 증거를 찾고 계시죠?"

"예. 그래요."

"전 그 증거를 제공할 수 있어요. 제공할 수 있는 유일한 인물이라고 해도 과언이 아니죠."

"그럼 빨리 그 증거인지 뭔지를 보여줘요. 날 놀리는 게 아니라면."

"알았어요. 증거는 저기 있어요." 후드를 쓴 여자는 어두운 복도 구석을 가리켰다. "잘 보세요."

"어디요? 안 보여요."

"잘 안 보이시나요? 다가가서 확인해보세요. 손으로 만져도 상관없어요."

"응? 어디요?"

"거기, 거기요."

앨리스는 엉거주춤한 자세로 어둠 속을 들여다보았다.

찰칵.

목 언저리에서 소리가 났다.

뭐야?

등불이 켜졌다.

뭐야. 등불이 있으면 처음부터 켤 것이지.

앨리스는 목에 위화감을 느꼈다.

손으로 만져보자 금속 고리가 채워져 있었다.

앨리스는 고리를 벗겨내려 했지만 단단히 채워져 있어서 꿈쩍도 하지 않았다.

"도대체 무슨 짓이에요?" 앨리스는 물었다.

"개 목걸이, 잘 채워졌네." 후드를 쓴 여자는 손에 쇠사슬을 쥐고 있었다. 쇠사슬은 앨리스의 목에 채워진 고리와 연결되어 있었다.

후드를 쓴 여자가 쇠사슬을 세게 당겼다.

앨리스는 균형을 잃고 바닥에 쓰러졌다.

여자는 어안이 벙벙해진 앨리스를 바닥에다 누르고 수갑을 채웠다.

"뭐예요, 이거? 기분 나쁘게."

"기분 나쁘기는 나도 마찬가지야. 그런데 이 집 기억 안 나?"

"밝아지니까 알겠네요. 여기는 흰토끼의 집이에요."

"그래. 여기는 흰토끼의 집이니까 이제 아무도 안 살아."

"당신이 왜 이 집 열쇠를 가지고 있는 거죠?"

"그것도 몰라? 잠깐만 추리해보면 답은 금방 나올 거야."

"이 집 열쇠를 가지고 있었던 건 흰토끼와 메리 앤뿐……. 당신, 메리 앤한테 열쇠를 얻었어요? 그런데 메리 앤은 어떻게 죽었죠?"

"네가 목격자잖아?"

"난 히로야마 선생님이 죽는 것밖에 못 봤어요. 타정총으로 자기 이마를 쐈죠. 나도 조사를 받았지만 자살을 목격한 사람이 많아서 내가 죽였다고 덤터기를 쓰지는 않았어요. 하지만 내가 선생님을 협박했다는 의혹은 남은 모양이더라고요. 뭐, 증거가 없으니까 체포되지는 않겠지만. 애당초 사실무근이고."

"아주 틀린 말은 아닐 텐데."

"무슨 소리예요?"

"넌 그녀가 진범임을 규명했어. 그리고 그 사실을 공개하려고 했지. 그녀 입장에서는 협박이라고 할 수 있어."

"범인을 규명하는 게 무슨 협박이에요. 선생님에게서 뭘 빼앗으려고 한 것도 아닌데."

"과연 그럴까? 네가 증거를 내놓으면 그녀는 사형당할지도 몰라."

"하지만 선생님은 자살했어요. 죽는 게 무서웠다면 그런 짓은 안 했겠죠."

"공교롭게도 난 안 죽었단다." 여자가 후드를 벗었다.

메리 앤의 얼굴이 나타났다.

"메리 앤, 살아 있었군요!"

"응. 살아 있지."

"하지만 그때 당신은 확실히 죽었어요."

"죽다니, 히로야마 도시코 말이니? 그래. 확실히 죽었지. 하지만 메리 앤은 죽지 않았어."

"당신, 히로야마 선생님의 아바타라가 아닌 거예요?"

"아바타라야. ……아아, 엄밀하게 말하자면 아닐지도 모르겠네. 난 히로야마 도시코의 아바타라가 아니야. 히로야마 도시코가 내 아바타라지."

"무슨 차이인지 모르겠어요."

"지구에서 너희는 두 세계의 관계를 게임에 비유했다고 들었는데?"

"예. 이모리는 그렇게 말했죠."

"게임 캐릭터는 네 의사에 따라 움직이는 네 분신이지."

"거기에는 동의해요."

"하지만 캐릭터가 너 그 자체는 아니야."

"거기에도 동의해요."

"네가 죽으면 캐릭터도 죽어."

"죽는다고 할까, 아무도 조작하지 않을 테니 없어진 거나 마찬가지겠죠."

"그건 게임과 좀 다른 점이지만 두 세계의 규칙상 죽고 말아."

"하지만 당신은 살아 있잖아요."

"그야 그렇지. 게임 캐릭터가 죽으면 너도 죽니?"

"설마요. 게임 캐릭터는 그냥 조작하는 대상일 뿐이니까 캐릭터가 죽는다고 해서 본인까지 죽지는 않죠. '게임 오버' 같은 메시지가 나오는 게 다예요. 그리고 캐릭터가 자동으로 되살아나서 게임을 계속……." 앨리스는 갑자기 숨을 삼켰다. "즉, 이 세계의 인간과 동물이 본체고 지구에 있는 사람들이 아바타라라고요?"

"그래. 반대인 줄 알았니?"

"내가 가짜거나 사본이라고 생각한 적은 없어요. 하지만 그건 지구 사람들도 마찬가지겠죠."

"당연하지. 누가 스스로를 게임 속 캐릭터라고 생각하겠니?"

"난 어쩐지 두 세계가 대등한 게 아닐까 싶었어요."

"대등하지 않아. 진짜는 이쪽 세계고, 지구는 그냥 꿈이야."

"꿈? 내가 꾸는 꿈?"

"분명 네 꿈이기도 하지. 하지만 그래서는 왜 다른 사람의 꿈과 똑같은지 설명이 되지 않아."

"그럼 역시 지구는 실제로 존재하나요?"

"실제로 존재하느냐고? 꿈이 실제로 존재한다고 한다면 그럴지도 모르지."

"그럼 역시 지구는 꿈이에요?"

"응. 맞아. 하지만 네 꿈이 아니야. 넌 꿈을 나눠 받았을 뿐이지."

"그럼 도대체 누구 꿈인데요?"

"흰토끼는 해답에 거의 접근했어. 그는 이 집의 비밀 지하실에서 연구를 해왔지. 난 그 연구 성과를 몰래 훔쳤어. 앨리스, 너도 대답의 일부는 알고 있을 거야."

"난 아무것도 몰라요."

"트위들덤과 트위들디. 그 두 사람은 흰토끼의 조수였던 적이 있어."

"잠깐만요. 트위들덤과 트위들디라면……."

"물론 그 둘은 진실 그 자체는 몰라. 고작 눈곱만큼 아는 주제에 전부 아는 것처럼 설칠 뿐이지."

"생각났어요. 붉은 왕요. 트위들덤과 트위들디는 숲속에서 잠들어 있는 붉은 왕을 보여줬어요. 그는 내 꿈을 꾸고 있다고 했죠. 우리는 모두 붉은 왕이 꾸는 꿈속에 나오는 것들이라고 했어요."

"반은 맞지만 반은 엉터리야. 그가 꾸는 건 지구의 꿈이지. 우리는 그의 꿈을 나누어 받은 것에 불과해."

"왜 그런 일이 일어났는데요? 붉은 왕은 누구예요?"

"글쎄, 모르겠어. 하지만 붉은 왕은 단순한 존재가 아니야. 숲속에서 자고 있는 건 그의 극히 일부에 지나지 않지." 메리 앤은 바닥의 움푹 들어간 부분을 찼다.

드르륵드르륵하는 소리와 함께 바닥에 균열이 생기더니 활짝 벌어졌다.

"여기가 비밀 연구소야. 흰토끼는 자기밖에 모르는 줄 알았겠지만."

앨리스가 바닥 아래를 들여다보자 거기에는 무수히 많은 책들과 메모지가 흩어져 있었고, 한복판에는 기묘한 물체가 있었다. 그것은 헐벗은 산에 빨간 술이 달린 뾰족한 수면 모자를 씌워놓은 것처럼 보였다. 규칙적으로 맥동하며 증기기관차나 야수가 드르렁거리는 것 같은 소리를 냈다.

"저건 뭐예요?" 앨리스는 떨리는 목소리로 물었다.

"저건 붉은 왕이야."

"붉은 왕은 숲속에서 자고 있을 텐데요."

"그는 이 세계에 널리 퍼져 있어. 숲속에서 자고 있는 모습은 불거진 마디 하나에 지나지 않지. 숲속에 있는 붉은 왕과 여기 있는 붉은 왕은 서로 이어져 있고, 그 가치는 동일해."

붉은 왕에게는 무수히 많은 도선과 관이 달려 있었다.

"저건 일종의 바이오 양자 컴퓨터야. 시공 재규격화 이론을 응용하여 실질적으로 무한한 시뮬레이션 능력을 갖추었어."

"지구를 시뮬레이션하고 있는 거예요?"

"응. 맞아."

"뭣 때문에요?"

"난 몰라. 특별히 흥미도 없고."

"만약 그가 잠에서 깨면 어떻게 되죠?"

"다시 한 번 잠들 때까지 지구는 소멸되지 않을까?"

"잠들면 지구는 부활하나요?"

"응. 하지만 흰토끼의 연구에 따르면 완전히 똑같은 지구로 돌아오지는 않는가 봐. 조금씩 다르지. 예를 들면 이상한 나라에서 생긴 일을 동화로 쓴 지구도 생길지 몰라. 어쩌면 앨리스 네가 주인공으로 나올지도 모르지. 그럼 제목은《이상한 나라의 앨리스》쯤 되려나?"

"지구는 변하지만 이상한 나라는 변함없다. 그러니 지구에서 히로야마 선생님이 자살해도 이상한 나라에서 메리 앤은 죽지 않는다. 그걸 알고 있었군요."

"응. 다 흰토끼 덕분이지. 그는 정말로 도움이 됐어. 그가 이상한 나라에 사는 동물의 생태를 잘 정리해둔 덕분에 스나크와 무시무시한 밴더스내치를 써먹을 수 있었거든. 참 얄궂은 일이야. 흰토끼는 자기 자신의 연구 때문에 목숨을 잃은 셈이지."

"흰토끼를 죽인 건 당신이에요. 슬쩍 책임을 회피하지 말아요."

"그래. 흰토끼를 죽인 건 나야. 험프티 덤프티와 그리핀과 그 덜떨어진 도마뱀 빌을 죽인 것도 나고. 난 뭐든지 혼자서 잘 처리했어."

"운이 좋았을 뿐이에요. 만약 나랑 당신 체취가 비슷하지 않았다면 당신이 제일 먼저 의심받았겠죠."

"운도 실력 중 하나야. 그런데 너희가 날 자꾸 궁지로 몰아넣었지. 그래서 죽이는 수밖에 없었어."

"나도 죽일 건가요?"

"고민 중이야. 널 죽이면 또 다른 범인을 날조해내야 하거든." 메리 앤은 칼을 들이댔다. "하지만 내 말을 듣지 않으면 죽이는 수밖에. 자, 2층으로 올라가."

순순히 따라야 하나? 운은 하늘에 맡기고 반항해볼까? 메리 앤은 칼을 들고 있는 반면, 난 개 목걸이와 수갑을 차고 있어. 이길 가능성은 아주 낮아. 메리 앤이 진범이라는 증거는 쥐고 있으니 지금 여기서 싸우기보다 빈틈을 노려서 누군가에게 알리는 편이 살아날 가능성이 높아.

정말로?

앨리스는 머리를 최대한 쥐어짜서 탈출 계획을 세우려고 애썼다.

"뭘 꾸물거리고 있어? 시간을 벌려고 해봤자 허사야." 메리 앤은 앨리스의 목에 칼을 댔다.

"지금 여기서 날 죽이면 변명할 수 없을 텐데요."

"변명 같은 거 안 해. 네 시체가 발견되지 않으면 그만인걸."

"시체는 반드시 발견될 거예요."

"'반드시'라니 말이 과하구나. 확실히 발견될 가능성은 있어. 하지만 구더기 무섭다고 장 못 담그겠니. 널 감금할 수 없다면 지금 여기서 죽이는 수밖에."

메리 앤의 눈에는 광기가 깃들어 있었다. 그녀는 이미 몇 명이나 죽였다. 아무런 망설임 없이 죽일 것이다.

앨리스는 계단을 올라갔다.

두 사람은 2층 방으로 들어갔다.

메리 앤은 앨리스를 침대에 앉혔다.

"이제 평생 걸어 다닐 일은 없을 테지." 메리 앤은 앨리스에게 족쇄를 채웠다.

앨리스는 창문을 보았다. 격자가 끼워져 있어서 창문으로 달아날 수는 없을 것 같았다.

"왜 그렇게 서글픈 표정을 짓고 있니?" 메리 앤이 물었다.

"자유를 빼앗겼는데 슬프지 않을 사람이 있겠어요?"

"앞으로 평생 내가 먹이고 재워주겠다잖아. 슬퍼할 필요가 어디 있어!"

"먹인다고요? 음식을 갖다 주겠다는 건가요?"

"과자 같은 거라도 괜찮다면. 봐, 마침 여기에 쿠키가 있네." 메리 앤은 접시에 담긴 쿠키를 권하고 자신도 아득아득 씹어 먹었다.

앨리스는 쿠키를 하나 집어서 덥석 먹어치웠다.

맛은 크게 기대하지 않았지만 고소하면서도 달콤한 맛이 앨리스의 기운을 조금 북돋아주었다.

"고마워요. 맛있네요. 하지만 과자만 먹으면 영향에 불균형이 생길 거예요."

"내가 무슨 영양사라도 되니? 그렇게 걱정되면 날아다니는 파리나 모기, 바닥을 기어 다니는 바퀴벌레라도 잡아먹지그래?"

"그러면 영향의 균형이 맞춰져요?"

"그런 건 모른다니까. 싫으면 먹지 말든가."

"바퀴벌레를? 아니면 과자를?"

"둘 다."

앨리스는 다시 한 번 창밖을 보았다. 숲만 눈에 들어올 뿐 지나다니는 사람은 하나도 없었다.

하지만 큰 소리를 지르면 누가 들을지도 몰라.

"큰 소리를 지르면 누가 들을지도 모른다고 생각했지?" 메리 앤이 말했다.

정답이었지만 앨리스는 일부러 아무 대답도 하지 않았다.

"안됐지만 소용없어. 이상한 나라 사람들은 늘 떠들썩하게 소란을 떠니까 고함에는 익숙해. 게다가 여기에는 이 집으로 통하는 길밖에 없거든. 그래서 흰토끼가 죽은 뒤로는 아무도 얼씬거리지 않아."

그래도 가능성이 아예 없지는 않아. 메리 앤도 계속 여기 있지는 않겠지. 틈을 보아 여기서 계속 소리치면 언젠가는 누가 들을지도 몰라.

"틈을 보아 여기서 계속 소리치면 언젠가는 누가 들을지도 모른다는 어리석은 생각을 했지?" 메리 앤이 말했다.

앨리스는 대답하지 않았다.

마치 내 마음을 읽은 것처럼 말하지만 물론 그럴 리 없어. 내 말과 행동을 토대로 내가 무슨 생각을 하는지 추측해서 먼저 말하는 거야.

그러니 아무 대답도 하지 않으면 내 생각을 추측할 재료를 얻을 수 없겠지.

"잠자코 있으면 내가 무슨 생각을 하는지 모를 거라고? 순진하기는."

어림짐작으로 말하고 있을 뿐이야. 휘둘리면 안 돼.

오른쪽 다리에 가벼운 통증이 느껴졌다.

"미간에 주름이 잡혔네. 어디 아프니? 팔? 다리?" 메리 앤이 부쩍 커졌다.

기분 탓인가? 아니야. 확실히 커졌어.

"어머. 눈치챘니? 그래. 이 쿠키에는 그 버섯 성분이 들어 있어. 네가 옛날에 먹고 커졌다 작아졌다 한 버섯 말이야."

"왜 그런 짓을 했죠? 커져서 날 으깨기라도 하려고요?"

"그러면 좋겠지만 네가 타살당한 시체로 발견되면 곤란해. 너 자신이 살인귀인데 네가 살해당하면 다른 살인자가 있다는 게 들통나잖니."

"딜레마네요. 날 죽이고 싶지만 못 죽여요."

"방법이 없는 건 아니야. 네 시체가 절대 발견되지 않도록 처리하면 돼. 하지만 완벽하게 감추지 못하면 아무 의미도 없지. 너무 위험해."

그럼 감금하는 편이 덜 위험하다고 생각하는 거구나.

앨리스는 어처구니가 없었다.

하지만 그렇게 생각한다면 오히려 다행일지도 모르지. 죽이지는 않을 테니까.

"그리고 널 계속 감금해두는 것도 너무 위험해."

"뭐야. 알고 있었네요. 모르는 줄 알았네."

"그걸 왜 모르겠니."

"그래서 어쩌려고요? 앞으로 계속 불안에 떨며 사느니 차라리 자수해서 편해지는 게 어때요?"

"웃기고 있네. 난 훨씬 영리한 방법을 찾아냈어."

"그게 뭔데요?"

"사고로 죽으면 돼."

"내가요?"

"그래. 자살이나 병사도 상관없지만 어떻게 잘 위장할 방법이 생각나지 않아서 말이야."

"사고로 위장할 방법은 찾았어요?"

"응. 꽤나 단순한 방법이지."

"무슨 사고인데요?"

"넌 목걸이와 팔찌, 발찌를 한 채 버섯이 든 쿠키를 먹고 말았어. 그리고 운 나쁘게도 그대로 잠들었지."

"목걸이를 한 채 쿠키를 먹고 잠드는 게 뭐 어때서요?"

"몸이 커질 거야."

"그건 알아요. 당신도 커졌으니까."

"이제 곧 너도 커지겠지."

"그래서 뭐요? 그냥 커지……."

"왜 그러니?"

"어? 이상하네. 어쩐지 감각이……."

앨리스는 절규했다. "다리가…… 다리가……."

"왜 그러니?" 메리 앤은 생글생글 웃었다.

앨리스는 자기 다리를 보았다. 족쇄가 발목을 파고들었다. 피부가 찢어지고 근육도 반쯤 잘려나갔다.

"이거…… 뭐야?"

"보고도 모르겠니? 이제 곧 네 발목은 절단될 거야."

앨리스는 메리 앤의 의도를 이해했다.

버섯이 든 쿠키를 먹은 탓에 앨리스의 몸은 점점 커지고 있었다. 하지만 족쇄는 생물이 아니므로 크기가 변하지 않는다. 그 결과 족쇄는 발목을 파고들고, 결국 발목은 잘려나갈 것이다.

"체질에 따라 먼저 커지는 부위가 다른데, 넌 다리부터 커지는 모양이구나."

그래. 다리가 먼저 커졌어. 그래서 일단 다리가 아픈 거야. 그럼 다음은 어딜까?

앨리스는 손목을 보았다.

수갑이 채워져 있다.

목에 손을 댔다. 개 목걸이가 채워져 있다.

과연. 일단 발목이 잘려나가고, 다음으로 손목이 잘려나가고, 마지막에는 목이 잘리는 거야.

그다음에 메리 앤이 개 목걸이와 수갑, 족쇄를 목걸이와 팔찌, 발찌로 바꿔치기하는 거지.

이상한 나라에서는 과학적인 수사를 하지 않는다. 그러므로 앨리스는 십중팔구 사고로 죽었다고 간주될 것이다.

영리한 방법이네. 날 해치우고 자신은 안전한 입장에 설 수 있어.

메리 앤은 독살스러운 웃음을 지었다.

앨리스는 구역질이 올라오는 것을 참으며 머리를 최대한 빠르게 굴렸다.

절대로 메리 앤에게 질 수는 없어. 어떻게든 이 궁지에서 벗어나서 메리 앤이 죗값을 치르도록 해야 해.

앨리스는 비틀비틀 일어섰다. "메리 앤, 바보 같은 짓은 그만둬요."

"바보 같은 짓? 아닌데. 아주 영리하게 행동하고 있다고."

"더 이상 무의미하게 죄를 짓지 말아요. 정직하게 자수하라고요."

"그거야말로 무의미한 짓이지. 난 벌써 네 명이나 죽였어. 자수해도 사형당할 게 뻔하다고. 사형을 면하려면 방해꾼을 하나도 남김없이 죽여야 해."

"그런 짓을 하면 한도 끝도 없어요. 살인을 하며 인생을 보내다니 비참하지 않아요?"

"전혀. 난 살인이 제법 적성에 맞는 것 같아. 죽이고 나면 속이 시원하고 죄책감도 안 들더라고. 그리고 위험한 다리를 건너는 건 분명 이번이 마지막일 거야. 이제 너 말고 날 의심하는 사람은 없거든."

"당신은 지금 그야말로 위험한 다리를 건너고 있어요. 당장 그만둬요."

"그래. 난 지금 위험한 다리를 건너고 있지. 그리고 시간이 흐를수록 위험은 점점 줄어들고 있어. 네 목이 떨어진 순간 난 완전히 안전해져."

논리적으로는 모순이 없는 것 같네, 메리 앤. 히로야마 선생님보다도 훨씬 머리가 잘 돌아가는 것 같아. 하지만 나도 그냥 맥없이 죽기는 싫다고.

앨리스는 조용히 숨을 들이마신 후 몸으로 메리 앤을 들이받았다.

메리 앤은 엉덩방아를 찧었다.

앨리스는 메리 앤의 몸에 올라탔다. "자. 열쇠 내놔요."

"싫어." 메리 앤이 한층 커졌다.

버섯의 효과는 단계적으로 나타난다.

앨리스는 튕겨나가서 침대에 떨어졌다.

큰일이다. 이제 나도 커질 텐데.

앨리스는 일어서서 다시 한 번 메리 앤에게 덤벼들려고 했다.

발목에 믿기지 않을 만큼 엄청난 통증이 느껴졌다.

앨리스는 하늘을 날 듯이 몸을 던졌다.

메리 앤은 재빨리 피했다.

앨리스는 불에 덴 듯한 충격을 받고 바닥을 굴렀다.

"우오오오오!" 앨리스는 야수처럼 울부짖었다.

돌아다보자 앨리스의 두 발이 바닥에 나란히 놓여 있었다. 절단면에 깨끗한 뼈가 드러나 있었다.

피가 펑펑 쏟아졌다.

앨리스는 헝클어진 머리카락 사이로 메리 앤을 노려보았다. 눈에서 눈물이 끊임없이 흘러내렸다.

손톱으로 바닥을 벅벅 긁다시피 하여 메리 앤을 향해 기어갔다.

침이 줄줄 흘러내렸다.

"어머, 어머. 차마 눈 뜨고는 못 보겠네." 메리 앤은 미소를 지었다.

어떡하지.

증거를. 메리 앤의 악행을 증명할 증거를 남겨야 해.

증거는 있어. 여기 있어.

앨리스는 호주머니를 눌렀다.

하지만 이대로 가면 이 증거도 위험해.

앨리스의 허벅다리와 허리가 급격하게 부풀어 올랐다.

아래에서부터 몸이 점점 커지고 있어. 앞으로 몇 초만 더 있으면 손목도 떨어져나갈 거야. 그리고 다음 순간에는 목도.

그 전에 어떻게든 증거를 남길 방법을 찾아야 해. 개죽음하기는 싫어. 나도 한 방쯤은 먹여줘야지.

증거를 몸에 지닌 채 죽으면 안 돼. 무슨 수를 써서라도 밖으로 옮겨야 해.

앨리스는 메리 앤에게 기어가다 말고 창문을 향해 똑바로 나아갔다.

창문은 활짝 열려 있었다. 하지만 격자가 끼워져 있어서 밖으로 나갈 수는 없을 것 같았다.

"작아지면 격자 구멍으로 나갈 수 있을지도 모르지." 메리 앤이 말했다. "하지만 작아지는 버섯을 찾을 시간은 없을 거야."

앨리스의 허리께가 부풀어 올라 치마가 찌지직 찢어졌다.

그래. 방법이 하나 있어. 좋은 방법인지 아닌지는 모르지만 이제 다른 방법을 생각해낼 여유는 없어.

앨리스는 호주머니에 손을 집어넣었다.

"뭘 감추고 있는 거니?"

앨리스는 아무 대답도 없이 호주머니에서 주먹을 꺼내 창문의 격자 구멍에 쑤셔 넣었다.

"그거 뭐야? 보여줘!" 메리 앤은 앨리스의 팔을 잡고 잡아당겼다.

하지만 앨리스의 팔은 너무 굵어진 뒤였다. 격자에 꽉 끼어서 옴짝달싹도 하지 않았다.

"그거, 나한테 불리한 물건이야?" 메리 앤이 물었다.

"그럴지도 모르죠." 앨리스는 눈물을 흘리며 말했다.

"그런 짓 해봤자 헛일이야. 넌 이제 죽을 거니까."

"어차피 죽을 거면 악인을 심판하고 죽을래요."

"네 팔은 지금의 열 배로 굵어질 거야. 격자에 끼었으니 싹둑 잘리겠네. 아프겠다."

"어차피 수갑 때문에 잘릴 거잖아요."

앨리스의 손목에서 삐걱거리는 소리가 났다.

팔은 더 굵어졌다. 피가 고여서 주먹이 빨갛고 빵빵하게 부풀어 올랐다.

마지막까지 주먹을 펴면 안 돼. 참는 거야.

뼈가 빠직빠직 부서지는 소리가 났다.

피부가 찢어지고 어마어마한 양의 피와 함께 손목이 잘려나갔다.

주먹은 창밖으로 떨어졌다.

앨리스는 뒤로 쓰러졌다.

손목에서 뿜어져 나오는 피가 방에 비처럼 쏟아졌다.

앨리스는 절규했다.

부풀어 오른 다른 쪽 손목도 뚝 끊어져서 손이 바닥을 굴렀다.

앨리스는 팔다리를 마구 버둥거렸다.

"바보 같기는. 무슨 짓을 해도 소용없는데." 메리 앤은 의기양양한 표정을 지었다.

"소용없지…… 않아요." 앨리스는 힘없이 말했다.

"아니야. 소용없어. 넌 죽어. 그리고 네 아바타라인 아리도 죽겠지. 이건 이미 확정된 사실이야."

"확정……된 건…… 아무것도…… 없어요."

팽창된 목이 개 목걸이에 압박당해 잘록해졌다.

"센 척하기는."

"당신이…… 모르는 게…… 있어요."

"거짓말."

"아니요. 거짓말…… 아니에요……. 비밀을…… 알고 싶어요?"

"뭔데? 거짓말이 아니라면 말해봐."

"그건…… 숨을 못 쉬겠어……. 목소리가 안 나와……. 좀 더 가까이……."

메리 앤은 앨리스의 입에 얼굴을 가까이 댔다.

"크웩!" 앨리스는 피 한 덩어리를 메리 앤의 얼굴에 내뱉었다.

"무슨 짓이야!" 메리 앤은 불같이 화를 내며 앨리스의 얼굴을 때렸다.

목이 이미 목걸이에 잘려나가서 머리는 방 반대쪽까지 날아갔다.

머리가 없는데도 몸뚱어리는 팔을 잠시 흔들흔들 움직였다.

머리는 경악의 표정을 지은 채 눈을 깜빡깜빡했다.

"살아 있니?" 메리 앤은 물었다.

대답은 없었다.

메리 앤은 피바다를 건너 앨리스의 머리로 다가갔다. "뭐라고 말 좀 해봐."

대답은 없었다.

"아아. 그렇구나, 폐가 없어서 말을 못 하는구나."

메리 앤은 손끝으로 앨리스의 뺨을 찔렀다.

아직 탄력이 남아 있었다.

반응은 없었다.

메리 앤은 온 힘을 다해 앨리스의 코를 쥐어박았다.

나뭇가지가 부러지는 듯한 소리가 났다.

반응은 없었다.

"뭐야. 역시 죽었잖아." 메리 앤은 불쑥 말했다.

그리고 크게 웃었다.

한바탕 웃은 후에 메리 앤은 고개를 갸우뚱했다.

"저기. 창문으로 뭘 떨어뜨린 거야?"

반응은 없었다.

"죽은 척하는 거 아니지?"

반응은 없었다.

메리 앤은 창문으로 아래를 내려다보려고 했다.

"격자 때문에 안 보여."

메리 앤은 방에서 나가서 계단을 뛰어 내려갔다.

밖으로 뛰쳐나가서 창문 아래쪽을 살폈다. 손은 해묵은 나뭇잎 위에 떨어져 있었다.

떨어진 게 아니라 누가 거기에 놓아둔 것 같은 느낌이었다.

메리 앤은 힘을 주어 손을 쫙 펼쳤다.

손에는 아무것도 쥐여져 있지 않았다.

"마지막의 마지막에 허세를 부려본 건가. 하지만 안됐네. 고작 1분 밖에 허세를 못 부려서."

메리 앤은 세찬 바람을 맞으며 계속해서 웃었다.

20

그 여자가 죽었다.

다바타 조교수는 홀로 만족스러운 웃음을 지었다.

그것도 제 손으로 자기 머리에 타정총을 쐈다고 한다.

소문에 따르면 그 여자는 무슨 이유로 젊은 여자에게 공갈을 당한 모양이다.

무슨 이유로 공갈을 당했는지는 굳이 알고 싶지도 않았다.

히로야마 부교수는 죽었다. 그 사실이야말로 의미가 있었다.

그 여자는 미쳤다. 그리고 주변에까지 광기를 발산했다.

다바타 조교수는 어제까지 자신이 얼마나 괴로운 나날을 보내왔는지 돌이켜보았다.

"이 자료, 뭐야? 좀 더 이해하기 쉽게 만들어. 내가 이해하지 못하는 자료는 아무 쓸모도 없다고."

넌 보통 고등학생도 알아먹을 수준의 자료조차 이해 못 해. 넌 누구나 알고 있을 법한 내용조차 몰라. 대학 부교수로 행세할 거면 최소한의 과학 지식은 갖추란 말이야.

"알겠습니다. 수정하겠습니다."

"왜 그래프 같은 걸 실었어? 무슨 뜻인지 모르겠잖아. 선은 봐도 하나도 모르겠어. 표로 만들란 말이야. 이해하기 쉬운 표로."

왜 그래프를 못 읽어? 이렇게 단순한 막대그래프나 산포도도 모르겠으면 초등학교부터 다시 다니는 게 나을걸. 그리고 이렇게 방대한 데이터를 도대체 어떻게 표로 만들라는 거야. 하는 수 없지. 평균치와 표준편차만 추출해서 표로 만들자.

"알겠습니다. 수정하겠습니다."

"뭐야, 이거? 이런 숫자를 보고 뭐가 뭔지 어떻게 알아? 숫자가 뭘 뜻하는지 말해봐. 그러니까 뭐 어쩌라고? 이건 좋은 거야, 나쁜 거야? 좋으면 동그라미. 나쁘면 곱표. 표는 동그라미랑 곱표로 표시해. 아아. 보통이면 세모로."

뭐? 좋은 거, 나쁜 거? 이건 디바이스의 성능을 측정한 데이터가 아니라 단순히 형상이 분포하는 경향을 나타낸 것뿐이라고. 좋고 나쁘고가 어디 있어? 그리고 세모는 또 뭐야? 보통이라고? 이 디바이스는 시중에 출시된 게 아닌데 뭘 기준으로 보통을 따지냐.

"알겠습니다. 동그라미, 곱표, 세모로 표현해보겠습니다."

"아아. 이걸로 됐어. 전부 동그라미. 즉 이건 좋은 거네. 좋은 결과가 나왔다. 그걸 알 수 있으면 돼."

시키는 대로 표를 동그라미로 표시했어. 아무 의미도 없는 엉터리 표지만, 그래서 댁이 만족한다면 난 아무래도 상관없어. 부디 영문 모를 불평을 늘어놓으며 내 소중한 실험 시간을 빼앗지 마. 부탁이야.

"지도해주셔서 감사합니다. 앞으로도 잘 부탁드립니다."

"이리 좀 와봐. 시노자키 선생님이 이 표는 쓰레기래. 완전히 엉터리라잖아. 그리고 데이터는 이론적으로 뒷받침할 필요가 있어. 이론을 써 와!"

그러니까 처음 논문에다 이론을 똑똑히 써놨잖아. 모르겠으니까 삭제하라고 한 게 누군데 그래! 원래대로 되돌려놓을 테니까 교수님한테 들고 가.

"이론 말씀이군요. 알겠습니다."

"다바타, 너 내 말을 무시하는 거야? 이래서는 모른다고 했잖아. 시노자키 선생님께 설명하는 건 나라고. 내가 내용을 이해할 수 있어야 할 것 아니야!"

아아. 뭘 어쩌라는 거야? 이래서야 완전히 다람쥐 쳇바퀴 도는 꼴이군. 시노자키 선생님은 수준 높은 내용을 요구하셔. 하지만 수준이 높으면 네가 이해를 못 하지. 이건 처음부터 글렀다고. 네가 사이에 끼어 있으면 절대로 진전이 없어. 내가 시노자키 선생님께 설명하면 안 되나? 나는 똑바로 설명할 수 있는데.

"죄송합니다. 이해하기 쉬운 형태로 다시 쓰겠습니다."

"내일까지 전부 다시 해. 그리고 그 자료 말인데, 금속도체 말고 초전도체로 치환한 데이터 좀 준비해줄래? 선생님이 물어보시더라. 초전도체로는 안 되느냐고. 내일 아침 10시까지 부탁해."

이런 미친년이. 금속도체의 데이터를 얻는 데도 반년이나 걸렸다고. 내일 아침까지는 절대로 못 해.

"예. 어떻게든 해보겠습니다."

"어디 가려고? 실험실? 무슨 느긋한 소리를 하고 있어? 내일 아침까지 자료를 제출해야 한다고! 실험이나 하고 있을 여유가 어디 있어. 그럴 여유가 있거든 파워포인트로 자료부터 만들어. 파워포인트로!"

그러니까 파워포인트에 쓸 데이터가 필요하다고.

"죄송합니다. 적어도 세 가지 조건 아래에서 초전도체의 데이터를 얻을 필요가 있어서요. 지금 어떻게든 측정하겠습니다."

"야, 말귀 못 알아들어? 필요한 건 실험이 아니라 데이터라고. 지금 당장 파워포인트로 자료를 만들어. 알았어?"

뭔 소리야? 실험도 하지 않고 데이터를?
"데이터를 실제로 측정하지 않을 거면 하다못해 시뮬레이션 결과라도 필요한데요."

"시뮬레이션? 해도 상관없지만 시뮬레이션이라고 쓰면 안 돼."

뭐라고? 도무지 이해가 안 되는데.
"그럼 뭐라고 쓸까요?"

"'실험 결과'라고 쓰면 되잖아?"

이 망할 년이 나보고 데이터를 날조하라는 거야?
"그럼 안 됩니다. 시노자키 선생님이 용납하지 않으실 거예요."

"그럼 시뮬레이션은 때려치워. 아무튼 내일까지 데이터를 정리해!"

결국 실험해야 하는 거잖아.
"알겠습니다. 그럼 실험하러 다녀오겠습니다."

"너, 귀 먹었어? 실험할 여유 없다고. 당장 초전도체 데이터를 정리해서 파워포인트로 만들어!"

어쩐지 구역질이 나는데. 야, 지금 네가 무슨 소리를 하는지 알긴 아는 거야?

"실험도 시뮬레이션도 실시하지 않으면 데이터가 나오지 않는데요."

"그건 이모저모 궁리해서 어떻게든 잘 해결해. 너 도대체 연구실 밥을 몇 년이나 먹었어? 그 정도는 알아서 해야지!"

역시 날조하라는 건가? 그러고 보니 이 여자의 논문에 쓰인 데이터, 늘 이상하지 않았나? 데이터는 아주 깔끔하지만 논문들 사이에는 모순이 존재해. 지금까지 그런 짓을 해온 거야? 나보고도 그러라고?

"저기……. 무슨 말씀이신지 모르겠습니다. 데이터가 없으면 어떻게 할 수가 없습니다."

"지금 네 입장이 어떤지는 알아? 앞으로 2년만 더 있으면 시노자키 선생님은 퇴직하셔. 그러면 이 강의는 누가 맡지? 내게 거역하면 어떻게 될 것 같아? 너 평생 조교수로 살래?"

이번에는 협박이냐. 하지만 날조하면 연구자로서는 끝이야.

"자료 제출은 다음 기회로 미루는 편이 낫지 않겠습니까?"

"무슨 소리야? 내일 자료를 제출해야 예산을 신청할 것 아니야?"

실험도 하지 않고 데이터를 뽑아낼 수 있으니 예산은 필요 없잖아.
"이번에는 포기하는 것도 한 가지 방법이라고 봅니다."

"그건 안 돼. 벌써 어디 사용할지 정했는걸. 갤럭티카 산업의 연구 장치를 구입할 거야."

갤럭티카 산업? 그러고 보니 요즘에 갤럭티카 산업 놈들이 문지방이 닳도록 널 찾아왔지. 이런저런 접대도 받은 것 같고, 묘한 봉투를 챙기는 것도 봤어. 그거 리베이트 아니야?
"연구 장치는 지금 그대로 유지해도 별 문제 없을 것 같습니다."

"뭐라는 거야? 네가 연구의 뭘 아는데? 갤럭티카 산업의 연구 장치가 없으면 연구를 못 해. 사기로 했으니까 절대로 허튼소리 하지 마!"

상당히 깊게 유착 관계를 맺은 모양이군. 하지만 증거는 없어. 지금은 시키는 대로 하는 수밖에 없나.
"알겠습니다. 데이터는 어떻게든 해보겠습니다."

"그리고 설비 안전 점검 말인데 내일 9시까지 보고서를 총무과에 제출하도록 해."

갑자기 무슨 소리야?
"예? 무슨 말씀이십니까?"

"어머? 말 안 했나? 반년쯤 전에 총무과에서 연락이 왔어. 2백 항목의 점검 항목을 모든 설비에 적용해서 확인하고 안전 지침을 작성하라고. 그거 마감이 내일이야."

이봐. 도대체 우리 연구실에 설비가 몇십 대나 되는 줄 알아?
"죄송합니다. 내일까지는 도저히 무리입니다."

"무리? 지금 밤 11시잖아. 아직 시간 충분하네."

당치도 않다. 며칠이나 걸릴 작업이다.
"실험 데이터를 정리하면서 지침까지 작성하는 건 제 능력 밖의 일입니다."

"능력 밖의 일이라고? 그럼 설비 사용은 금지야!"

어이. 그럼 네가 곤란할 텐데.
"그럼 실험을 못 하는데요."

"잘됐네. 지금은 무척 바빠. 실험 같은 걸 하고 있을 틈 없어. 데이터 정리에 전념하도록 해."

데이터는 필요하지만 실험은 하지 않아도 된다. 실험은 하지 않지만 설비는 산다. 설비를 사기 위해 데이터가 필요하다. 이 망할 년이 하는 말은 모순투성이야.

"무리입니다. 오늘은 일찍 돌아가야 해요. 초등학교 1학년 딸이 열이 나서 누워 있어요. 그리고 방금 전에 아내가 자기도 열이 난다고 연락했습니다. 그러니 오늘은 일찍……."

"지금 뭐라고 했어? 아이가 아프다고? 아내가 열이 나? 그런 건 그냥 내버려두면 돼. 네가 도대체 누구 덕으로 밥을 먹고 사는데? 개인적인 일보다 업무를 우선하는 건 상식이야. 너 학교에서 월급 받지? 일 안 하면 월급 도둑이야! 이 월급 도둑아!"

그럼 넌 뭘 하는데? 온종일 다른 사람 일을 방해하기나 하잖아. 너한테 도둑 취급 받을 이유 없어.

"죄송합니다. 바로 시작하겠습니다."

"그래. 그래야지. 너 때문에 내가 얼마나 고생이 심한지 몰라. 정말 골치라니까."

…….

315

속이 뒤집히는군.

하지만 그 여자는 죽었어.

다행이야.

이제 됐어. 모두를 위해서도 잘된 일이지. 이로써 날조 논문은 세상에 나오지 않을 테니 시노자키 선생님의 명예를 지킬 수 있어. 이제 마음 편히 연구할 수 있을 테니 학생들을 잘 가르치고 실험 지침도 충실하게 쓰자.

바빠지겠지만 지금까지처럼 누구에게도 도움이 되는 일 없이 그저 그 여자의 욕심을 충족시키기 위한 헛수고는 아니야.

보람차게 일할 수 있겠어.

다바타 조교수는 아주 만족스러운 웃음을 지었다.

"뭘 히죽히죽 웃고 있어!" 히로야마 부교수가 눈앞에 나타났다.

"히익!" 다바타 조교수는 제자리에 엉덩방아를 찧었다.

"왜 그리 당황해? 진정해."

"하지만!" 다바타 조교수는 비통한 목소리로 외치듯이 말했다.

"하지만 뭐?"

"하지만 당신은……."

"내가 뭐?"

"당신은 요전에……."

"요전에?"

"……어?"

"내가 요전에 뭘 어쨌는데?"

"이상하네. 그래. 분명히 큰 사건이 터졌을 텐데."

"무슨 사건?"

"자살입니다."

"자살? 오지라는 박사 연구원 이야기야?"

"아니요. 그 사람이 아니라 선생님이⋯⋯."

"내가 자살했다고?"

"예. 그렇습니다."

"살아 있잖아."

"살아 계시는군요. ⋯⋯당연합니다. 꿈이었으니까."

"아까부터 무슨 소리를 하는 거야?"

"선생님이 자살하는 꿈을 꿨습니다."

"뭐야, 그게. 기분 나쁘게."

"그냥 꿈이니까 마음에 두지 마십시오."

"왜 갑자기 내게 꿈 이야기를 하는 건데?"

다바타 조교수는 고개를 갸우뚱했다. "왜일까요? 하지만 어쩐
지⋯⋯."

"어쩐지?"

"진짜 있었던 일 같은 기분이 들어서요."

"꿈이 진짜 같은 느낌이었다는 거야?"

"예."

"꿈속에서는 대개 그런 기분이 드는 법이지."

"그렇군요."

"그 이상한 학생 커플의 이야기를 들어서 그런 것 아닐까?"

"이상한 학생 커플요?"

"응. 이상한 나라가 어떻고 저떻고 했잖아."

"아아. 그런 사람들이 왔었죠."

"망상이니까 신경 쓸 것 없어."

"앗. 예."

"그런 것보다 오늘 오전 중에 모든 약품의 목록을 제출해. 보유량과 연간 사용량 그리고 가격과 제품 안전 데이터시트도 덧붙여서."

"우리 연구실에는 약품이 천 가지도 넘게 있는데요."

"그래? 하지만 오늘이 마감이야. 반년이나 전에 지시가 내려왔으니까 이제 와서 미뤄달라고 할 수는 없어."

"저는 오늘 처음 들었습니다."

"그런 변명은 안 통해. 네가 이 일의 책임자니까."

"제가 책임자라고요?"

"그래. 늦으면 네가 다 책임져야 해."

"선생님에게는 책임이 없고요?"

"당연하지! 난 지도자야! 책임이 있을 리 없잖아! 책임은 부하가 지는 거야."

"부하가 진다고요?"

"그게 상식이야!"

"그렇습니까." 다바타 조교수는 어깨를 축 늘어뜨렸다. "지금부터 목록을 작성하겠습니다." 그는 방에서 터벅터벅 걸어 나갔다.

그 녀석, 실실 웃고 있었어. 내가 죽은 줄 알았겠지. 뭐 아까까지는 그게 현실이었지만.

이 세계에서 히로야마 도시코가 죽더라도 이상한 나라에 본체인 메리 앤이 살아 있는 한 몇 번이라도 초기화되어 히로야마 도시코는 부활해. 나만 특별히 그런 건 아니야. 그게 붉은 왕이 꾸는 꿈의 규칙이지. 하지만 죽은 사람이 부활하는 건 아주 억지스러운 일이기 때문에 죽음은 꿈속에서 발생했던 것으로 처리돼. 내가 죽었다는 기억은 남지만 다른 기억과 분리되어 흐려지니까 개개인의 마음은 그 기억을 꿈으로 인식하지. 이 세계에서는 이상한 나라의 기억이 불명확해져서 꿈으로 인식되는 것과 비슷한 원리야. 자세하게는 모르지만. 뭐, 자세하게 알 필요는 없지. 붉은 왕의 꿈은 붉은 왕이 잠들어 있는 한 지속될 테니까. 난 그걸 이용하면 그만이야.

그건 그렇고 이번에 손댄 일련의 사건은 정말로 골치 아팠어. 첫 번째 오산은 잘못해서 험프티 덤프티를 죽인 거지. 그게 원인이 되어 앨리스가 말려들었고, 그리핀 말고도 흰토끼와 빌과 앨리스도 죽여야 했어. 계획을 세우기는 정말 귀찮았지만 아무튼 해냈다고.

히로야마 부교수는 자신의 방으로 돌아가서 의자에 앉았다. 눈을 감고 숨을 깊이 들이마셨다.

난 바람을 차례차례 이룰 거야. 그리핀을 죽이고 연구실을 손에 넣었어. 다음으로는 정교수가 되겠지. 그다음은 학과 주임 그리고 학부장. 물론 세상에는 질투가 심한 사람들이 많으니까 일이

술술 풀리지 않을 때도 있겠지만, 그때는 또 붉은 왕이 꾸는 꿈의 규칙을 이용하면 돼.

문이 열리고 누군가의 발소리가 다가왔다.

"왜 돌아왔어? 빨리 목록이나 만들어. 오늘 밤 안에 만들어서 내일 아침에 주면 큰 문제는 없을 테니까. 그리고 제품 안전 데이터시트는 무슨 뜻인지 전혀 모르겠으니까 전부 이해할 수 있게 설명해봐."

"난 그런 번거로운 일은 안 해요."

여자 목소리. 그것도 아는 목소리다.

히로야마 부교수는 눈을 떴다.

그녀는 숨을 들이마셨다.

예상치도 못한 인물이 서 있었다.

"앨리스, 어떻게 살아 있는 거지?"

"아뇨. 죽었어요, 앨리스는." 구리스가와 아리는 조용히 말했다.

21

"저기, 앨리스." 겨울잠쥐가 호주머니 속에서 말했다. "메리 앤이 죽기 전에 자백했으니까 사건은 해결됐다고 봐도 되지 않을까?"

"목격자는 너 하나야. 그리고 메리 앤은 죽었으니까 다시 자백을 받을 수도 없어." 앨리스는 숲속의 커다란 나무 밑동에 앉아서 말했다. "게다가 넌 지구에서 공갈범 취급을 받고 있잖아."

"그렇지. 그리고 어째서인지 모두 지구에 있는 내 분신 구리스가와 아리를 앨리스의 분신이라고 믿고 있어."

"넌 늘 내 호주머니 속에 있으니까 내가 보고 들은 건 구리스가와 아리도 대부분 알아. 그래서 모두 제멋대로 착각한 거야."

"처음에는 오해를 바로잡을까 했는데 도중에 생각이 바뀌었어. 앨리스를 아리라고 믿게 내버려두면 난 이상한 나라에서 자유로이 행동할 수 있는 게 아닌가 싶었거든. 그리고 네 친구가 하나 더 있다는 걸 진범이 모르는 편이 좋잖아."

"내 친구인 빌도 흰토끼도 살해당했으니까."

"흰토끼는 친구라고 할 정도는 아니었어."

"이쪽 세계에서는 그렇지. 하지만 지구에서 리오 씨는 네 친구였잖아."

"리오는 날 앨리스라고 인식하지 않았지만. 메리 앤이라고 생각했어."

"오해에 오해가 겹친 셈이구나. 아무튼 지구에서 난 너와 함께 행동하지 못하잖아. 매일 밤 이야기를 들려줘서 고마워."

"뭐, 정확하게 전달됐는지 좀 걱정스럽기는 했지만."

"어머. 누가 왔어." 앨리스가 말했다.

"그럼 난 호주머니에 숨어 있을게."

"이제 괜찮지 않을까? 진범은 죽었잖아."

"만약을 위해서. 아리와 겨울잠쥐의 관계를 덮어둬야 이런저런 정보를 얻기 수월할지도 모르잖아."

"그렇군. 그리고 만약 밝힐 필요가 있으면 언제든지 밝힐 수 있으니까 굳이 지금 밝힐 필요는 없겠지."

겨울잠쥐는 호주머니 속에서 몸을 둥글게 웅크렸다.

22

"불쌍하게도 앨리스는 죽고 말았어요." 아리는 호주머니에서 손수건을 꺼냈다.

그 위에는 피투성이가 된 작은 회색 덩어리가 놓여 있었다.

"얘가 앨리스의 아바타라이자 내 소중한 가족인 햄순이예요."

"햄스터? 앨리스의 아바타라는 네가 아니라 햄스터였어?"

"그래요. 어제 내 방에 느닷없이 날아든 돌이 창문을 깨고 햄순이의 집에 떨어졌어요. 햄순이는 갈기갈기 찢어지고 말았어요."

"가엾어라. 하지만 그건 나랑 상관없는 일이야." 히로야마 부교수는 말했다.

"직접 손을 쓴 건 아니죠. 하지만 햄순이는 당신이 앨리스를 죽였기 때문에 죽은 거예요. 틀림없다고요."

"내가 앨리스를 죽였다고? 도대체 어떻게 죽였다는 거니?"

"개 목걸이와 수갑 그리고 족쇄를 채운 채 커지는 버섯을 먹였잖아요."

"그건 사고야. 앨리스는 목걸이와 팔찌, 발찌를 한 채로 몸이 커져서…….."

"앨리스는 평소에 장신구를 하지 않았어요. 일부러 그런 걸 하고 커지는 버섯을 먹다니 너무 부자연스러워요."

"그럼 백번 양보해서 앨리스가 누군가에게 살해당했다고 치자. 어째서 내가 범인이라는 거니?"

"앨리스를 죽여서 이득을 얻는 사람은 누구일까요? 진범밖에 없어요."

"그러니까, 왜 내가 범인이라는 거냐고? 그리고 앨리스는 연쇄 살인사건의 범인으로 몰렸으니까 진범 말고도 원한을 품은 사람은 제법 많지 않았을까?"

"앨리스는 빌의 다잉 메시지를 해석해서 당신이 진범이라는 사실을 알아냈어요."

"그래? 하지만 죽은 사람은 말이 없지. 아니면 내가 살인을 저지르는 걸 누가 보기라도 했다는 거니?"

"예. 봤어요."

"누가?"

"나요."

"너 누구니?"

"난 구리스가와 아리. 그리고 이상한 나라에 있는 본체는 겨울잠쥐예요."

"앨리스와 반대 관계네."

"뭐가 반대인데요?"

"인류와 설치류의 관계가."

"뒤바뀌면 안 되는 이유라도 있나요?"

"아니. 여기는 붉은 왕의 꿈속이니까 무슨 일이 일어나도 이상할 것 없지. 그래서?"

"당신이 앨리스를 죽였을 때 난 앨리스의 호주머니 속에 있었어요."

"그거 놀랍구나. 전혀 몰랐네. 난 분명 앨리스를 죽였어. 하지만 너도 친구가 죽는 걸 그냥 보고만 있었구나."

"난 그때 뛰쳐나와서 당신에게 덤벼들려고 했어요. 하지만 앨리스는 날 호주머니 위에서 눌렀죠. 난 앨리스의 속뜻을 이해했어요. 만약 내가 그때 뛰쳐나왔다면 둘 다 죽었을 공산이 크죠. 그러니 나만이라도 어떻게든 달아나서 당신의 악행을 폭로하라는 게 앨리스의 바람이었어요."

"앨리스의 시체를 살펴보았지만 호주머니에 넌 없었어. 어떻게 도망쳤지?"

"앨리스는 날 움켜쥐고 창문 격자 구멍으로 주먹을 내밀었어요. 잠시 후 부풀어 오른 손목이 격자에 잘려나가자 난 아래로 떨어졌죠. 앨리스의 손이 쿠션 역할을 해서 무사했어요. 그리고 당신이 찾으러 오기 전에 숲속으로 달아난 거예요."

"나도 앨리스가 무슨 증거를 떨어뜨린 게 아닐까 싶었어. 하지만 손안에 아무것도 없어서 그냥 허세인 줄 알았지. 설마 살아 있는 증거였을 줄이야."

"단념해요, 메리 앤."

"왜 단념해야 하는데?"

"당신이 살인하는 걸 내가 목격했으니까요."

"그래서 뭐 어쩔 건데?"

"증언하겠어요."

"그러시든가. 뭣하면 지금 당장 경찰서에 갈까?"

"자신만만하군요."

"경찰은 날 체포 못 해. 왜냐하면 난 살인을 저지르지 않았으니까."

"당신은 이상한 나라에서 다섯 명이나 죽였어요."

"하지만 지구에서는 한 명도 안 죽였어. 꿈속에서 몇 명을 죽이든 현실 세계에서는 처벌받지 않는다고."

"실제로는 이상한 나라가 현실이고, 지구가 꿈이에요."

"그거나 그거나. 꿈속에서 보면 현실이 꿈이나 마찬가지지. 그리고 현실에서 죄를 지어도 꿈에서는 처벌받지 않아."

"난 이상한 나라에서 증언할 수도 있어요."

"그것도 네 마음대로 해."

"날 죽이면 된다고 생각하는 거죠? 당신을 범인이라고 주장하는 내가 죽으면 다른 사람들이 어떻게 생각할까요?"

"아니야. 내가 널 왜 죽이겠니? 위험한 다리를 건널 필요는 없어. 넌 증인이지만 물적 증거는 없지. 난 다섯 건의 살인사건을 저질렀지만 증거는 단 하나도 남기지 않았어."

"정말로요? 피와 땀, 눈물과 체모를 전혀 남기지 않았다고 자신해요?"

"남아 있으면 뭘 어쩌려고?"

"과학적인 수사를 통해 당신이 범인임을 바로 증명할 수 있어요."

"이상한 나라 사람들은 과학적인 수사 같은 거 할 줄 몰라."

"뭐. 그렇겠죠." 아리는 한숨을 쉬었다.

"뭐야. 포기가 빠르구나."

"과학적인 수사는 포기했지만 당신을 처벌하는 건 포기하지 않았어요."

"하지만 내 죄를 증명할 방법이 없잖아."

"난 규탄할 거예요."

"네가 아무리 떠들어봤자 개소리에 지나지 않아. 넌 친구가 죽어서 정신이 나갔어. 다들 그렇게 여길걸. 네 편을 들어줄 사람은 아무도 없다고."

"그런데 그게 있거든." 문 오른쪽 사각지대에서 다니마루 경감이 나타났다.

"언제부터 있었어?" 히로야마 부교수의 안색이 변했다.

"당신이 구리스가와를 봤을 때부터 쭉."

"우리 이야기를 듣고 있었어?"

"그래. 당신은 자백했어."

"그건 그냥 농담이야."

"앨리스가 사망했을 때의 상태는 기밀이야. 당신은 범인밖에 모르는 사실을 나불나불 떠들었어."

"어머. 그랬나?" 히로야마 부교수는 정색했다. "그래서 뭐 어쩌라고? 영문 모를 소리를 하는 사람이 하나에서 둘로 늘어났을 뿐이야. 아무도 너희들 말은 안 믿을걸."

"두 명이 아닙니다." 문 왼쪽 사각지대에서 니시나카지마가 나타났다.

"도대체 몇 명이나 숨어 있는 거야?"

"더 이상은 없습니다. 당신이 악행을 저질렀다는 걸 증명할 수 있는 증인은 세 명입니다." 니시나카지마는 말했다.

"그래. 세 명이네." 히로야마 부교수는 진절머리가 난다는 듯이 말했다.

"그렇습니다. 세 명입니다. 단념하시죠."

"왜?"

"증인이 세 명이나 되니까요."

"고작 세 명이야. 아니, 몇 명이든 똑같아. 증인은 그저 우기는 게 다라고. 아무 증거 능력도 없어."

"우리는 지구인이자 이상한 나라의 주민이기도 합니다. 이상한 나라에서 증언할 수도 있습니다."

"이상한 나라에서 증언하면 뭐가 달라져? 거기에는 거짓말쟁이나 바보 둘 중 하나밖에 없다고. 무슨 증언을 하든지 신경도 안 쓰겠지."

"아무도 들어주지 않는다는 건가?" 다니마루 경감이 말했다.

"그래. 아무도." 히로야마 부교수가 말했다.

"하지만 증언을 듣는 쪽도 이상한 나라의 주민인데?"

"바로 그거야. 그러니까 아무도 증언 같은 거에는 귀를 기울이지 않는다고."

"그런데 대관절 누가 증언을 들을까?"

"물론 판사지."

"판사는 누구지?"

"국왕이야. 하지만 실제로는 실권을 쥐고 있는 여왕이 판사인 셈이지."

"흠. 그럼 여왕만 수긍하면 증거 따위는 필요 없지 않겠어?"

"수긍하도록 설득할 수 있다면 그렇겠지. 하지만 그건 불가능해."

"왜 불가능하지?"

"여왕은 머리가 나쁘니까. 다른 사람에게서 전해 들은 말은 이해 못 해. 오직 자신이 직접 보고 들은 것만 이해하지."

"과연. 여왕은 머리가 나쁘군."

"응. 아주 나쁘지."

"중요한 정보야. 니시나카지마, 메모를 하도록."

"예, 경감님."

"선생이 말했다는 것도 적어."

"예, 경감님."

"그런데 히로야마 선생." 경감이 말했다. "머리가 나쁜 여왕이라도 자신이 직접 보고 들은 건 이해하는 거지?"

"그래. 하지만 여왕이 보고 들어야 할 정보는 아무것도 없어. 사건은 전부 일어난 뒤니까."

"그렇군. 그런데 이 사람이 누구인지 아나?" 다니마루 경감은 니시나카지마를 가리켰다.

"알아. 아무개 형사야."

"그래. 아무개 형사지." 다니마루 경감은 고개를 끄덕였다. "하지만 이 아무개 형사가 이상한 나라에서 누구인지는 모르겠지?"

"가짜 거북?"

"그는 공작 부인이야."

"뭐?"

아리 눈에는 한순간 히로야마 부교수의 눈알이 튀어나온 것처럼 보였다.

"그럼 내가 공작 부인이라는 거짓말은……."

"들통난 지 한참 됐지. 구리스가와에게 그 이야기를 들은 순간, 당신은 가장 중요한 피의자로 지목됐어."

"알면서 속아 넘어간 척한 거로군." 히로야마 부교수는 분한 듯이 말했다.

"그런 것보다 공작 부인은 여왕과 아주 친해. 알고 있었나?"

"하지만 여왕이 공작 부인의 말을 믿는다는 보장은 없어. 두 사람은 맞수니까. 오히려 무슨 함정이 아닐까 싶어 경계할걸."

"무슨 근거라도 있어서 그런 소릴 하는 건가?"

"근거 같은 거 없어도 알아."

"상당히 자신만만하군."

"이봐. 아무개 씨." 히로야마 부교수는 니시나카지마를 불렀다. "당신도 알잖아. 여왕은 바보에다 의심이 많다는 걸."

"글쎄요. 어떨까요." 니시나카지마는 고개를 갸웃거렸다.

"당신 자신 있어?"

"무슨 자신 말입니까?"

"나, 그러니까 메리 앤이 연쇄살인사건의 진범이라는 걸 받아들이도록 여왕을 설득할 자신 말이야."

"아아. 그 자신요?" 니시나카지마는 고개를 끄덕였다. "아예 설득할 생각이 없는데요."

히로야마 부교수는 의기양양한 웃음을 지었다.

"어때? 아무개 씨는 이미 포기한 것 같은데?"

"포기하다니 뭘?" 다니마루 경감은 물었다.

"여왕을 설득하는 거 말이야! 당신들 뭐야? 지금은 이상한 나라의 주민도 아닌데 왜 이렇게 말귀를 못 알아먹어? 날 가지고 노는 거야??"

"아니. 순수하게 궁금해서 물어본 것뿐이야. 그런데 왜 여왕을 설득할 필요가 있지?"

"저도 그게 궁금했습니다." 니시나카지마가 말했다.

"어? 당신들 내가 저지른 짓을 눈감아주려고?"

"설마, 당신 같은 흉악범을 그냥 놓아둘 수는 없지." 다니마루 경감이 말했다.

"여왕을 설득하지 않고 어떻게 내게 유죄판결을 내릴 건데?"

"여왕을 설득할 필요는 없어. 왜냐하면 여왕은 이미 당신이 진범이라는 걸 알거든."

"여왕이 그걸 어떻게 알아?"

"당신의 자백을 들었으니까."

"내가 언제 자백했다는 거야?"

"방금 전이라고 할까, 지금도 자백 중이잖아?"

"하지만 여기에 여왕은 없어."

"아니, 있어." 다니마루 경감은 미소를 지었다. "내가 여왕이야."

23

"그런데 무슨 판결을 내리면 되지?" 판사가 말했다.

"목을 치면 돼." 여왕이 말했다.

"판결을 내린다. 목을 쳐라."

"부당한 판결이에요!" 메리 앤이 말했다. "이건 누명이라고요."

"증인이 있어. 나랑 공작 부인, 그리고 겨울잠쥐."

"그건 꿈이에요."

"그냥 꿈이 아니야. 지구에서 일어난 일이지."

"지구에서 일어난 일은 전부 붉은 왕이 꾸는 꿈이에요! 꿈속에서 한 일 때문에 벌을 받다니 이상하잖아요."

"네가 꿈속에서 한 일은 자백뿐이야. 범죄는 모조리 현실인 이상한 나라에서 저질렀지. 그러니 이상한 나라에서 벌을 받는 거야."

"생각났어요. 전 협박당해서 거짓 자백을 했어요."

"누가 협박했는데?"

"겨울잠쥐요."

"뭐라고 협박했지?"

"으음. ……그렇지. 시키는 대로 하지 않으면 범인이라는 누명을 씌우겠다고 협박했어요."

"그건 이상한데. 누명을 씌우려면 자백을 시키지 말고 증거를 날조하면 돼. 그럼 굳이 네가 스스로 자백해야 하는 수고를 덜 수 있잖아."

"아니에요. 제가 착각했네요. ……그래요. 제가 우월한 지위를 남용했다는 걸 폭로하겠다고 협박했어요."

"지위를 남용한다는 자각이 있었구나." 겨울잠쥐가 잠꼬대를 했다.

"사형당할 바에야 폭로당하는 편이 낫지 않나?"

"아니에요. 제가 말을 잘못했네요. ……그래요. 죽인다고, 시키는 대로 하지 않으면 당장 죽이겠다고 협박했어요."

"그 상황에서 어떻게? 무엇보다 지구에서 살해당해도 실제로는 죽지 않는다는 건 네가 제일 잘 알잖아."

"아니에요. 아니에요. 그게 아니라……."

"빨리 이 자의 목을 쳐라!" 여왕이 성화를 부렸다.

법정에 있던 모두가 박수를 쳤다.

트럼프카드 병정 두 명이 메리 앤의 겨드랑이에 팔을 끼고 질질 끌고 갔다.

"살려줘요! 전 무죄예요. 누명을 쓴 거라고요!"

여왕은 손가락으로 귓구멍을 팠다.

관중은 악을 쓰는 메리 앤을 쫓아 앞다투어 법정을 뛰쳐나갔다.

메리 앤이 마구 발버둥을 치는 바람에 트럼프카드 병정들은 상당히 애를 먹었다.

이윽고 메리 앤은 중앙정원으로 끌려 나왔다. 체념했는지 힘없이 축 늘어져 있었다.

"그런데," 트럼프카드 병사 중에 하트 2가 말했다. "어디서 목을 치지?"

"역시 여기가 좋지 않을까?" 스페이드 3이 말했다. "성안에서 목을 치면 피로 더러워지잖아."

"그럼 여기서 할까." 트럼프카드 병정들은 메리 앤의 몸에서 손을 뗐다.

메리 앤은 쏜살같이 달아났다.

"게 섰거라!" 트럼프카드 병정들은 안색이 변하여 쫓아갔다.

하지만 메리 앤은 예상 외로 재빨랐다. 전속력으로 활짝 열린 출입구까지 달려가 밖으로 뛰어나가려고 한 바로 그 순간, 한 남자가 앞길을 막았다.

"미치광이 모자 장수!" 메리 앤은 속도를 늦추지 않고 모자 장수 옆을 빠져나가려고 했다.

모자 장수는 팔을 옆으로 뻗어서 메리 앤의 목을 걸었다.

"켁!" 메리 앤은 그대로 벌렁 나자빠졌다.

"어이. 트럼프카드 병정들." 모자 장수는 말했다. "이 녀석을 꽁꽁 묶어."

"너도 계속 앨리스를 의심했으면서." 메리 앤은 목을 주무르며 말했다. "지구에서는 중학생인 너희에게 돈도 줬잖아."

"그건 네가 주겠다고 해서 받은 거야. 뇌물이라는 자각도 없었어. 애당초 네가 범인인 줄도 몰랐다고. 네 냄새가 앨리스와 똑같다는 걸 내가 어떻게 알."

"난 처음부터 알고 있었는데." 3월 토끼가 말했다.

"그럼 왜 말 안 했어?"

"안 물어봤으니까."

"뭐라고 물어봐야 했을까?"

"'야, 3월 토끼야. 혹시 앨리스와 메리 앤의 체취는 완벽히 똑같지 않아?' 이렇게. 그럼 난 '응, 맞아. 냄새로는 누가 누군지 전혀 구분이 가지 않을 정도야'라고 대답했을 거야."

"어떻게 해야 그렇게 질문할 수 있지?"

"내게 물어봤어야지. '야, 3월 토끼야. 네게 '응, 맞아. 냄새로는 누가 누군지 전혀 구분이 가지 않을 정도야'라는 대답을 들으려면 내가 너한테 무슨 질문을 해야 해?'라고."

"어떻게 해야 그렇게 질문할 수 있지?"

"내게 물어봤어야지. '야, 3월 토끼야…….'"

트럼프카드 병정 두 명은 간신히 메리 앤을 포박했다.

메리 앤이 얌전히 있지 않았기 때문에 밧줄을 이리저리 왔다 갔다 하면서 몇 겹으로 칭칭 감다 보니 메리 앤의 팔다리 관절은 이상한 방향으로 비틀렸다. 혈관이 짓눌려서 피가 안 통하는지 군데군데 빨개지거나 파래진 부분이 있었다.

"아파, 아프다고." 메리 앤이 소리쳤다.

"아프다는데. 좀 느슨하게 해줄까?"

"완전히 엉켜서 풀기가 쉽지는 않을걸."

"칼로 잘라줘." 메리 앤이 부탁했다.

"팔다리를?"

"팔다리 말고. 밧줄 말이야."

"그렇구나." 하트 2는 고개를 끄덕이고 칼을 뽑았다. 관중이 야유를 퍼부었다.

"야. 머리를 써." 스페이드 3이 말했다. "밧줄을 자르면 다시 못 묶잖아."

"왜 묶어야 하는데?"

"자유로워지면 또 달아날 테니까. 다른 사람의 도움을 받아 단단히 제압해놓은 상태로 밧줄을 자르고 다른 밧줄로 다시 묶자."

"그래. 달아나면 큰일이지. 그럼 일단 밧줄을 찾으러 가자."

"잠깐 기다려!" 그때 여왕이 나타났다. "그럴 필요 없다. 일단 목을 쳐! 목을 치면 더는 달아나지 못하니까 안심해도 된다."

"그렇군요. 좋은 생각이십니다." 스페이드 3이 말했다. "자, 하트 2. 어서 해."

"뭘?"

"목을 치라고."

"싫어. 해본 적 없단 말이야."

"나도 그래."

"목을 쳐본 적 있는 자는 앞으로 나와라." 여왕이 분부했다.

아무도 움직이지 않았다.

"이거 어떻게 된 거야?" 여왕이 고함을 쳤다. "내가 지금까지 목을 치라고 몇 번을 명령했는데 왜 목을 쳐본 자가 없어?"

"명령하셨지만 아무도 목을 치지 않아서 그렇습니다." 하트 2가 대답했다.

"그럼 내 명령에 거역했다는 말이냐? 용서할 수 없다. 명령을 어긴 녀석의 목을 쳐라!"

"이제 와서 그렇게 말씀하셔도 누가 명령을 어겼는지 모릅니다."

"그럼 일단 메리 앤의 목이라도 쳐라! 그러면 그 일은 눈감아주마."

"어떻게 치면 될까요?"

"칼로 내리쳐. 간단하잖아."

"그럼 해보겠습니다." 스페이드 3이 칼을 쳐들었다.

"하지 마. 죽이지 마." 메리 앤이 애처로운 목소리로 외쳤다.

"하지 말라는데 어떻게 할까요?" 스페이드 3이 몸을 돌리고 물어보았다.

"그런 말에 귀 기울이지 마. 빨리 댕강 잘라."

"예." 스페이드 3은 엎드려 있는 메리 앤의 목에 칼을 내리쳤다. 뭔가에 부딪치는 둔탁한 소리가 났다.

아무 일도 없는 것 같았지만 잠시 후 메리 앤의 목덜미에서 피가 배어났다.

"악! 아파! 죽겠어! 죽겠다고!"

"아직 살아 있습니다." 스페이드 3이 보고했다.

"목이 떨어지지 않았잖아. 넌 안 되겠다."

"그럼 제가 하겠습니다." 하트 2도 칼을 뽑았다. "하나, 둘, 이얍!"

아까 진보다 질척한 느낌이 드는 소리가 울려 퍼졌다.

피가 튀어 올랐다.

"우왁! 피를 뒤집어썼어."

"우와아아아앙." 메리 앤이 울음을 터뜨렸다.

"어떻게 됐어?" 여왕이 물었다.

"아까보다 좀 더 깊은 상처가 났지만 아직 완전히 잘리지는 않은 것 같습니다. 목뼈가 제법 튼튼하군요."

"어디. 좀 보자." 여왕은 상처를 들여다보았다. "피가 솟구쳐서 잘 모르겠네."

"의사를 불러서 지혈할까요?"

"말도 안 되는 소리 좀 작작 해. 목을 치는 도중에 지혈한다는 이야기 들어본 적 있어?"

"교대로 하자." 스페이드 3이 다시 칼을 쳐들었다. "으라차!"

칼은 아까 전에 상처가 난 곳과는 다른 곳에 떨어졌다.

또 둔탁한 소리가 나고 상처가 늘었다.

"야, 뭐 하는 거야? 같은 곳을 쳐야 금방 끝날 것 아니야."

"그렇게 말씀하실 거면 여왕 폐하께서 직접 해보십시오."

"응? 내가?"

"싫으십니까?"

"아니. 한번 누구 목을 쳐보고 싶었어."

"이걸 쓰십시오." 하트 2가 칼을 건넸다.

"어머, 꽤나 무겁네." 여왕을 비틀거리며 칼을 들어 올린 후 메리 앤의 목을 내리쳤다.

"꺅!" 메리 앤이 비명을 질렀다.

"잘렸어?" 여왕이 물었다.

"잘리기는요. 아직 멀었습니다."

"그것참 안 잘리네." 여왕은 다시 칼을 들어 올렸다가 내리쳤다.

"꺅!"

여왕은 다시 칼을 들어 올렸다가 내리쳤다.

"꺅!"

여왕은 다시 칼을 들어 올렸다가 내리쳤다.

"꺅!"

여왕은 다시 칼을 들어 올렸다가 내리쳤다.

"꺅!"

여왕은 다시 칼을 들어 올렸다가 내리쳤다.

"꺅!"

"이 칼, 불량품 아니야? 잘 안 드는데."

"원래 멀쩡한 칼이었는데 이가 다 빠졌군요."

"좀 더 날카로운 칼 없어?"

"이런 식으로 썼다가는 또 금방 이가 빠질 것 같은데요. 단두대가 아니면 힘들지도 모르겠습니다."

"단두대를 대령해라!" 여왕이 트럼프카드 병정들에게 명령했다.

병정들은 서로 얼굴만 마주 볼 뿐 움직이려 들지 않았다.

"아무래도 없는 모양입니다."

"당장 만들어!" 여왕은 기분이 언짢은 듯이 말했다.

"아무리 서둘러도 며칠은 걸릴 텐데요. 아무튼 단두대라는 것을 본 적도 없으니 말입니다."

여왕은 밧줄에 둘둘 감긴 채 피투성이가 되어 땅에서 꿈틀거리는 메리 앤을 내려다보았다.

"안 늦을까?"

"무슨 말씀이신지?"

"단두대가 완성될 때까지 이 여자가 살아 있을까?"

"피를 너무 많이 흘렸으니 그렇게 오래 버티지는 못하지 않겠습니까?"

"그럼 안 되는데."

"상관없지 않습니까? 어차피 사형시킬 거니까요."

"그럼 목을 쳐서 사형시킨 게 아니잖아."

"시체의 목을 치면 되지 않을까요?"

"그건 좀 아닌 것 같은데? 팔팔할 때 목을 댕강 자르는 게 묘미라고 할까."

"그럼 역시 칼로 자르시죠."

"하지만 날이 빠졌어."

"그럼 모두의 칼을 모아놓고 이가 빠질 때마다 새 칼로 바꾸는 건 어떨까요?"

"좋아. 병정들아, 모두 칼을 뽑아서 여기에 내려놓아라."

여왕은 칼을 주워 들고 메리 앤의 목을 후려쳤다. 두세 번 내려친 후 날의 상태를 확인하고 이가 빠졌으면 다른 칼로 바꾸었다.

그런 식으로 열 자루쯤 교체하고 나자 혈기왕성한 여왕도 어깨를 들먹이며 숨을 쉬기 시작했다.

"아이고, 누가 나랑 교대하자. 피곤하고, 드레스도 피투성이야."

병사들이 순서대로 칼을 내리쳤다.

"어때, 메리 앤? 많이 얌전해졌네."

하트 2가 메리 앤의 얼굴을 들여다보았다.

"제법 아픈 모양입니다. 이를 악물었네요. 그리고 입과 코에서
도 피가 나고 있습니다."

"이제 곧 죽을 것 같아?"

"글쎄요. 이제 목뼈가 보이니까 그렇게 오래 버티지는 못할 것
같습니다."

"아, 따분해라. 죽이는 데 이렇게 시간이 오래 걸리다니 사형답
지가 않네."

"확실히 사형답지는 않습니다만, 뭐 어쩔 수 없지요."

"드릴 말씀이 있습니다." 스페이드 3이 머뭇머뭇 손을 들었다.

"뭐야?" 여왕은 매섭게 노려보았다.

"'밀어도 안 되면 당겨봐라'라는 속담대로 해보는 건 어떨까
요?"

"그거 지금 상황에 들어맞는 속담이야?"

"칼은 그냥 꽉 누르거나 내려치는 것보다 자르고 싶은 것 위에
대고 날을 당겨야 더 잘 잘린다는 말을 들은 적이 있습니다."

"오. 확실히 일리 있는 말이야." 여왕은 칼날을 메리 앤의 목에
대고 당겨보았다.

쓱싹거리는 소리와 함께 상처에서 뭔가가 떨어져 내렸다.

"응. 좀 더 잘 드는 것 같아." 여왕은 몇 번인가 칼날을 왔다 갔

다 했다. "반응이 있네. 자, 이제 너희들이 교대로 해봐."

병정들이 교대로 칼날을 메리 앤의 목덜미에 대고 문질렀다.

"점점 뼈를 파고들어갑니다." 스페이드 3이 여왕에게 보고했다. "그리고 메리 앤이 경련하고 있습니다."

"이러다 목이 채 떨어지기도 전에 죽겠네. 좀 더 빨리 할 수는 없어? 아참, 쓱싹쓱싹 썰어서 자를 거면 칼보다 톱이 낫지 않을까?" 여왕이 제안했다.

"톱으로 사형을요? 댕강 잘라낸다는 느낌과는 거리가 멉니다만."

"지금 찬밥 더운밥 가릴 때가 아니잖아. 누가 톱을 가지고 오너라!"

"……." 메리 앤이 중얼거렸다.

"뭐라고?" 여왕이 물었다.

"……그만해……."

"아니. 안 돼. 사형이니까 못 그만둬."

"……그만해……. 아픈 건 싫어."

"그래? 그럼 될 수 있는 한 아프지 않게 자를게."

"여왕님, 톱 대령했습니다."

"녹도 슬고 어쩐지 부실해 보이는데 괜찮을까?"

"잘 모르지만 뼈는 나무보다 덜 단단하니까 어떻게든 되지 않겠습니까?"

"그래? 해봐."

스페이드 3은 메리 앤의 머리를 발로 꽉 밟고 서서 톱날을 목에 대고 확 당겼다.

메리 앤이 머리를 푸들푸들 떨며 인간의 목소리라고는 여겨지지 않는 소리를 토해냈다. 온몸이 요동치는 바람에 스페이드 3은 하마터면 튕겨나갈 뻔했다.

"뭐야. 다 죽어가는 줄 알았더니 제법 쌩쌩하잖아."

"이래서는 위험해서 톱질을 제대로 못 하겠는데요."

"그럼 셋이서 들러붙어. 하나는 머리를 누르고, 하나는 몸을 누르고, 마지막 하나가 톱질을 해."

그런 후에도 사형을 진행하기 위해 야단법석을 떨어야 했다. 결국 몸뿐만 아니라 팔다리도 눌러야 했기 때문에 합쳐서 일곱 명이 필요했다. 게다가 모두 피에 젖었다.

"사형이 이리도 처참한 일일 줄이야. 앞으로 걸핏하면 목을 치라는 말 안 할게." 여왕은 반성의 말을 늘어놓았다.

"으어억!" 메리 앤이 눈을 까뒤집고 울부짖었다.

여왕이 얼굴을 가까이 댔다. "왜? 아파?"

"커커커컥." 메리 앤이 입을 벌린 순간 대량의 피가 뿜어져 나왔다.

"어휴. 교양 없기는."

"그냥 내버려두시죠. 어차피 이제 곧 죽을 텐데요."

"아니야. 이렇게 된 이상 오기야. 어떻게든 죽기 전에 잘라내겠어. 더 잘 드는 톱을 찾아 와."

"발상을 전환해보는 게 어떻겠습니까?"

"무슨 소리야?"

"결국은 단단한 뼈가 문제입니다. 뼈를 제외하면 피부와 근육, 혈관과 식도, 기관이므로 그렇게 딱딱하지 않습니다."

"그야 그렇겠지. 하지만 뼈가 단단하니까."

"뼈만 먼저 부수면 됩니다. 그러면 나머지는 톱으로 간단히 자를 수 있습니다."

"어떻게 부수는데?"

"정과 나무망치로 단번에 끝내시죠."

"그거 괜찮네. 어머?" 여왕은 메리 앤이 자신의 치맛자락을 잡아당기고 있다는 것을 알아차렸다. "하고 싶은 말이 있나 봐."

"이제 그만. ……빨리 죽여줘……."

"아아. 아까부터 계속 그러려고 노력 중이야. 몰랐어? 조금만 더 기다려."

"폐하, 정과 나무망치를 대령했습니다."

"그럼 냉큼 끝내."

"피에 젖어 질퍽질퍽하군요. 정을 어디에 대면 될까요?"

"나도 몰라. 이쯤 아니겠어?"

"아아. 여기요."

메리 앤은 달아나기라도 하려는 듯이 연체동물처럼 꿈틀거렸다.

스페이드 3은 정을 대고 나무망치로 두드렸다.

두드릴 때마다 메리 앤은 온몸을 비비 꼬았다.

중앙정원은 피바다로 변했고, 병정과 여왕 그리고 관중 모두 피에 흠뻑 젖어 누가 누구인지 모를 지경이었다.

사형은 그 후로도 계속됐다.

24

일전에 히로야마 부교수와 함께 있던 중학생 두 명이 아리를 보고 소곤소곤 이야기를 나누었다.

"저 두 녀석은 미치광이 모자 장수와 3월 토끼야." 다니마루 경감이 말했다. "이쪽 세계에서 히로야마 선생이 다양한 거짓 정보를 알려준 모양이더군."

"쟤들이 히로야마 선생님을 협박한 게 아니었군요."

"용돈을 쥐여주며 잘 구슬렸대."

"그러고 보니 히로야마 선생님은 어떻게 됐나요?"

"히로야마 선생님은 전철에 치였습니다." 니시나카지마가 알려주었다.

"사고? 아니면 자살?"

"뭐, 그건 분명하지 않은 모양입니다. 어느 쪽이든 상관없지 않습니까?"

"즉사였나요?"

"아니요. 동맥이 잘 압박됐는지 몸뚱어리가 거의 절단된 상태였는데도 즉사는 아니었다고 합니다."

"돌아가실 때까지 시간이 많이 걸렸나요?"

"아니. 아직 살아 있어. 때때로 의식도 돌아오는가 봐." 다니마루 경감이 말했다.

"이상하네요. 이상한 나라의 본체가 죽으면 아바타라도 죽는 것 아닌가요?"

"응. 하지만 본체가 아직 안 죽었어."

"사형을 집행했잖아요?"

"사형은 집행했지만 아직 끝나지 않았지."

"꽤나 오래 걸리네요?"

"어쨌거나 이번이 처음이니까. 뭐, 앞으로 몇 시간만 더 있으면 어떻게든 끝나겠지."

"너무 잔인한 형벌 아닌가요?"

"일부러 그러는 건 아니야. 그리고 이상한 나라에서 지구의 법체계는 통하지 않아."

그래. 이상한 나라는 정상이 아니야. 하지만 정상으로 보이는 이 지구가 꿈이고, 이상한 나라가 현실이지. 옳고 그르고를 따질 일이 아니야. 그게 진실이니까 어쩔 수 없어.

아리는 현기증이 났다.

마치 세계가 흔들리는 것 같아.

"아니. 실제로 흔들리고 있어." 체셔 고양이가 귓가에 대고 말했다.

"체셔 고양이! 어째서 네가 여기 있는 거지?"

"너도 여기 있잖아."

"하지만 겨울잠쥐인 상태로 여기 있는 게 아니야. 구리스가와 아리로서 지구에 존재하는 거라고."

"난 체셔 고양이로서 지구에 존재하지."

"하지만 그런 건 말도 안 돼."

"어떻게 그렇게 단정할 수 있지?"

"이치에 안 맞잖아."

"네 말이 맞아. 메리 앤은 당치 않은 짓을 너무 많이 저질렀지. 이 꿈은 여기저기에 금이 가서 더 이상 수습이 불가능해."

"무슨 소리야?"

"원래 꿈은 이치에 맞지 않는 법이야. 하지만 아주 그럴싸한 꿈은 앞뒤가 딱딱 맞아서 마치 현실 같지. 그런 꿈은 오래가. 이번 꿈도 그런 꿈이었어. 하지만 이제 한계야. 작은 모순이 쌓이고 쌓이다 보면 더 이상 무시할 수 없는 지경에 다다라. 결국 붉은 왕이 잠에서 깨어나서 꿈은 붕괴되지."

앨리스는 세계를 둘러보았다.

태양이 달처럼 찼다가 이지러졌으며 하늘에서는 악마가 내려오고 땅에서는 천사들이 기어 나왔다.

요괴들이 불을 뿜는 괴수에게 덤벼들었고, 물고기와 고래가 하늘을 날았다. 지구, 화성, 목성, 토성, 고래자리가 서로 이어져 말로는 다 형용할 수 없는 것들이 건너오기 시작했다.

그럼 이제 끝이구나.

"왜 우는 거지?" 체셔 고양이가 물었다.

"세계가 멸망하니까. 아주 좋아하는 곳이었는데."

"세계는 멸망하지 않아. 그냥 꿈 하나가 끝을 맞이할 뿐이야."

"우리에게는 이 꿈이 세계였어."

"그것도 역시 꿈에 지나지 않아. 꿈은 꿈이지."

"이런 일이 전에도 있었어?"

"늘 있는 일이야. 네가 잊어버렸을 뿐이지."

"이제 다른 사람들은 못 만나?"

"이상한 나라에서는 언제든지 만날 수 있어."

"하지만 지구는 없어지는 거구나."

"걱정 마. 붉은 왕은 깨어났다가 잠들고, 잠들었다가 깨어나. 얼마 안 지나서 또 다음 지구의 꿈을 꿀 거야."

"다음 지구가 좋은 곳이기를."

안녕, 앨리스.

현실과 환상의 핏빛 접점

장경현(추리소설 평론가 · 조선대학교 교수)

고바야시 야스미의 《앨리스 죽이기》는 2013년 9월 일본에서 출간되어 2014년 '이 미스터리가 대단하다!' 4위, '본격 미스터리 베스트 10' 6위, '미스터리가 읽고 싶다' 8위 등 주요 미스터리 랭킹에 이름을 올리며 주목을 받은 작품이다. 사실 이 책을 논할 때 저자에 대해 먼저 말해야 할지 아니면 《이상한 나라의 앨리스》에 대해 먼저 말해야 할지 적잖이 고민스러웠다. 양쪽 모두 강렬한 개성을 발휘하고 있기 때문이다. 하지만 이 독특한 작품의 최대 매력은 역시 '앨리스'라는 고전 텍스트를 세계지식(global knowledge)으로 삼아 현란하게 휘두르는 상호텍스트성(intertextuality)에 있음을 부정할 수는 없을 것이다. 그러므로 소설의 밑바탕을 제공해준 《이상한 나라의 앨리스》에 관한 소개로 이 글을 열고자 한다.

1. 앨리스

루이스 캐럴의 환상소설 《이상한 나라의 앨리스》와 《거울 나라의 앨리스》는 서구에서 매우 강력한 영향력을 발휘하는 작품이다. 기괴한 상상력과 어지러울 정도의 언어유희, 그로테스크한 캐릭터들은 그들의 일상 구석구석에 그림자를 드리우고 있다. 어린이를 위한 판타지로 보기에는 심할 정도로 복잡하고 뒤틀려 있는 세계를 보여주는데, 그래서인지 서구인들은 이 작품을 판타지 자체로 즐기는 경우가 많다. 그러나 우리나라에서는 언어의 벽을 극복하기 어려운 탓일까, '앨리스' 시리즈를 순수하게 즐기기는 어려운 듯하다. 관념적이고 상징적인 캐릭터들과 중의적인 텍스트는 우리에게는 '해석해내야 하는' 지난한 과제로 느껴지는 것이다. 최근 미국과 영국의 드라마, 영화 등에서 사이버 공간의 인공지능을 '앨리스'라는 소녀로 형상화하는 경우를 종종 볼 수 있는데 이런 면에서도 앨리스는 중층의 상징체계를 지니고 있다고 하겠다.

한편 일본에서는 나름대로 이 작품들을 콘텐츠로서 활용하고 있다. 만화 《암스》가 《이상한 나라의 앨리스》를 주요 모티프로 삼았다든가 미야베 미유키의 소설 《스나크 사냥》이 루이스 캐럴의 풍자시 〈스나크 사냥〉을 바탕으로 한 것임은 이미 잘 알려진 사실이다. 《앨리스 죽이기》는 여기서 좀 더 나아가 아예 앨리스의 세계를 현실로 설정하여 사건을 전개시킨다. 그러므로 '앨리스' 시리즈에 대해 기본적인 지식을 갖춘다면 이 작품을 좀 더 온전히 즐길 수 있을 것이다. 이해를 돕기 위해 캐릭터만 간단하게 설명하자면 다음과 같다.

《앨리스 죽이기》에 등장하는 흰토끼, 도마뱀 빌, 여왕, 공작 부인, 3월 토끼, 미친 모자 장수, 겨울잠쥐, 체셔 고양이, 그리핀, 메리 앤 등은 모두 《이상한 나라의 앨리스》에 나오는 캐릭터들이다. 흰토끼는 앨리스가 맨 처음 이상한 나라를 발견하게 된 계기를 마련한 캐릭터로, 늘 바쁘게 돌아다니는 다소 정신없는 존재이다. 도마뱀 빌은 《이상한 나라의 앨리스》에서는 그저 스쳐 지나가는 단역에 가깝지만 여기서는 매우 중요한 인물로 등장한다. 여왕과 공작 부인, 체셔 고양이는 설명하지 않아도 아마 잘 알 것이다. 미친 모자 장수, 3월 토끼, 겨울잠쥐는 유명한 '미친 다과회'의 멤버이며 흰토끼의 하녀 메리 앤은 《이상한 나라의 앨리스》에서는 흰토끼에 의해 언급될 뿐 특별히 나오는 장면이 거의 없다.

《이상한 나라의 앨리스》의 후속편인 《거울 나라의 앨리스》에서는 달걀 인간 험프티 덤프티와 붉은 왕, 굴 등이 등장한다. 이중 가장 유명한 험프티 덤프티는 담 위에 앉아 있는 달걀의 모습으로 수많은 매체에 등장하는데 늘 마지막에는 추락하여 깨지고 마는 비운의 캐릭터다. 체스의 말인 붉은 왕은 늘 잠에 빠져 있으며 마치 장자의 꿈처럼 그의 꿈속에 앨리스가 나오는지 아니면 앨리스의 꿈속에 그가 나오는지 혼란스럽게 한다. 굴은 소설 속 시에 등장하는데, 바다코끼리와 목수에게 속아 잡아먹히는 운명을 맞는다.

스나크(Snark)와 부점(Boojum)은 〈스나크 사냥〉에 등장하는 상상의 동물이다. 스나크는 사람과 비슷하지만 정체를 알 수 없는 어떤 존재로, 그 가운데 부점이 있으며 부점은 마주치는 모든 것을 사라지게 한다. 그래서 '스나크는 부점이다'라는 말이 의미를 갖는다. 밴더스내치는 정체 모를 괴물로 《거울 나라의 앨리스》 속 〈재버워크〉라는 시에 언급되었다가 〈스나크 사냥〉에서 다시 등장한다.

이러한 배경지식이 없는 독자들은 《앨리스 죽이기》를 읽으며 잠시 어리둥절할지도 모르겠다. 그러나 조금만 인내하면 곧 복잡하고 괴팍하지만 매혹적인 이 '이상한 나라'의 미스터리에 푹 빠질 수 있을 것이다. 사실 첫머리의 두서없는 대화 속에도 중요한 단서가 숨겨져 있음은 이미 책을 다 읽은 독자라면 잘 알고 있을 것이다.

2. 고바야시 야스미

고바야시 야스미는 오사카 대학 기초공학부를 졸업하고 박사 과정을 수료한 공학도 출신의 작가다. 데뷔작인 〈완구수리자〉로 일본 호러소설대상 단편상을, 〈바다를 보는 사람〉으로 SF매거진 독자상을, 《천국과 지옥》으로 세이운 상을 수상하는 등 주로 SF와 호러소설 분야에서 활약해왔지만, 장편 추리소설 《밀실·살인》과 단편집 《커다란 숲의 자그마한 밀실》을 발표하며 다양한 장르를 소화해내는 작가로 주목받은 바 있다.

물론 그의 주력 분야는 추리소설이 아니다. 그의 추리소설은 본격 추리소설의 틀을 갖추고 있으나 호러와 SF가 뚜렷한 경계 없이 넘나드는 혼성 장르에 가깝다. 그 때문에 추리소설 애호가들 사이에서는 호불호가 엇갈리기도 한다. 트릭을 전면에 내세우긴 하나 그의 추리소설에서 핵심이 되는 것은 주인공이 사는 세계 자체에 대한 반전이라 이 부분에 대한 평가가 다양한 것이다.

공학도와 호러 · 환상소설이라는 장르는 다소 상충되어 보이기도 하는데, 고바야시 야스미는 공학도로서의 관점을 자유분방한 상상력에 위화감 없이 잘 녹여내고 있다. 이 작품에서도 현실 지구의 배경이 공대 대학원으로 설정되며 교수들 간의 갈등이 부각되는 등 개인의 경험이 실감나게 반영되어 있다. 일본 장르소설 작가들 중에는 이러한 이공계파가 적지 않아, 히가시노 게이고의 '탐정 갈릴레오' 시리즈나 모리 히로시의 《모든 것이 F가 된다》 등 이공계 대학과 연구소의 현실이 생생하게 그려지는 작품들을 종종 볼 수 있다.

그런가 하면 《밀실 · 살인》에 나온 인물들이 《커다란 숲의 자그마한 밀실》에 이어 《앨리스 죽이기》에도 등장한다. 바로 현실 세계의 경찰인 다니마루와 니시나카지마이다. 다니마루는 《밀실 · 살인》에서 마음씨 따뜻한 조력자로서 주인공을 도운 인물이고 니시나카지마는 사건이 발생한 마을의 순경으로 호기심 많고 긍정적인 인물이다. 이와 같이 '고바야시 월드'를 형성하여 인물들을 새롭게 부활시키는 것도 고바야시 야스미의 특징이다(《밀실 · 살인》에서도 《이상한 나라의 앨리스》와 《거울 나라의 앨리스》에 대한 언급이 나온다. '오컴의 면도날'에 관한 이야기도 마찬가지이다).

3. 꿈꾸는 자는 누구인가

이 작품은 참으로 복잡한 텍스트이다. 이중의 평행 서사라는 어려운 테크닉을 구사하면서 거기에 몇 겹의 반전을 둘러쳐 독자의 혼을 빼놓는다.

서로 다른 두 세계가 병치되며 각각 연계되는 이중 서사를 갖춘 작품으로는 추리소설이 아니지만 무라카미 하루키의 《하드보일드 원더랜드》가 잘 알려져 있으며(그러나 이 작품도 궁극적으로는 빌 밸린저에게서 그 모티프를 가져온 것으로 보인다) 아야쓰지 유키토의 '관' 시리즈도 이런 계열이라고 볼 수 있을 것이다. 크리스 보잘리언의 《이중구속》 또한 F. 스콧 피츠제럴드의 《위대한 개츠비》의 세계와 현실 세계가 병치되어 전개되는 서사를 갖고 있다. 이외에도 《앨리스 죽이기》는 SF의 거장 로저 젤라즈니의 판타지 '앰버' 시리즈와도 유사한 설정과 세계관을 갖고 있다. 이런 작품들은 두 개의 서사가 독립적으로 전개되다가 어떻게 합일점을 드러내는가가 최대의 흥미를 끌어내는 중요한 부분이다. 이런 면에서 고바야시 야스미는 감탄할 만한 솜씨를 보여준다. 비록 이성으로 설명할 수 없는 엉뚱한 일들이 벌어지는 '이상한 나라'이지만 작가는 상당히 세심한 규칙과 설정을 고안하여 모든 것을 탄탄한 인과율로 설명하는 데 성공한다. 혹 추리소설로서 이 작품에 아쉬움이 남더라도 판타지 소설로서의 직조 능력만큼은 인정할 수밖에 없을 것이다.

이 작품을 읽다 보면 자연스럽게 장자의 호접몽이 떠오른다. 어느 세계가 꿈이고 어느 세계가 현실인가에 대한 혼란스러운 서술은《거울 나라의 앨리스》에서도 나타나는 것으로, 붉은 왕에 대한 이야기에서 잠깐 언급된다. 또한《거울 나라의 앨리스》마지막에서는 앨리스가 자신이 키우는 고양이들을 보며 이들이 과연 거울 나라에서 누구였을까 궁금해하는 장면이 나온다. '누가 누구인가'라는 정체성에 대한 의문은 사실상 이 작품의 핵심인데, 작가는 이를 통해 의외의 반전을 성공적으로 제시했다. 아직 작품을 읽지 않은 독자를 위해 구체적으로 언급할 수는 없으나 이러한 반전은 꽤 의미심장한 아이러니를 보여준다. 실체와 허상의 경계에 대해 우리에게 여러 가지 물음을 던지는 것이다. 더구나 현실 지구와 이상한 나라의 자아에 상당한 간극이 있다면 어느 쪽이 실체이고 어느 쪽이 허상인지 쉽게 판단할 수 있을까. 이를테면 멍청한 도마뱀 빌과 수재 공학도 이모리 겐 중 누가 실체라고 단정할 수 있을까. 이 질문은 생각보다 많은 사람에게 던질 수 있을 것이다.

4. 잔혹 동화

잔혹한 묘사로 유명한 일본 소설 가운데는 무라카미 류의《미소 수프》라든지 히라야마 유메아키의《유니버설 횡메르카토르 지도의 독백》, 아비코 다케마루의《살육에 이르는 병》등 만만치 않은 작품들이 많다. 그러나《앨리스 죽이기》는 노골적으로 잔인함을 드러내는 대신 매우 가벼운 필치로 장난스럽게 끔찍한 장면을 툭

툭 던져 색다른 느낌을 선사한다. 《이상한 나라의 앨리스》 특유의 그로테스크한 환상을 육체적인 폭력으로 살짝 전환하는데 이것이 몹시도 잔혹하게 느껴진다. 등장인물들이 죽음을 맞는 방식은 환상세계에서나 있을 법한 것이지만 이것이 현실성을 지닐 때 진정한 지옥이 되는 것이다. 특히 마지막 범인의 처형 장면은 우스꽝스러우면서도 끔찍하기 짝이 없다. 비현실적인 세계의 비밀착적 체험은 필연적으로 무정함을 띠게 된다. 나의 고통이 아니니까. 그리고 내가 큰 고통을 주고 있다고 생각되지 않으니까. 따라서 '그래도 되니까' 양심의 가책을 느끼지 않는다. 이것이 바로 범인이 그토록 냉혹하게 살인을 저지른 근본적인 이유이리라. 특정 개인이 이런 태도를 가지면 사이코패스이지만 사회 전체가 이런 태도를 가지면 체제 폭력을 휘두르는 폭압적인 사회가 된다. 범인이 말하듯 개인적인 유감이 있어서가 아니라, '그래도 되니까', 그리고 '고통스러운지 어쩐지 모르니까' 잔인해지는 것이다. 이것은 거리 감각의 문제이다. 찰리 채플린의 유명한 말, '멀리서 보면 희극이고 가까이서 보면 비극이다'를 되새길 필요가 있다.

이러한 잔혹성은 다른 작품들에서도 나타나는 작가의 특징이다. 호러소설 쪽에서 실력을 발휘하는 작가이니만큼 납득이 가긴 하나 추리소설 애호가들 중에는 불편해하는 이들도 많으리라 짐작한다. 특히 이 작품의 몇몇 장면들은 끔찍한 광경을 상당히 길고 자세하게 묘사하는데 이 부분은 호오가 갈릴 것으로 예상된다. 그러나 생각해보면 《이상한 나라의 앨리스》 자체가 매우 그로테스크한 세계이지 않은가. 지금껏 우리가 애써 부정하고 외면하고 있었을 뿐. 작가는 그저 그 이면을 곧이곧대로 보여주는 것뿐일지도 모른다. 이 지점에서 환상과 현실이라는 두 세계가 진정으로 얼굴을 맞대는 셈이다.

요즘 집에서 일하려니 어쩐지 답답하고 일도 잘되지 않아서 노트북을 들고 집 근처 카페에 나와서 일한다. 일단 카페에 나오면 돈을 들여서 자리에 앉아 있는 만큼 열심히 일해야 한다는 마음이 생긴다. 그리고 카페에서 몇 시간 동안 이만큼 번역했으니 시급이 이만큼이나 돼, 하고 자화자찬하면서 번역으로 갑부(?)가 되는 장밋빛 환상에 빠질 수도 있다.

하루에 이만큼만 번역하면, 한 달에 이만큼만 번역하면, 1년에 이만큼만 번역하면, 조금만 더 열심히 해서 이만큼의 10분의 1 정도만 더 번역하면…… 하고 상상의 나래를 펼치다가, 1년 동안 번역할 일감이 있다면, 여섯 달 동안 번역할 일감이 있다면, 세 달 동안 번역할 일감이 있다면, 아니, 다음 일감이라도 있다면…… 하고 《레디메이드 인생》의 주인공 같은 생각을 하고는 한다.

개인적으로 나를 아는 사람이 이 글을 본다면 "너, 일거리 있잖아" 하고 핀잔을 줄지도 모르지만, 항상 겨울잠 자기 전에 도토리

를 모으는 다람쥐 같은 심정으로 살아가고 있으므로 어쩔 수 없다
고 변명하련다.

아무튼 카페에 오면 아메리카노를 마신다. 계절에 따라 차갑게
마시느냐 따뜻하게 마시느냐가 바뀔 뿐 백에 아흔아홉 번은 아메
리카노다. 그런 만큼 아메리카노는 진짜 남부럽지 않게 마셨지
만, 사실 아직도 아메리카노 맛을 잘 모른다.

"아메리카노는 아메리카노 맛이야. 그냥 씁쓸하니 맛있어. 시
럽 넣으면 달콤하고 씁쓸하니 맛있어."

혹시라도 누가 물어본다면 이렇게밖에 대답할 말이 없다. 그리
고 이런 내게 《이상한 나라의 앨리스》는 아메리카노다.

사실 역자 후기를 쓰기 전에 많이 고민했다. 《앨리스 죽이기》가
《이상한 나라의 앨리스》를 바탕으로 하고 있는 만큼 《이상한 나라
의 앨리스》와 관련지어 분석하거나 설명해야 하는 것 아닐까, 하고.

며칠이나 끙끙 앓았지만 불가능했다. 난 그저 《이상한 나라의
앨리스》를 재미있게 읽은 독자에 지나지 않으니까. 아메리카노의
맛을 제대로 설명할 수 없는 것과 마찬가지로 재미있게 읽기는 했
지만 《이상한 나라의 앨리스》를 분석할 능력은 없다.

그렇다면 《앨리스 죽이기》는 어떨까? 《앨리스 죽이기》는 시럽
넣은 아메리카노다.

이 책의 저자 고바야시 야스미는 1995년에 《완구 수리자》로 제
2회 호러소설대상 단편상을 받으며 데뷔했다. 그러나 호러소설만
쓴 것은 아니고, 다양한 방면에서 활동하다 2012년에는 《천국과
지옥》이라는 작품으로 SF문학상인 세이운 상을 수상했다. 뿐만

아니라 미스터리 소설집 《커다란 숲의 자그마한 밀실》은 10만 부도 넘게 팔렸다.

이렇듯 고바야시 야스미는 호러, SF, 미스터리를 고루고루 쓰는 작가다. 그리고 《앨리스 죽이기》는 그의 작풍이 모조리 혼합된 결정체라고 보아야 마땅할 것이다.

《이상한 나라의 앨리스》의 환상성에다 SF적 설정, 그로테스크한 묘사, 미스터리의 논리가 더해진, 이상하면서도 묘하게 말이 되고 그렇지만 별난 이야기. 즉 이 작품은 맛있는 아메리카노에 특수한 시럽을 넣어 달콤하면서도 씁쓸하고 톡 쏘는 맛이 나는 소설이다.

길고 긴 서론을 끝내고 결론을 짤막하게 말하자면 이 작품은 재미있다. 그리고 옮긴이로서 그 재미를 독자에게 고스란히 전달하기 위해 노력했다고 말씀드리고 싶다.

《앨리스 죽이기》의 재미는 아무래도 정상이 아닌 것처럼 보이는 등장인물들의, 초점이 자꾸 엇나가는 대화에 집약되어 있다고 해도 과언이 아니다.

그러므로 내가 읽으면서 느꼈던 재미가 줄어들지 않도록 캐릭터의 개성을 살리고, 대화의 주체가 누구인지 헷갈리지 않도록 번역하고자 애썼다(편집부에서도 많은 도움을 주셨다). 혹시 책을 읽다가 지금 누가 이 말을 했는지 헷갈린다면 다 옮긴이의 역량이 부족한 탓이다. 그런 일이 없기를(하다못해 그런 일이 적기를) 바랄 뿐이다.

오늘도 아메리카노를 마시며 일하고 있다. 날씨가 쌀쌀해져서 그런지 더 맛있게 느껴진다. 앞으로 더 추워질 텐데 독자 여러분도 따끈한 아메리카노 한 잔과 함께 독특한 아메리카노(시럽 꾹 꾹 눌러 넣은) 같은 미스터리 《앨리스 죽이기》를 한번 맛보시라고 권해본다.

2015년 12월
김은모

옮긴이 **김은모**

경북대학교 행정학과를 졸업했다. 일본어를 공부하던 도중 일본 미스터리의 깊은 바다에 빠져들어 헤어나지 못하고 있다. 아직 국내에 알려지지 않은 다양한 작가의 작품을 소개하고자 노력하고 있다. 옮긴 작품으로 구라치 준의 《별 내리는 산장의 살인》, 쓰쓰이 야스타카의 《로트레크 저택 살인사건》을 비롯하여, 미쓰다 신조의 '작가' 시리즈, 아비코 다케마루의 '하야미 삼남매' 시리즈, 《여자 친구》《검찰 측 죄인》《달과 게》《밀실살인게임》 등이 있다.

앨리스 죽이기

초판 1쇄 발행일 2015년 12월 21일
초판 62쇄 발행일 2025년 2월 1일

지은이 고바야시 야스미
옮긴이 김은모

발행인 조윤성

편집 박고운 **디자인** 박지은 **마케팅** 이지희
발행처 ㈜SIGONGSA **주소** 서울시 성동구 광나루로 172 린하우스 4층(우편번호 04791)
대표전화 02-3486-6877 **팩스(주문)** 02-598-4245
홈페이지 www.sigongsa.com / www.sigongjunior.com

ISBN 978-89-527-7518-4 04830
ISBN 978-89-527-7787-4 (세트)

*SIGONGSA는 시공간을 넘는 무한한 콘텐츠 세상을 만듭니다.
*SIGONGSA는 더 나은 내일을 함께 만들 여러분의 소중한 의견을 기다립니다.
*잘못 만들어진 책은 구입하신 곳에서 바꾸어 드립니다.

WEPUB 원스톱 출판 투고 플랫폼 '위펍' _wepub.kr
위펍은 다양한 콘텐츠 발굴과 확장의 기회를 높여주는
시공사의 출판IP 투고·매칭 플랫폼입니다.